ART MARKUS
AJI
TUNDE
MAR

REGGAE EXPLOSION

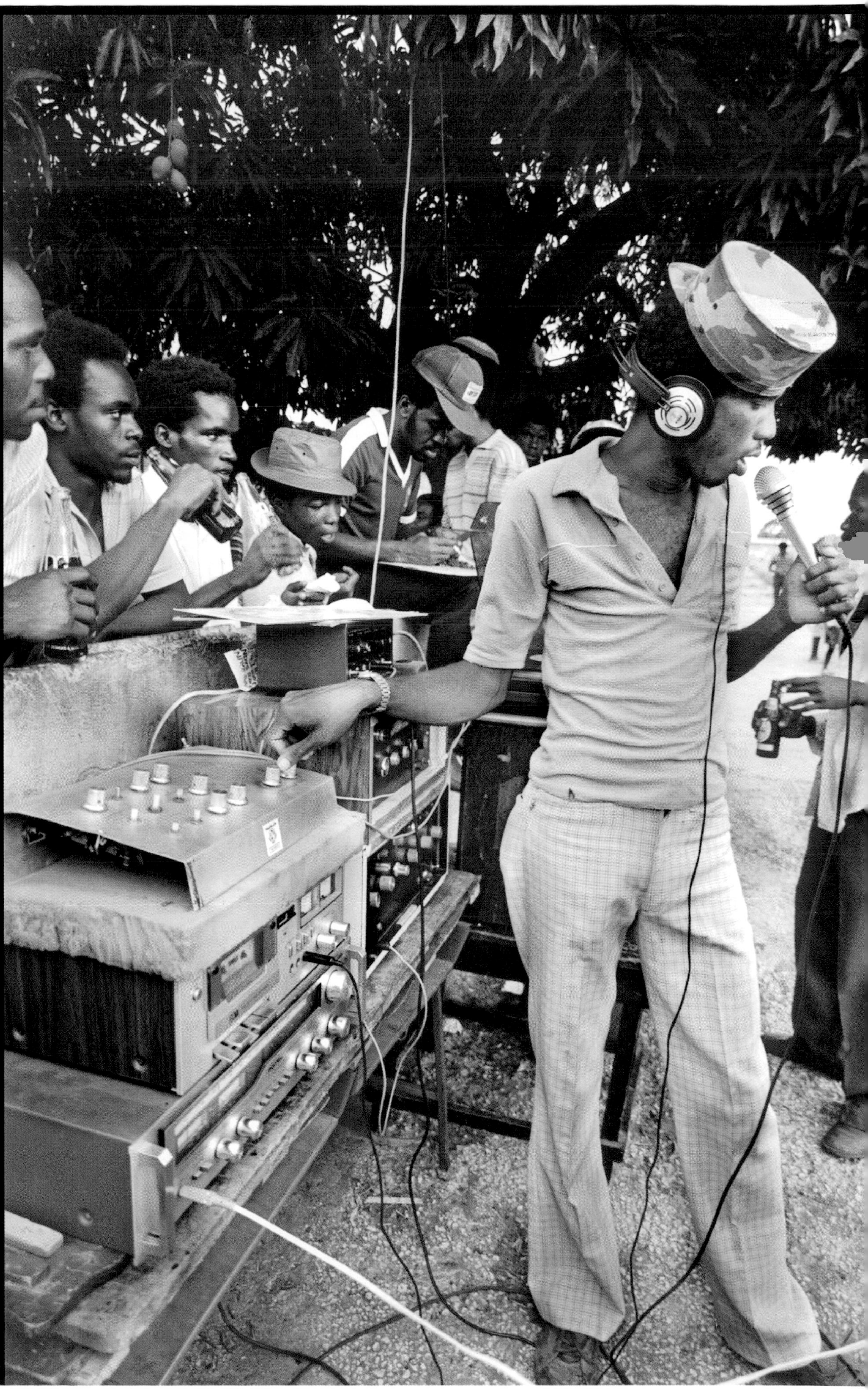

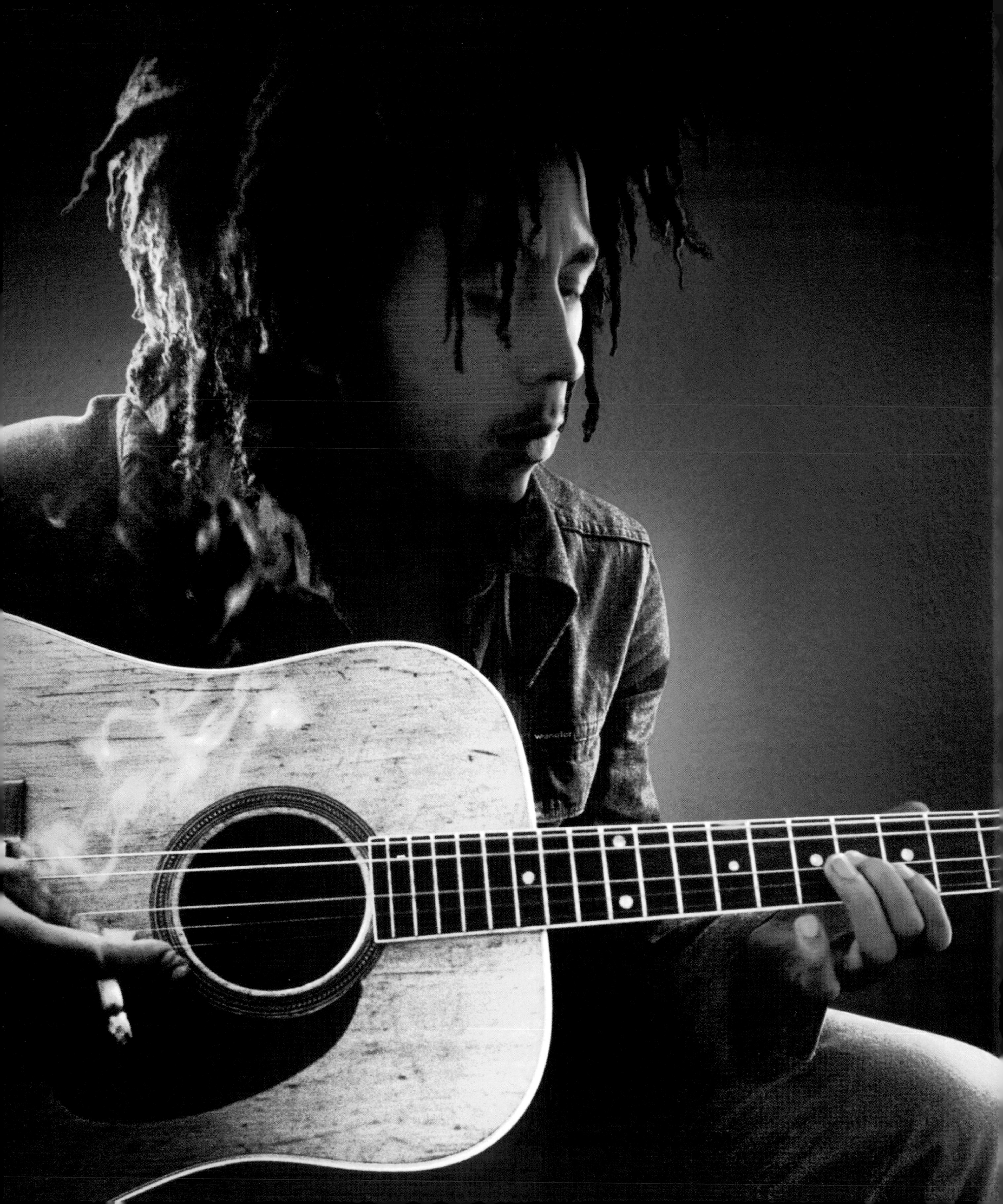

CHRIS SALEWICZ & ADRIAN BOOT

REGGAE EXPLOSION

HISTOIRE DES MUSIQUES DE JAMAÏQUE

Traduit de l'anglais par Philippe Paringaux

SEUIL

Publié en 2001 par
Virgin Publishing Ltd,
Thames Wharf Studios,
Rainville Road,
Londres W8 9HA, Grande-Bretagne

Titre original : *Reggae Explosion, The Story of Jamaican Music*

ISBN : 2-02-050136-8
(ISBN original : 1 85227 925 7)

Direction artistique et design : Dan Einzig, Mystery Design
Conseiller éditorial : Philip Dodd

Imprimé et relié en Italie

Dépôt légal : octobre 2001

www.seuil.com

1 DU MENTO AU SKA
PAGE 12

2 LA NAISSANCE DU REGGAE
PAGE 44

3 DEEJAYS ET DUBMASTERS
PAGE 74

4 ROOTS ROCK REGGAE
PAGE 104

5 L'HÉRITAGE MARLEY
PAGE 138

6 DANCEHALL
PAGE 170

7 REGGAE DU MONDE
PAGE 200

INTRODUCTION DE CHRIS BLACKWELL

Pour une petite île de trois millions d'habitants, la Jamaïque a eu un impact disproportionné sur l'évolution de la musique populaire à travers le monde : le dub, les remix, les effets électroniques et – c'est particulièrement évident de nos jours – le rap ont tous vu le jour en Jamaïque.

Le sound system a été une autre grande invention jamaïquaine, invention dont les conséquences sur la culture populaire se font sentir depuis plus d'un demi-siècle. L'une des façons dont je me suis financé, lorsque j'ai lancé mon propre label à la fin des années cinquante, a été de faire venir à Kingston les plus récents et obscurs 78 tours pour les vendre aux sound systems – pour les vendre plus cher, j'arrachais les étiquettes afin que personne ne puisse savoir avant deux ou trois mois qui était l'artiste.

Une autre chose importante en ce qui concerne la musique jamaïquaine, c'est qu'elle a constamment rendu hommage à ses racines africaines, bien plus que ne l'a fait la musique noire américaine. Cela s'explique par l'influence du rastafarisme sur les musiciens, pas seulement sur des gens comme Count Ossie's Afro-Combo – que Prince Buster engagea comme accompagnateurs sur des disques tels que le « Oh Carolina » des Folkes Brothers –, mais aussi sur tous ceux qui donnèrent à Studio One sa couleur sonore.

Les rythmes africains ont joué un rôle fondamental dans l'histoire de l'île. On peut s'en rendre compte aujourd'hui encore avec le dancehall, forme de musique totalement brute, dépouillée et futuriste, mais dont les rythmes numériques sont également bien souvent ceux des plus anciennes formes de l'art africain. Les grands musiciens de jazz de l'époque ska et le rocksteady des rude boys ont énormément contribué à l'essor de la musique jamaïquaine. Pourtant, mon époque préférée reste le milieu des années soixante-dix, celle du roots reggae. Des gens comme Burning Spear, Lee Perry, Third World, Black Uhuru, les Heptones, Peter Tosh, Bunny Wailer et Toots and the Maytals proposèrent en ce temps-là une musique d'une qualité phénoménale.

Bien entendu, le modèle absolu était Bob Marley, dont les textes poétiques et la musique ont énormément fait pour inciter les gens à envisager leurs vies différemment. Bob est considéré comme le Jamaïquain archétypal, et ce n'est pas forcément faux. Mais il ne faut pas oublier qu'en Jamaïque tout le monde est une star.

ROCKERS

SWING A LING
mobile Record SHACK
ARADE
FOR TAPES
Records
DISCO
FOR HIRE
GOSPEL
OLDIES
CO DE
SOUL
REGGAE
FUNKY
NATTY

SWING A LING
ONE STOP
Records

Le 26 décembre 1950, Tom The Great Sebastian anima un bal de Noël au Forresters Hall, au coin de North Street et de Love Lane, dans le centre de Kingston. Tom concluait ainsi glorieusement sa première année en tant que plus fameux opérateur de sound system de Jamaïque.

DU MENTO

À travers toute l'île, son estrade avec platine unique et sa colossale collection d'obscurs 78 tours avaient obtenu un succès incroyable auprès du public. Mais cette soirée-là vit l'invention d'une nouvelle manière de séduire la foule, à laquelle, curieusement et bien qu'il en fût l'inspirateur, Tom lui-même n'assista pas.

Œuvre d'un gamin inspiré, cette innovation allait se révéler fondamentale pour la musique populaire de la fin du XXe siècle.

Comme c'est souvent le cas pour bien des grandes mutations culturelles, celle-ci se produisit totalement par hasard. Cette nuit-là, en effet,

AU SKA

la réserve d'alcool étant vide, Tom – conscient que la vente d'alcool était la principale source de revenus pour un opérateur de sound system – quitta la salle pour aller au ravitaillement. Et c'est le « selecter » Count Machuki, alors encore adolescent, qui resta pour passer les disques, ce qui était son rôle.

Mais, cette nuit-là, Machuki se mit à « bavarder » par-dessus les disques en laque qu'il faisait tourner, se lançant dans le genre de jive-talking qu'il avait entendu pratiquer par les disc-jockeys des radios américaines : *« Si vous appréciez mon blabla/Vous êtes cool et pas qu'un peu sympa/Tout le monde cette nuit/Se bouge sur le truc à Machuki/Quand il s'agit de jiver/C'est Machuki qu'a les meilleures idées.* » Le public adora et Machuki fut ovationné.

Une semaine plus tard, le 2 janvier 1951, Machuki réédita sa prouesse, de nouveau pendant le spectacle de Tom The Great Sebastian. Tom avait été précédé par le « sound » de Nick The Champ. Désireux de frapper fort d'entrée pour faire taire les cris de « The Champ, The Champ ! » de l'opposition, Tom laissa Machuki s'en charger et lui permit d'apposer sa marque vocale sur la première demi-douzaine de disques.

Une fois encore, la foule devint hystérique : Nick The Champ était oublié. Et c'est ainsi que Machuki lança la tradition du deejay jamaïquain compensant par ses propres inflexions vocales la moindre baisse de tension dans la dynamique d'un disque. Par la suite, des gens devaient renvoyer les disques achetés dans les boutiques de Kingston quand ils s'aperçurent que ces disques n'avaient pas été bonifiés par les interjections de Machuki.

C'est ainsi que naquit le très spécifique art jamaïquain du « deejaying » , style de musique de rue qui, trente ans plus tard, serait reproduit aux États-Unis par le rap, la musique la plus populaire de la fin du XXe siècle.

Le rap n'est qu'une des façons dont la musique jamaïquaine a culturellement colonisé le monde. L'impact international de cette musique est tout à fait démesuré par rapport à cette île de trois millions d'habitants seulement. Ses rythmes sont omniprésents, tout comme ses résonances culturelles : le reggae, le rocksteady, le ska et les formes numériques les plus extrêmes de dancehall font partie de notre fonds musical commun. Dans le même temps, partout dans le monde, des jeunes imitent le langage et les maniérismes vocaux des Jamaïquains ; et des couturiers branchés s'emparent des tendances ragga pour donner un maximum d'impact à leurs défilés.

On peut faire remonter les origines de la plupart de ces innovations musicales à des événements qui se produisirent en Jamaïque dans les années précédant et suivant immédiatement la Seconde Guerre mondiale, époque où l'île commença à manifester son désir de conquérir son indépendance après trois siècles ou presque de colonisation britannique.

L'année 1938 fut marquée par de grands bouleversements politiques. Une des conséquences de l'agitation qui gagnait les travailleurs jamaïquains fut l'incarcération durant quatre années par les autorités coloniales britanniques d'Alexander Bustamante, un leader travailliste qui devait plus tard devenir Premier ministre. Plus important encore, deux puissants partis politiques avaient vu le jour : le Jamaica Labour Party (JLP), modéré, de Bustamante et, plus orienté à gauche, le People's National Party (PNP) de son cousin l'avocat Norman Manley. Autre conséquence annexe des émeutes de 1938 au cours desquelles les autorités coloniales firent tirer sur des coupeurs de canne à sucre en grève, la ganja (nom local de la marijuana), qui jusqu'alors avait été vendue sous licence, était désormais considérée comme une substance illégale, ses utilisateurs étant manifestement jugés coupables de mauvaises pensées.

Cette interdiction posa problème aux Rastafari, cette secte apocalyptique qui croyait en la divinité de l'empereur d'Éthiopie Hailé Sélassié. Dans les années de l'immédiat après-guerre, ils édifièrent des campements autour de Kingston, notamment celui de Pinacle dirigé par Leonard Howell, chef de fait des Rastafari de Jamaïque. Les nouvelles lois antiganja étant appliquées avec la plus grande sévérité envers les membres de la secte, Howell finit par être incarcéré dans un asile. Les autorités coloniales virent également avec inquiétude les fidèles arborer, au cours des années cinquante, de longues dreadlocks emmêlées, imitant ouvertement la coiffure des combattants kenyans de la liberté, les Mau-Mau.

Mais la grande majorité des Jamaïquains n'était pas composée de marginaux de ce genre, elle se préoccupait plus prosaïquement des signes avant-coureurs d'une nouvelle prospérité potentielle. La Jamaïque était administrée par les Britanniques depuis 1655, mais, à la fin des années quarante, émergea un courant sous-jacent suggérant que tout était devenu possible. La Seconde Guerre mondiale avait offert aux Jamaïquains enrôlés dans les forces alliées la possibilité de voyager, de même qu'elle avait fait affluer sur l'île de nombreux étrangers, y compris des prisonniers de guerre allemands. Les gens se redéfinissaient, remodelant ce qu'ils étaient avec une confiance accrue – même si le revers de la médaille était l'émergence de personnages comme Ivan Rhygin, qui, en 1948, se livra à un légendaire accès de violence, devenant ainsi le héros hors-la-loi qui allait inspirer le film tourné en 1972 par Perry Henzell, *The Harder They Come,* dans lequel Jimmy Cliff joue le rôle principal.

E&F
FYFFES LINE
Passenger Services
to
JAMAICA
Sailings from Bristol and Southampton
ELDERS & FYFFES, LTD.
15 Stratton Street, Piccadilly, London, W.1
Jamaica Agency : 40 Harbour Street, Kingston

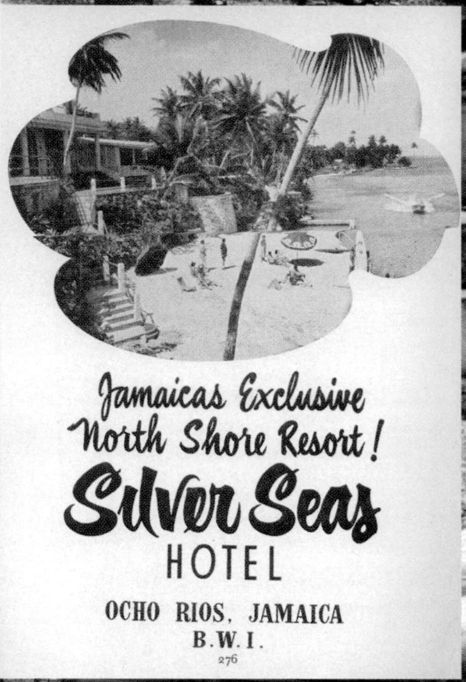

En haut au centre : Marcus Garvey, au centre, fonda la Black Star Line pour offrir à ses compatriotes jamaïquains la possibilité de retourner en Afrique.

« Il m'a fait dormir su
il m'a mené au

Dans les années cinquante, entre la fin de la colonisation et ses premiers pas de nation indépendante, la Jamaïque fut déchirée par de profondes luttes de classes, un héritage importé par les colonisateurs britanniques.

L'île bénéficiait d'un boom économique sans précédent. Entre 1950 et 1960, le produit national brut passa de 70 millions à 230 millions de livres, une croissance exceptionnelle. D'une part, en effet, les consortiums de bauxite s'étaient implantés sur l'île après la découverte que le sol rouge de celle-ci regorgeait de cette matière première utilisée dans la fabrication de l'aluminium, et, d'autre part, la côte nord de l'île était devenue une destination de vacances à la mode pour la haute société. Mais les célébrités en villégiature étaient à peine conscientes de l'existence des Jamaïquains de souche, de même que les plus riches de ceux-ci ignoraient leurs compatriotes moins fortunés.

Pour la plupart des gens, la vie était dure. Les pauvres devenaient plus pauvres encore. Le chômage était considérable. Chaque jour, des hommes jeunes venus de la campagne déferlaient sur Kingston, la plupart sans espoir d'un salaire régulier, matériau idéal pour le mécontentement. Il y avait des femmes également, certaines cherchant un travail de domestique, d'autres gagnant leur vie dans la rue. Nombreux étaient ceux qui croyaient trouver leur salut en émigrant vers le Royaume-Uni ou le Canada. D'autres en étaient réduits à s'embarquer clandestinement sur des navires dont ils ne connaissaient même pas la destination.

Les Rastafari, dont la voix commençait à se faire entendre, psalmodiaient ce qu'ils pensaient des efforts de Norman Manley, le Premier ministre, pour leur procurer du travail mal rétribué :

r des bancs de pierre,
x distilleries. »

Avant que l'indépendance devienne enfin effective, en août 1962, la Jamaïque avait vécu un certain nombre de périodes distinctes : l'époque des indiens Taino, les paisibles indigènes originels qui avaient virtuellement disparu cent ans après que Christophe Colomb eut aperçu l'île en 1494, puis des invasions et des dominations, d'abord espagnole, puis anglaise. Mais ce fut l'importation d'un grand nombre de travailleurs africains qui laissa la marque la plus patente et la plus visible. La musique et les danses des cérémonies d'esclaves, et particulièrement de celle, originaire d'Afrique occidentale, du Jonkanoo (également connu sous le nom de « John Connu » ou de « John Canoe »), destinée à célébrer la moisson, étaient presque exclusivement africaines.

Les masques de Jonkanoo (ci-dessus) effrayaient les propriétaires d'esclaves – les guérilleros maroons les utilisaient parfois pour infiltrer les cérémonies d'esclaves.

Ces cérémonies reflétaient les croyances animistes d'un grand nombre de ceux qu'on avait enchaînés et arrachés à l'Afrique. En 1725 fut publié, dans le livre de Sir Hans Sloane *Voyage aux îles Madère, la Barbade et la Jamaïque*, le premier compte rendu d'une danse de Noël. La première mention du mot John Connu (dans ce cas précis) apparut, elle, en 1774 dans *L'Histoire de la Jamaïque* d'Edward Long : « Dans les villes, pour Noël, on voit quelques hommes grands et robustes vêtus d'habits grotesques et portant sur la tête une paire de cornes de bœuf émergeant du haut d'une sorte d'horrible visière ou masque qui, dans la région de la bouche, est rendu fort terrifiant par de longues défenses de sanglier. Un sabre en bois à la main, l'homme masqué est suivi par une nombreuse foule de femmes ivres qui le rafraîchissent fréquemment à l'aide d'une petite gorgée d'eau anisée tandis qu'il danse devant chaque porte en vociférant "John Connu !" avec une grande véhémence ; de sorte que, le liquide et l'agitation aidant, la plupart d'entre eux sont jetés dans de si dangereuses fièvres que certains en sont venus à mourir. » L'impression de malaise éprouvée par les planteurs propriétaires d'esclaves devait être encore accentuée par le fait que le déguisement des processionnaires leur garantissait l'anonymat.

En Jamaïque, les tambours étaient essentiels pendant les cérémonies d'esclaves. Un tambour toujours querelleur, suggérant communication secrète et rébellion et dont la sonorité devait être particulièrement glaçante pour les propriétaires de plantations vivant au milieu de la lourde atmosphère de quasi-révolte permanente entretenue par les rebelles maroons, ces guérilleros qui se repliaient dans leurs repaires montagnards après avoir tendu des embuscades aux troupes

régulières britanniques ou aux colons. Il fut un temps, au début du XVIIIe siècle, où un propriétaire était passible d'une amende de 10 livres si l'un de ses esclaves était surpris à jouer du tambour.

Particulièrement dominant était le son de célébration de ce qui allait devenir connu sous le nom de tambours buru – ou « tambours parlants », comme on les appelait en Afrique. Selon *Jamaica Talk*, l'étude définitive de Frederick G. Cassidy sur le patois jamaïquain, le mot « buru » (ou « burru ») a plusieurs significations liées : une danse sauvage, parfois indécente ; un médiocre lieu de danse ; et un fanatisme religieux, représenté par le « pocomania », ce mélange d'animisme d'Afrique de l'Ouest et de christianisme. Un « buru-man » est un danseur de pocomania. Dans le langage yoruba d'Afrique occidentale, le mot signifie « méchant ».

En plus des « tambours parlants » buru, de leurs gémissements et de la magie de leur crépitement pareil à celui d'une mitrailleuse, il existait de nombreuses autres sortes de tambours, par exemple l'ebo drum, fait d'un tronc creux tendu d'une peau de mouton, et le tambour basse (ou « kyando »), à la résonance tonale appelée « kagga » et fait en bois d'arbre à pain.

Il y avait également quantité d'instruments de percussion tels que la crécelle, également connue sous le nom de « shaka », « shakey » ou « shaker », et l'os de mâchoire – généralement celle d'un cheval – encore pourvu de ses dents branlantes sur lesquelles on passait un bâton. Bien d'autres instruments furent introduits en Jamaïque par les immigrants forcés. Les cornes jouaient un rôle important, notamment l'« abeng », une corne de vache qui permettait aux Maroons de communiquer à de grandes distances entre leurs caches des Blue Mountains. On soufflait aussi très souvent dans des conques.

Nommée d'après la tribu dominante de la région d'Afrique occidentale qui l'utilisait à l'origine, la flûte coramantee – un long roseau noir qui produit un son très particulier, plaintif et mélancolique – se jouait par le nez. Autre instrument à vent, le « benta », fabriqué avec un bâton tordu. Il y avait aussi le « balafon », un instrument du type xylophone, et le « tambu », qui était le nom que les Maroons donnaient à la « rumba box » ou tambour cubain ; descendant du « zanza » africain, il comprend quatre pièces de métal de tailles différentes que le pouce fait vibrer.

Le plus répandu des instruments africains adoptés par les Amériques fut le banjo (également connu sous le nom de « strum-strum »). Selon Edward Long, c'était « une guitare rustique à quatre cordes. Elle était faite d'une calebasse dont une tranche formait la plus grande section et à laquelle était fixé un manche qu'ils prenaient beaucoup de peine à ornementer d'une sorte de grossière gravure et de rubans ».

Vers le milieu du XVIIIe siècle, les esclaves commencèrent à adopter les respectables danses européennes et les coutumes de leurs propriétaires : le morris dancing, le quadrille écossais ou français et même la polka furent ajoutés à leur répertoire. De même, les musiciens commencèrent à pratiquer le violon. Dans bien des cas, sans doute y avait-il une ironie sous-jacente dans la manière qu'avaient ces esclaves d'interpréter de telles musiques bourgeoises et étrangères, mais le quadrille pénétra profondément la culture jamaïquaine comme le prouve le vers « *Ska quadrille, ska quadrille, ska quadrille* » sur le simple « Rude Boy » des Wailers, publié en 1965.

L'imagerie touristique de la Jamaïque des années cinquante laissait entendre que le calypso était né dans l'île. Mais, même si on la jouait dans les hôtels de la côte nord, cette musique venait de Trinidad, à l'extrême sud des Caraïbes. C'est le mento qui était l'authentique musique de la Jamaïque...

À la suite de l'émancipation, en 1838, un nombre conséquent de travailleurs de plantation africains sous contrat synallagmatique arrivèrent dans l'île. Entre 1841 et 1865, quelque 8 000 « Africains libres » s'installèrent en Jamaïque, une bonne partie des premiers arrivants s'installant dans la commune occidentale de St Thomas, et notamment dans la Plantain Garden River Valley. Ils y introduisirent ces rythmes de tambour marquant fortement les contretemps qui allaient plus tard faire partie intégrante de ceux du reggae.

Ces travailleurs étaient déjà convertis au christianisme, mais ils pratiquaient une variante, combinée de façon intéressante à l'animisme africain, qui allait déboucher sur les spectaculaires cérémonies et le nouveau langage des « revivalistes religieux ». Ceux-ci constituaient l'un des trois courants spécifiquement jamaïquains de christianisme, les autres étant le « kumina », une association de christianisme et d'animisme bantou d'Afrique occidentale, et le pocomania (deux sectes que l'on trouvait tout particulièrement à St Thomas).

D'après Steve Barrow, le spécialiste britannique de la musique jamaïquaine, le revivalisme et le pocomania « combinaient des éléments des religions chrétienne et africaines et faisaient appel aux claquements de mains, au martèlement des pieds et à l'usage du tambour basse, des tambours, des cymbales et de la crécelle ».

L'influence de ces deux mouvements se retrouve, avec celle des cultes de l'église baptiste américaine, dans les premiers disques du plus populaire des groupes vocaux jamaïquains du début des années soixante, les Maytals. Les rythmes des services religieux de pocomania ont également été périodiquement ressuscités par le dancehall, et on dit que le très novateur producteur Lee Perry s'est inspiré, pour son succès de 1968 « People Funny Boy », de ces rythmes entendus en passant devant son église alors qu'il se rendait à une séance d'enregistrement.

Née avec la migration des ouvriers participant à la construction du canal de Panama, la diaspora jamaïquaine s'était bien étoffée à la fin du XIXe siècle. Ces travailleurs voyagèrent à travers toute l'Amérique centrale – encore aujourd'hui, il existe une colonie de Jamaïquains parlant leur patois à Bluefields, sur la côte atlantique du Nicaragua. Ce faisant, ils assimilèrent les sonorités de musiques locales telles que le tango et la samba. À Trinidad, ils s'imprégnèrent du calypso.

La musique qui résulta de cet amalgame fut connue sous le nom de « mento ». Ses racines plongent dans la musique africaine qui accompagnait les cérémonies Jonkanoo et sur laquelle furent greffés les rythmes de la rumba cubaine, du tango et de la samba d'Amérique latine, le tout accompagnant des mélodies européennes. Les rythmes vibrants du mento en plein développement étaient différents de ceux, plus calmes, du calypso trinidadien, même si le premier avait emprunté au second son amour de la satire et ses paroles souvent égrillardes.

Les groupes de mento étaient généralement composés d'un banjo, d'un tambourin, d'une guitare et d'une rumba box – auxquels s'ajoutaient souvent un saxophone en bambou, un flûteau et parfois une casserole en acier.

« On peut trouver des traces du mento, dit Steve Barrow, dans le country reggae, genre associé à des groupes comme Stanley and the Turbines, les Starlights et les Maytones et, à un degré moindre, les Ethiopians, les Gladiators et même Peter Tosh. Les Meditations, un des grands trios " roots " des années soixante-dix, adressèrent eux aussi quelques clins d'œil à la tradition mento. Et au début du ragga, vers le milieu des années quatre-vingt, Admiral Bailey et Lieutenant Stitchie, les deux deejays les plus populaires du grand producteur King Jammy, furent de ceux, nombreux, qui puisèrent librement dans l'imagerie mento en dépit de la distance entre leur technologie numérique et la musique non amplifiée qu'enregistra Stanley Motta. »

À la fin de la Seconde Guerre mondiale, cependant, la popularité du mento originel commençait à baisser tandis que des sons nouveaux en provenance des États-Unis parvenaient en Jamaïque, notamment ceux des grands orchestres d'artistes comme Count Basie, Duke Ellington et Glenn Miller.

Bien que les groupes de mento aient presque tous disparu dans les années cinquante, la musique d'artistes tels que Lord Flea, Lord Fly, Lashar ou Count Owen perdurait grâce à l'imprésario local Stanley Motta, qui publia un grand nombre de disques de mento sur son label Melodisc. D'après Winston « Merritone » Blake : « Quand on ne dansait pas sur de la musique américaine, on le faisait sur du mento. Quand on passait du mento, le public devenait dingue. C'était notre musique. » La musique latine contribua fortement, elle aussi, au répertoire des sound systems, Tom The Great Sebastian étant le premier à passer du merengue.

Après la Seconde Guerre mondiale, la Jamaïque était sur le point de se libérer du joug de plus en plus incertain, culpabilisé et répressif des colonialistes britanniques. On murmurait déjà que l'île allait obtenir son indépendance, destin de toutes les colonies à travers le monde dans le sillage de la guerre. Des temps nouveaux commençaient. La Grande-Bretagne, la mère patrie, n'accueillait-elle pas à bras ouverts les travailleurs jamaïquains ?

Cet optimisme se reflétait dans la musique. Lorsque des troupes US s'étaient trouvées basées sur l'île pendant la guerre, les Jamaïquains s'étaient découvert un goût pour la musique américaine. La fin des années quarante vit la formation de nombreux grands orchestres locaux – entre autres ceux de Jack Brown, d'Eric Dean (qui employa à la fois le tromboniste Don Drummond et le guitariste Ernest Ranglin) et de Val Bennett.

Le public dansait le jitterbug jusqu'à l'aube sur des morceaux empruntés à des artistes américains dont la musique débordante de dynamisme convenait à l'air du temps.

Mais, dès 1950, les grands orchestres américains furent supplantés par des choses plus neuves : les sonorités festives et optimistes du bop et du rhythm and blues. « À partir de 1945, dit Steve Barrow, la Jamaïque a adopté et adapté les différents genres de musique populaire américaine – swing, bebop, R'n'B et soul – pour servir ses propres desseins. »

Ça ressemblait à quoi, de jouer dans les années cinquante ?

L'orchestre de Val Bennett était une assez grande formation – j'ai débuté avec lui quand j'avais quinze ans. J'ai commencé à apprendre le registre de chaque instrument, ça m'a été très utile.
Après ça, **je suis rentré dans l'orchestre d'Eric Dean**, qui était un orchestre meilleur encore parce qu'il interprétait beaucoup d'extraits de comédies musicales de Broadway.

Comment était le public, à l'époque ? C'était uniquement des gens aisés ?

Quand j'étais jeune, la musique était quelque chose de différent. On avait des orchestres qui jouaient les arrangements de gens comme Stan Kenton, Erskine Hawkins, Count Basie... Et les gens connaissaient cette musique. S'ils écoutaient des solos et qu'un musicien loupait le sien, ils savaient qu'il ne lisait pas la musique comme il faut...

Quand l'époque du ska est arrivée, le talent des musiciens a paru s'amoindrir parce qu'ils ne se concentraient que sur le ska. La musique latino-américaine et le swing que nous jouions étaient passés de mode.

ERNEST RANGLIN

En 1951, l'orchestre d'Eric Dean au Colony Club de Halfway Tree Crossroads, à Kingston. On retrouve bon nombre des musiciens qui, plus tard dans la décennie, allaient participer à l'expansion du ska, notamment le tromboniste Don Drummond et le guitariste Ernest Ranglin. De gauche à droite : Don Drummond, Eddie « Tan Tan » Thornton, Lester Williams, « Stanley », Reuben Alexander, Sam Watson, Ernest Ranglin, Eric Dean, Linton Thomas, « Basso » et Roy Shirland.

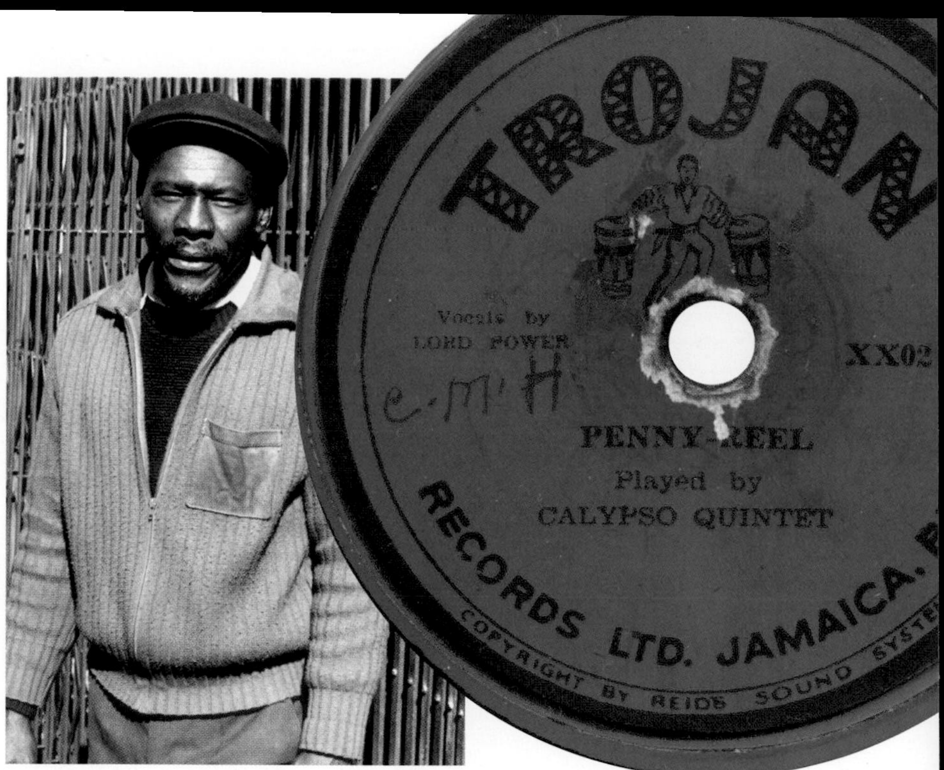

« Duke Reid est le genre de gars qui a vraiment aidé la musique jamaïquaine à en arriver là où elle est aujourd'hui. C'était un type bien, parce qu'il enregistrait tous ceux qui se présentaient, il n'a jamais repoussé un talent. C'était aussi le genre d'homme à encourager les jeunes à faire des choses bien avec l'argent, quel qu'il soit, qu'ils gagneraient plus tard, à se comporter comme des hommes quand ils deviendraient connus. Et puis il payait les gens pour leur travail... Il payait tout. C'était un homme bon et généreux, Dieu bénisse son âme. »

JOHN HOLT

Les Jamaïquains eurent accès au R'n'B américain en grande partie grâce à une invention spécifiquement locale : le sound system. Les sound systems ressemblaient à des discothèques transportables pour géants. Ils finirent par prendre la forme d'un assemblage de trente ou quarante haut-parleurs, chacun d'eux aussi grand que plusieurs caisses assemblées, reliés par un gigantesque et complexe réseau de câbles qui semblait être le prolongement organique de cette profusion de lianes et de plantes grimpantes propre à la Jamaïque. La musique, qui – depuis l'innovation de Machuki, une nuit de 1950 – était sporadiquement et de façon souvent excentrique commentée par les disc-jockeys, jaillissait des enceintes à une puissance invraisemblable.

Il y avait toujours eu un important flux de Jamaïquains vers les États-Unis, pays en permanence demandeur – tout comme l'était désormais le Royaume-Uni – de main-d'œuvre nouvelle susceptible d'accomplir les tâches dédaignées par ses citoyens plus fortunés. Les Jamaïquains qui avaient à la fois de l'ambition et le goût de la musique revenaient chez eux avec des piles des plus récents et obscurs 78 tours. Pour dissimuler l'identité des morceaux, on grattait les étiquettes de ces disques avant de les utiliser dans les sound systems, leurs titres originaux restant parfois à tout jamais inconnus du public.

Les soirées avec sound systems devinrent la grande mode en Jamaïque. Peu de gens possédant une radio, la seule façon d'entendre les derniers disques de rhythm'n'blues était de se rendre à ces gigantesques bals en plein air organisés sur ce que l'on appelait des « lawns » [pelouses] dans certaines parties de Kingston, particulièrement le quartier de Beat Street, dans le centre. Il y avait Forresters Hall sur North Street et Love Lane ; Chocomo Lawn se trouvait sur Wellington Street ; King's Lawn sur North Street et Jubilee sur King Street. Il y avait également Bull Head Lawn sur Central Road, à Trench Town, et Pioneer Lawn et Barrel'O'Lawn, tous deux à Jones Town. On dansait dans des clubs, mais aussi dans de nombreux endroits en plein air situés hors de Kingston – à Cane Hill, dans une carrière proche de Bull Bay, et à Prison Oval, en face de la prison de Spanish Town.

Tom The Great Sebastian, qui avait débuté en 1950, devint le premier opérateur de sound system important, surtout après qu'il fit cause commune avec la maestria verbale de Count Machuki. Duke Vin, qui en 1956 lança le premier sound de Grande-Bretagne, fut également l'un de

« Coxsone était l'unique, celui qui avait les idées. Mais comme il ne savait pas jouer, il nous expliquait tout. Après, je savais toujours ce qu'il voulait. »

ERNEST RANGLIN

« Tout le monde a débuté en travaillant pour Coxsone. Studio One, c'était comme l'université du reggae. »

CHRIS BLACKWELL

Quand les patrons de sound systems rivaux Coxsone Dodd (ci-dessus et à gauche) et Duke Reid se lancèrent dans la production de disques, Coxsone garda toujours quelques longueurs d'avance. On peut se demander à quel point son refus de voir que ses artistes fumaient de la ganja contribua à attirer vers lui les meilleurs musiciens. En tant qu'ancien policier, Reid, lui, ne voulait pas entendre parler des « herbes ».

ses « selecters ». Pour beaucoup, à commencer par Prince Buster, Tom The Great Sebastian, qui avait emprunté son nom à une célèbre attraction du cirque Barnum, fut le plus grand de l'époque des sound systems. « Il est le seul, l'unique », dit Prince Buster, qui devait plus tard posséder son propre system et devenir l'un des musiciens les plus novateurs de l'île.

Les autres prétendants au titre étaient à l'époque Goodies, Count Smith The Blues Blaster, Count Joe et Sir Nick The Champ. Mais ils ne devaient jamais surclasser Tom The Great Sebastian, ainsi qu'on put s'en rendre compte lors des bals présentés comme des duels de sound systems, au cours desquels deux systems ou plus rivalisaient, chacun passant un disque à tour de rôle. Tom pulvérisait l'opposition grâce à l'originalité de ses morceaux à peine sortis de l'avion en provenance des États-Unis, à la puissance de son matériel et à l'originalité de ses deejays.

Tom The Great Sebastian régna sans partage jusqu'à l'arrivée, au milieu des années soixante, des Big Three [Trois Grands] – Downbeat de Sir Coxsone, Trojan de Duke Reid et Giant de King Edwards, des sound systems que leurs supporters suivaient avec la ferveur de fans de football. Comme par hasard, des batailles à coups de décibels se déclenchaient lorsque des sounds rivaux jouaient sur des lawns voisines : quand les morceaux d'un sound rival s'invitaient bruyamment au bal d'à côté, la seule solution était d'augmenter le volume sonore et de riposter avec un disque encore plus saignant.

Ces incidents furent bientôt formalisés au cours de bals impliquant deux systems ou plus. Tous les moyens étaient bons pour faire triompher ses couleurs, notamment le sabotage sous forme de sectionnement des câbles. On raconte l'histoire, peut-être apocryphe, d'un Duke Reid rendu fou de rage par la formidable puissance avec-laquelle un autre sound osait se manifester à proximité. Allant vérifier qui était l'offenseur, Reid découvrit que les sons émanaient d'un authentique juke-box illuminé par toutes sortes de néons criards. Dégainant un des revolvers dont il était réputé ne jamais se séparer, Duke Reid entreprit de cribler le juke-box de balles jusqu'à ce qu'il cesse de fonctionner.

Cœurs de la musique jamaïquaine, les sounds sont encore présents aujourd'hui, comme peut en attester quiconque a tenté de dormir à Kingston un vendredi soir, jour de prédilection pour faire la fête. Partout où des communautés jamaïquaines se sont établies, les sound systems les ont accompagnées – le carnaval annuel de Notting Hill, à Londres, fait appel à

des tonnes de boîtes, des tonnes de maisons de la joie, comme on les appelle en Jamaïque.

« Les sound systems sont venus des bruits de la terre,

de tout en bas, et il leur a fallu longtemps pour se faire respecter. Les gens ne comprenaient pas pourquoi j'étais allé à la fac pour partir ensuite avec un sound system – on me considérait comme un bon à rien.

Sans le sound system, il n'y

Winston Blake monta Merritone, son sound system, à Morant Bay, St Thomas, au milieu des années cinquante. Bien qu'il se soit ultérieurement installé à Kingston, Merritone fut le premier sound system de la commune occidentale de St Thomas. Auparavant, les principaux événements sociaux des régions rurales se limitaient à ceux organisés par les églises ou les partis politiques, même si les « neuf nuits » – le terme local pour les veillées funèbres – étaient toujours, assure Blake, de « grands événements ».

Le premier contact de Blake avec un sound eut lieu dans le car qui le ramenait de Kingston à St Thomas lorsqu'il entendit le sound system Challoners, dirigé par un certain Mr Chin dans sa boutique de disques de Halfway Tree, au centre-ville. Par la suite, Winston alla entendre autant de grands sounds qu'il le put, y compris Duke Reid, Sky Rocket, Blue Mirror – et King Edwards, qui surgit en 1956 « dans un grand fracas... Un des sons les plus denses que j'aie jamais entendus. On pouvait se trouver à quinze kilomètres et entendre le tempo dans sa tête quand Edwards passait ».

Les clubs locaux, eux, pourvoyaient toujours au besoin de la musique live. Parmi les plus courus figuraient le Sugar Hill, le Glass Bucket et le Bournemouth, où jouaient les Skatalites. Pendant des années, aller danser à un sound plutôt qu'à un club fut considéré comme extrêmement commun.

Lorsque Blake mit en route Merritone, il commença avec un amplificateur Philips de 20 watts – non sans s'être auparavant assuré qu'il fonctionnait sur piles, car il était fréquent que les régions rurales où il se produisait ne soient pas alimentées en électricité. Il utilisait une platine Garrard avec des aiguilles en cuivre vissées dans le bras pour passer ses 78 tours, des disques américains achetés à Duke Reid, à Coxsone Dodd, dans des magasins comme celui de Chin ou le One Eye ou encore à des ouvriers agricoles jamaïquains ayant travaillé comme saisonniers aux États-Unis. Les marins rapportaient également des disques qui changeaient de mains dans les bordels et on pouvait enfin se les procurer par correspondance, particulièrement auprès de deux stations de radio émettant depuis le Tennessee, Randy's et Ernie's, même si les 78 tours arrivaient souvent en morceaux.

Les affrontements entre sound systems commençaient lorsque deux ou plus d'entre eux se trouvaient dans le même quartier. « Jusqu'à une douzaine de trompettes en acier étaient installées, pointées vers l'autre bal. Les gens attendaient et écoutaient ce que passait chacun des sounds : un seul disque pouvait décider de l'endroit où la foule choisissait d'aller. » Dans la plupart des cas, c'étaient le deejay et l'originalité de son « toasting » qui faisaient la différence. Machuki et King Stitt étaient les deejays de Coxsone ; pour Duke Reid, c'étaient Cuttins et Cliffie, Lord Koos avait Hickey Man.

Chaque quartier avait ses propres sounds. « Montego Bay avait Quaker City, qui faisait un bruit de tonnerre. À Spanish Town, il y avait deux grands sounds : celui de Moody et celui de Lord Ruddy. Chacun avait son territoire. »

Pourtant, se souvient Blake, un nom a surgi pour défier tous les autres. « Prince Buster est apparu, et il n'y a pas de mots pour décrire son arrivée. Buster a littéralement enterré tous les grands sounds. Il est venu, il a vu, il a vaincu. Quand il se produisait, tout ce qui était sur sa route disparaissait. Une glorieuse époque. »

urait pas de musique jamaïquaine. »

Winston Blake

« Avant Bob Marley, il n'y a eu que Prince Buster – personne d'autre de ce calibre. »

DAVID RODIGAN

Avez-vous travaillé pour Coxsone ?

Je n'ai pas travaillé pour Coxsone. Les hommes de Duke Reid mettaient la pression sur Coxsone, alors il est venu me voir pour me demander, à moi et à mes amis, de l'aider contre les voyous de Duke Reid.

Étiez-vous déjà deejay à l'époque ?

Non, j'étais chanteur. Je chantais dans les clubs et tout ça. Duke Reid était sur George Street. Mais dans mon coin il y avait ce gang de types qui étaient tous fans de Tom The Great Sebastian. Tom The Great Sebastian a été le plus grand soundman de tous les temps. Il n'a jamais été battu. Il a quitté Beat Street à cause de la violence qui y régnait et est parti dans un autre quartier où il a gagné bien plus d'argent. Pour une raison que j'ignore, on n'a reconnu aucun mérite à cet homme. Ça me fait mal, et c'est pourquoi je parle toujours de lui. Tom The Great Sebastian, c'était le plus grand.

En 1938 eurent lieu les premiers troubles sociaux sérieux du siècle dans la colonie anglaise de la Jamaïque. Alors que le pays sortait à peine des effets de la dépression mondiale, des émeutes éclatèrent dans l'île caribéenne et, le 24 mai, Kingston était presque à feu et à sang. Là, au milieu de l'enfer, s'accomplit un acte de grand courage. Sir William Alexander Bustamante, le leader du parti travailliste jamaïquain, se dressa face aux policiers qui pointaient leurs fusils sur les manifestants. « Tuez-moi, proposa-t-il, mais épargnez le peuple innocent de Jamaïque. » Bustamante deviendrait quelques années plus tard le premier des Premiers ministres de l'île.

C'est en cette journée propice que naquit un certain Cecil Campbell, et il n'est pas surprenant qu'on lui ait en conséquence attribué le surnom de « Buster » [Balèze].

Était-il là avant les autres opérateurs de sound systems ?

Tom, c'était les années 1949-1950 – à cette époque, Coxsone et Reid n'existaient même pas. Coxsone est venu de la campagne. Tom faisait le deejay lui-même, et l'un de ses deejays était Count Machuki. Il y avait aussi Duke Vin, qui est devenu très populaire à Londres. [Duke Vin, qui dirigea un célèbre débit de boissons clandestin à West London, est généralement considéré comme le premier opérateur de sound system en Grande-Bretagne.] Mais Tom The Great Sebastian fut l'initiateur de la musique jamaïquaine, et personne ne lui en fait crédit. Demandez aux gens : ils vous diront que Tom The Great Sebastian, ce n'était pas de la danse pour voyous. Quand il se produisait contre Count Nick ou Count Buckrum, c'était musique contre musique – pas comme Duke Reid, qui arrivait avec une bande de gros bras, chassait les gens, les poignardait et mettait les sound systems en pièces.

Sir Duke Reid était donc une sorte de gangster?

En tant qu'ancien policier, Duke Reid connaissait un tas de criminels qu'il avait lui-même envoyés en prison. Il vivait dans un coin appelé Pink Lane, à West Kingston, près de Charles Street – c'était un des pires coins de Jamaïque, à l'époque. Tous ces anciens taulards se sont rassemblés autour de lui. Il a défié Tom deux ou trois fois et s'est rendu compte qu'il ne faisait pas le poids. Alors il a décidé d'utiliser ses voyous pour l'écraser. Ils ont déclenché des bagarres et tout ça, mais Tom n'était pas un homme violent. Il a emballé son sound, a dit qu'il quittait Beat Street et est allé dans un endroit appelé Silver Slipper, à Crossroads – un endroit plus calme. Tout le public des matinées s'est précipité à sa suite. Après le départ de Tom, Duke Reid s'est installé au Forresters [Forresters Hall, au coin de North Street et de Love Lane] en tant que tête d'affiche. Mais il n'était pas un autre Tom.

Ce qui s'est passé, c'est que Duke Reid régnait par la violence et qu'il avait un tas de fidèles dans la pègre. Et il avait plein de filles qui travaillaient pour lui : il leur achetait des robes spéciales qu'elles portaient aux bals. Il y en avait une qui s'appelait Duddah et qui contrôlait toutes les autres filles pour lui.

En même temps que les armes et la violence, on dit que Duke Reid faisait appel à l'obeah [le vaudou jamaïquain]. Cela se savait-il?

Non, il essayait de le cacher.
Mais une fois il est allé jusqu'à Chicago [la plupart des précis d'obeah sont édités à Chicago] voir un dénommé Lawrence pour essayer de trouver avec lui un moyen de m'éliminer. Ma grand-mère m'a parlé de toutes ces choses quand j'étais enfant, alors elles ne m'affectent pas – c'est pour les illettrés. Duke Reid a échoué : il n'a pas le pouvoir d'incendier votre maison à distance.

En Jamaïque, beaucoup de gens croient à ce truc d'obeah.
Je vénère un Dieu, pas deux ou trois. Il ne peut y avoir qu'un maître. Je ne crois pas pouvoir parler au nom de tous les habitants de la Jamaïque, mais je parle en mon propre nom. J'ai payé mon tribut, je suis venu pour défendre les droits des gens. Je ne l'ai pas seulement chanté, je suis sorti pour me battre contre le pouvoir et le gouvernement.

Élevé au milieu de la misère absolue de West Kingston, Buster s'affirma comme un mélange d'intelligence, de talent et de dureté. Sportif passionné, il se mit à la boxe dès l'âge de sept ans, s'entraînant souvent au coin d'une rue en face d'un restaurant tenu par un certain Mr Jenkins. Ce fut ce même Jenkins qui, désireux d'accroître la confiance qu'avait en lui-même ce mince et intrépide petit boxeur, ajouta le titre de Prince à son nom. Prince Buster était désormais en phase avec tous ces artistes jamaïquains des années quarante et cinquante qui s'affublaient de narquois sobriquets aristocratiques.

À l'âge de douze ans, Buster suivait régulièrement le sound system de Tom The Great Sebastian, un des premiers sounds de Jamaïque. Plus tard, Coxsone, nom sous lequel Clement Dodd devint célèbre, demanda l'assistance de Prince Buster et de son gang de jeunes pour contrer les tentatives de déstabilisation de Duke Reid. Buster, qui avait déjà commencé à chanter, faisait occasionnellement le deejay. En 1956, il ouvrit Buster Shack's, son premier magasin de disques, tout près de Parade, en plein cœur de Kingston.

En 1958, après avoir quitté Coxsone à cause d'un problème d'argent, Prince Buster décida de monter son propre sound system, The Voice Of The People, en levant des fonds dans tout Kingston. Pour concurrencer les sounds établis et leurs disques tout droit arrivés des États-Unis, Buster décida d'enregistrer des musiciens du cru en louant le studio de la JBC, la Jamaican Broadcasting Corporation. Pour ce faire, il monta un groupe rassemblant quelques-uns des plus formidables talents de l'île : « Drumbago » à la batterie, Jah Jerry à la guitare, Lester Sterling au saxophone alto, Rico Rodriguez au trombone, Eric « Monty » Morris au chant.

Mélange de musiques américaine et caribéenne, la musique qui en résulta fut l'une des premières ébauches de ce qui allait devenir le ska. Au cours de la première séance, Buster enregistra un morceau des Folkes Brothers intitulé « Oh Carolina » qui allait devenir un énorme hit mondial en 1993 quand il fut repris et passablement samplé par Shaggy. (La chanson fit plus tard l'objet d'un litige, Buster finissant par perdre la bataille pour les droits.)

Les acétates, ou dub-plates, issues des premières séances propulsèrent le sound de Buster au premier rang dans l'île. Résultat, il subit de fréquentes agressions de la part des nervis de Duke Reid, se faisant un jour poignarder dans le dos à coups de pic à glace et un autre fendre le crâne.

Publiés sous forme de simples, ses titres se vendaient invariablement bien. De plus, en Angleterre où les chansons qu'il interprétait lui-même sortaient sur le label Melodisc, les morceaux ska de Buster – « 30 Pieces Of Silver », « Judge Dread », « The Ten Commandments Of Love » et « Al Capone », entre autres – faisaient figure d'hymnes pour le mouvement mod naissant.

Aujourd'hui, le très aimable Prince Buster vit au nord de Miami, dans une banlieue pour classes moyennes noires. Sa maison avec piscine abrite un studio d'enregistrement et on dit qu'il possède des kilomètres de bandes inédites. Il se produit fréquemment au Japon.

On a l'impression qu'à la fin des années cinquante vous êtes très rapidement devenu une force musicale. C'est bien ce qui s'est passé ?

Les gens qui venaient danser aux bals de Coxsone ne se disaient pas qu'ils venaient entendre Coxsone, ils venaient m'entendre, moi. J'avais un grand nombre de fidèles qui me suivaient partout. Donc, quand j'ai décidé de quitter Coxsone et de monter mon propre sound, tous ces gens sont venus avec moi.

À quelle époque était-ce ?

Quelque part en 1958. Ce qui les a rendus malades, c'est que j'ai assemblé un plus grand sound que tout ce que Duke Reid avait jamais eu, et tout le monde s'est demandé où j'avais trouvé l'argent parce que, quand ils sont venus et ont vu le sound, ils n'en ont pas cru leurs yeux. Je dis toujours que c'est parce que, là-haut, quelqu'un m'aime. Il y avait cet endroit nommé One Heart sur Church Street, on leur vendait des disques et eux vendaient des enceintes. Je suis allé voir la dame, qui a appelé son mari et lui a dit qu'on allait monter un sound et tout. Et lui a dit : « Donne à Prince tout ce qu'il veut, man, tout ce qu'il veut. » J'avais un peu d'argent, et je l'ai investi. Mais il m'a donné plus d'enceintes que quiconque en avait à l'époque, et quand j'ai commencé à travailler j'ai remboursé ma dette, je l'avais promis et je l'ai fait. Si j'étais arrivé avec un plus petit sound, ça n'aurait pas eu de sens. Je suis arrivé plus grand qu'eux, je leur ai volé la vedette et les gens ont été là avec moi – Prince Buster, The Voice Of The People. Mais vous devez comprendre que j'ai pris la place de Duke Reid, même pas de Coxsone. Prendre la place de Duke Reid n'était pas simple, parce que ce type avait des voyous prêts à me tuer jour et nuit.

C'était un type sauvage. Il faut savoir qu'avant que Duke Reid meure [d'un cancer, en 1975], lui et moi étions devenus bons amis. Les gens ont du mal à y croire parce que c'est étrange de se dire que Duke et moi avons regardé notre passé et qu'il a réalisé que je l'avais battu et qu'il a été assez courageux, après toute cette guerre, pour l'accepter.

En fin de compte, Duke Reid s'est révélé quelqu'un d'honorable ?

Je vais vous dire. J'ai beaucoup appris de Duke Reid, même la violence – et il a joué un tas de jeux vicieux, un tas de sales tours. Mais j'étais jeune et j'ai appris de tout ça et maintenant que je vieillis, je dis ouais, Duke Reid a été une bonne école pour moi. Lorsqu'il a laissé tomber la violence, il est devenu un type bien. À l'époque des sound systems, il était possédé par ce qui se passait. Mais ensuite il n'a plus jamais porté de pistolet à sa ceinture. Voyez, ce type est mort, alors il faut soupeser ce qu'il a fait de bien et ce qu'il a fait de mal et, moi, **je vois que le mal était mal, mais que le bon était bon.**

« Quand Buster est arrivé, la cause a été entendue. »

WINSTON BLAKE

Même si, à l'évidence, il y avait beaucoup d'ironie derrière les titres aristocratiques adoptés par tant de patrons de sound systems, c'était aussi pour les Jamaïquains non blancs la seule façon d'aspirer à des hauteurs aussi grisantes. Arthur « Duke » Reid The Trojan emprunta son surnom au camion Bedford Trojan dans lequel il transportait son matériel – acheté avec l'argent du magasin de spiritueux nommé Treasure Isle que possédait sa famille et qui avait été créé lorsque sa femme avait gagné à la loterie nationale en 1953. Son sound system avait à l'origine été monté pour fonctionner dans le magasin, c'était la méthode employée par plusieurs marchands d'alcool concurrents – y compris son rival Clement « Coxsone » Dodd – pour attirer les clients.

Reid fut une figure tout particulièrement légendaire. Portant à la ceinture une paire de revolvers dont il lâchait sans discrimination les balles alentour, il avait plus tendance à briser l'opposition par la violence que par le talent – même si ses performances scéniques étaient indubitablement inventives : vêtu d'une robe d'hermine, une couronne dorée sur la tête, il se faisait porter sur scène par la foule.

On peut attribuer à Duke Reid, qui fit ses débuts quatre ans environ après Tom The Great Sebastian, la genèse d'une bonne partie du comportement « gangster » qui allait devenir la marque du monde musical jamaïquain.
Plutôt que de faire taire les sound systems de ses concurrents en passant les disques les plus bruyants et les plus excitants, il préférait attaquer les bals rivaux avec son gang, rouer les gens de coups ou bien les poignarder et détruire leur matériel. Ancien policier, Duke Reid employait quelques-uns des criminels qu'il avait personnellement envoyés en prison. Lors des bals, il utilisait même des bandes de femmes violentes et sexy, toutes vêtues du même uniforme et menées par une femme lieutenant nommée Duddah.
En réalité, cette violence était tout à fait inutile car le vrai pouvoir de Duke Reid se trouvait dans ses « tonnes de maisons de la joie », comme on appelait les sound systems. Mais si la seule puissance sonore ne suffisait pas, Reid était toujours prêt à faire appel à un peu d'obeah, nom jamaïquain du vaudou.

Tom The Great Sebastian n'avait aucune envie de faire partie de cet univers musical nouvellement gangrené par la violence. Tom s'était installé au coin de Pink Lane, un des endroits les plus dangereux de Jamaïque, dans le quartier génériquement connu sous le nom de Beat Street, près de Charles Street, à West Kingston. Désireux de s'éloigner de cette partie malsaine du centre de Kingston, Tom The Great Sebastian emballa son sound et alla s'établir de façon permanente à Silver Slipper, dans Crossroads. Il découvrit qu'il y gagnait bien plus d'argent qu'à Beat Street, les fans n'étant plus intimidés par l'ambiance alentour.

Mais bientôt un prétendant au trône de Duke Reid apparut : le Sir Coxsone Downbeat sound system, qui avait emprunté son nom au champion de cricket du Yorkshire Coxsone et était dirigé par un certain Clement Seymour Dodd, dont la famille était également dans le commerce d'alcool. Coxsone employa Prince Buster comme un de ses disc-jockeys vedettes – grâce à son passé de boxeur, Buster représentait, de plus, une force de dissuasion non négligeable face aux voyous de Reid. Né en 1932, Dodd avait commencé à faire de la musique devant le magasin de spiritueux de ses parents à l'aide d'un électrophone Morphy Richards de 30 watts. Son père, qui était chef d'équipe sur les docks, l'aidait à se procurer des disques auprès des matelots de passage.

Après avoir bricolé des enceintes pour ses premiers sound systems, Coxsone étrenna son propre « set ». Il commença à se rendre à New York pour acheter des disques, et en rapporta du jazz mais aussi le R'n'B de B.B. King et T-Bone Walker. Dès 1957, Coxsone faisait tourner trois « sets » en Jamaïque. C'est cette année-là que lui et Duke Reid commencèrent à enregistrer leurs propres acétates, et bientôt tous deux se mirent à faire enregistrer des chansons à des artistes locaux, chansons exclusivement destinées à passer sur leurs systems respectifs. La loi de l'offre et de la demande se révélant incontournable, il en découla – sans parler du fait que Coxsone avait compris que des maisons de disques américaines telles qu'Imperial et Modern n'avaient pas l'air de remarquer qu'il piratait sans vergogne leurs produits – une distinctive pierre angulaire de l'industrie du disque jamaïquaine.

Bien des fondations avaient déjà été établies. En 1958, un jeune Jamaïquain blanc nommé Chris Blackwell avait commencé à diffuser des disques d'artistes locaux, la plupart pressés sous forme de 78 tours, sur une marque qu'il avait baptisée Island Records. Son premier succès fut le « Boogie In My Bones » de Laurel Aitken, exemple typique de « blues » jamaïquain sur lequel Aitken imite le style vocal de l'artiste de Memphis, Roscoe Gordon. Il y avait un autre jeune prétendant : Edward Seaga, un anthropologue diplômé de Harvard qui publiait des morceaux jamaïquains sur sa marque West Indies Records Ltd (WIRL).

Les premiers morceaux de Coxsone sortirent exclusivement comme acétates destinées aux sound systems, mais, en 1959, il décida de publier ses productions sous forme de 45 tours et de les vendre au détail. La première séance commerciale de Coxsone eut lieu au studio Federal où Alton Ellis enregistra « Muriel », une ballade de prison, accompagné par les Clue-J's Blues Blasters. Par la suite, Coxsone se mit à enregistrer au studio de la Jamaica Broadcasting Corporation (JBC) avec différents chanteurs toujours accompagnés par Clue-J et ses Blues Blasters, groupe composé de Cluett Johnson (basse), Roland Alphonso (sax), Ernest Ranglin (guitare), Rico Rodriguez (trombone) et Theophilus Beckford (piano).

Les héros des sound systems jamaïquains eurent des héritiers en Grande-Bretagne : Lloyd Coxsone, le « don » des sound systems britanniques, choisit son nom et celui de son sound en hommage à Clement « Coxsone » Dodd.

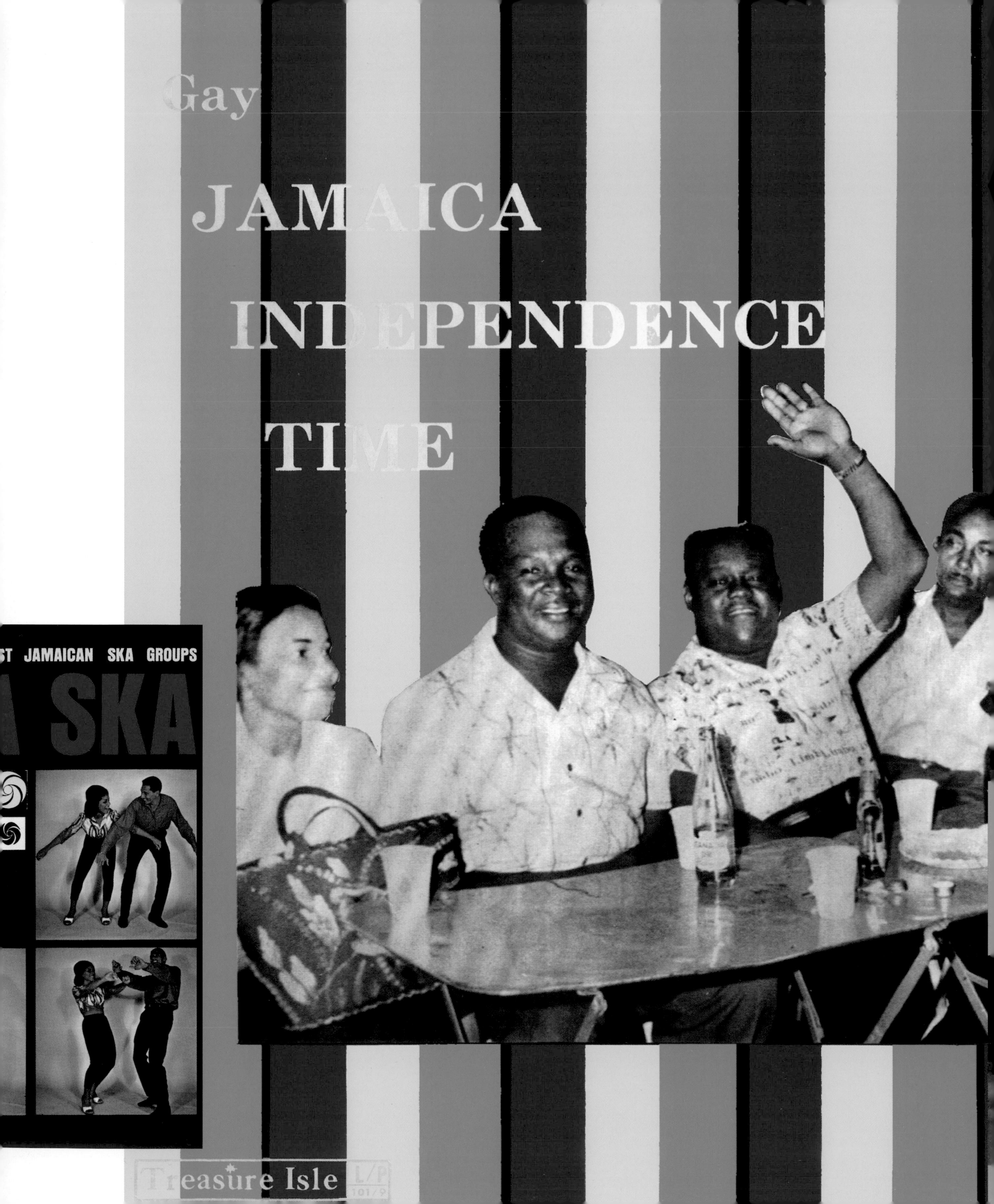

Gay
JAMAICA
INDEPENDENCE
TIME
JAMAICAN SKA GROUPS
SKA
Treasure Isle
L/P 101/9

Les allègres sonorités du ska fournirent un arrière-plan sonore à l'indépendance jamaïquaine. L'île finit par se débarrasser du joug colonial le 6 août 1962, jour où les documents constitutionnels furent remis au Premier ministre Alexander Bustamante par la princesse Margaret au nom de la reine Elizabeth II. Un nouveau voyage commençait.

Bien que le groupe accompagnant Alton Ellis sur « Muriel » fût connu sous le nom de Clue-J's Blues Blasters, Ernest Ranglin était sans discussion possible son leader. Guitariste de jazz professionnel influencé par des musiciens tels que Charlie Christian et Django Reinhardt, Ranglin avait joué dans les grands orchestres d'Eric Dean et de Val Bennett avant d'être, en 1958, engagé comme guitariste maison par la JBC. Simultanément, Ranglin jouait avec Cluett Johnson, contrebassiste avec qui il s'entendait à merveille.

Dodd avait monté un groupe maison afin d'obtenir une continuité dans le son. Les autres groupes d'accompagnement qu'il utilisait comprenaient Hersan and the City Slickers, Aubrey Adams and the Dew Droppers, Count Ossie and the Warrickas, Ken Richards and the Comets et les Coxsonairs. À diverses reprises, Coxsone utilisa aussi les Soul Defenders (dont les chanteurs étaient Freddy McKay et Joseph Hill), les Soul Vendors et le Studio One Band, dont la section rythmique était formée de Bagga Walker à la basse, Leroy « Horsemouth » Wallace à la batterie et Asher aux claviers. Essentiels dans ces deux derniers groupes étaient les guitaristes Rick « Rickenbacka » Frater et Jah Privy – les disques sur lesquels ils jouaient initialement devaient devenir connus sous le nom de disques de « blues jamaïquain », en fait du rhythm'n'blues de l'école New Orleans.

Clement Dodd avait une façon de faire similaire à celle de Berry Gordy chez Motown. À mesure que ses activités d'enregistrement se développaient, il calqua ses méthodes sur celles des compagnies américaines, imposant des contrats d'exclusivité et souhaitant promouvoir les artistes en tant qu'artistes maison. Il exigea, par exemple, que les Wailers portent des vestes en lamé or façon Beatles. Ses rythmiques avaient toujours un côté brut, car à l'époque où il animait son set Downbeat il avait appris ce qui faisait bouger une foule à un bal. Et si les couleurs sonores de labels comme Beverley's, Federal ou même celui de Duke Reid suggéraient des aspirations à un mode de vie plus choisi, le Studio One de Clement Dodd, lui, restituait l'écho de la rue. Les premiers disques de Studio One paraissent mixés d'étrange

manière, mais ils sonnent de façon très différente en plein air lorsque les profondes basses fréquences sont absorbées – le sound system Downbeat se produisait presque toujours en extérieur.

La première production de Duke Reid fut le mento « Penny Reel » de Lord Power. « Il avait une " boîte ", un baffle, en bas, dans le magasin, de sorte qu'il savait exactement ce qui se passait là-haut, dans le studio, dit John Holt de l'époque où il travaillait avec Reid, quand ce dernier monta son studio Treasure Island. S'il se passait quelque chose dans le studio qu'il n'aimait vraiment pas, il montait et tirait un tas de balles à blanc. Il avait deux revolvers, une Winchester 73 à l'épaule et un grand chapeau façon cow-boy. C'était vraiment un type spécial, mais je l'aimais beaucoup. »

Reid et Coxsone étaient aidés dans leur quête de nouveaux artistes par les concours de talents qui avaient régulièrement lieu sur l'île, notamment *Opportunity Hour* avec Joseph « Vere Johns » Veerjohns.

« On l'a un peu oublié, dit Holt, mais pas nous, parce que c'est lui qui supportait les tremblements, le trac, les jambes en coton comme pour Alton Ellis, Bob Marley and the Wailers tous ensemble, Dennis Brown, Ken Boothe, Marcia Griffiths et des tas d'autres artistes. C'est lui qui a dégrossi les talents jamaïquains durant cette période, vers 1958.

« Il y avait des spectacles publics en salle, au Majestic Theatre, à l'Ambassador Theatre, au Palace Theatre et ainsi de suite. Il y avait aussi *Opportunity Knocks* le samedi à une heure sur la radio RJR, des trucs différents mais parfois quelques-uns d'entre nous se retrouvaient embarqués là-dedans parce qu'on avait besoin du prix – et le prix, c'était de l'argent et des voyages. Et quand on gagnait la finale, les types vous disaient : " Bon, John Holt, vous voilà chanteur professionnel. "
La chanson que j'ai chantée ce soir-là, c'était " Just Out Of Reach ", une reprise de Solomon Burke qui m'a fait du bien. Ensuite, j'ai enregistré " Forever I Will Stay " pour Beverley's Records de Leslie Kong. »

Un dimanche matin de 1959, le bassiste Cluett Johnson et Ranglin furent informés par Coxsone Dodd – d'une manière inhabituellement courtoise – que ce dernier désirait les voir au magasin de spiritueux qu'il dirigeait sur Love Lane. « J'ai besoin de quelque chose qui sorte un peu de ce blues », dit-il aux deux grands musiciens en se plaignant de la manière dont la musique jamaïquaine singeait la musique noire américaine de l'époque.

Ils s'assirent dans la cour derrière le magasin et mirent au point la recette d'un nouveau son : ils cherchaient la formule d'une musique qui soit distinctivement jamaïquaine tout en continuant de plonger ses racines dans le R'n'B et le jazz grand public qui inondaient l'île par le canal des radios du sud des États-Unis. Le ska, la musique qui naquit lors de cette réunion, avait un tempo de shuffle boogie du genre de celui popularisé par des artistes comme Louis Jordan ou Erskine Hawkins, l'accent inattendu mis sur le contretemps ne faisant qu'ajouter à son parfum envoûtant. On a parfois dit que le son cavalcadant du ska reproduisait la façon qu'avait la musique provenant de ces stations de radio sudistes de s'estomper et puis de réapparaître. Ernest Ranglin, lui, a une explication plus simple. « On voulait que ça sonne comme la musique des génériques de ces westerns qui passaient à la télé à l'époque, vers la fin des années cinquante. » Le terme ska est une abréviation de « ska-voovee », répartie très populaire à l'époque et terme appréciatif pour l'usage duquel Clue-J était bien connu. (Pour sa part, Coxsone appelait pratiquement tout homme qu'il rencontrait « Jackson », excentricité verbale pour laquelle il était au moins aussi réputé.)
Le lendemain, Coxsone se rendit au studio de la JBC et expérimenta cette nouvelle musique destinée à être testée sur son sound system. Après un accueil triomphal au cours des bals, le premier disque de ska à voir le jour fut « Easy Snappin », de Theophilus Beckford. Le pianiste Beckford chantait, Clue-J était à la basse, Ian Pearson à la batterie, Ken Richards à la guitare, Roland Alphonso au saxophone ténor et Rico Rodriguez au trombone.

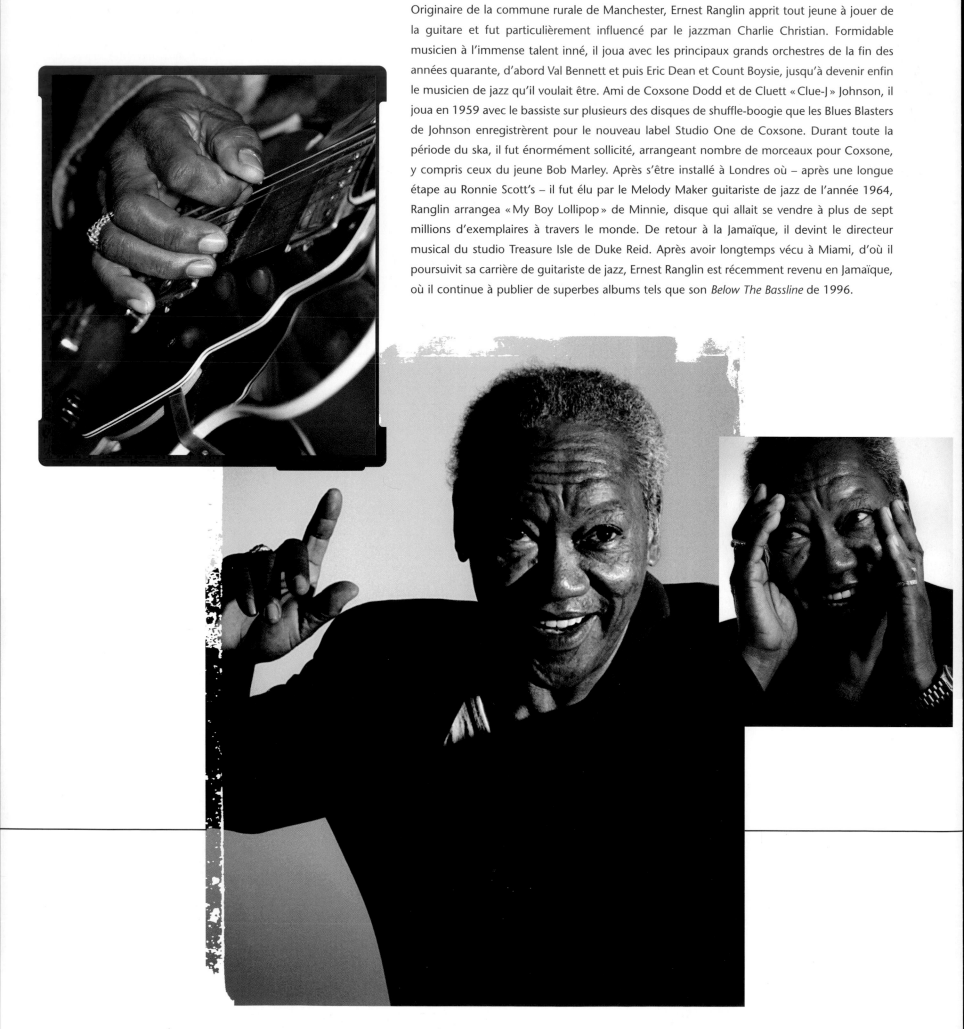

Originaire de la commune rurale de Manchester, Ernest Ranglin apprit tout jeune à jouer de la guitare et fut particulièrement influencé par le jazzman Charlie Christian. Formidable musicien à l'immense talent inné, il joua avec les principaux grands orchestres de la fin des années quarante, d'abord Val Bennett et puis Eric Dean et Count Boysie, jusqu'à devenir enfin le musicien de jazz qu'il voulait être. Ami de Coxsone Dodd et de Cluett « Clue-J » Johnson, il joua en 1959 avec le bassiste sur plusieurs des disques de shuffle-boogie que les Blues Blasters de Johnson enregistrèrent pour le nouveau label Studio One de Coxsone. Durant toute la période du ska, il fut énormément sollicité, arrangeant nombre de morceaux pour Coxsone, y compris ceux du jeune Bob Marley. Après s'être installé à Londres où – après une longue étape au Ronnie Scott's – il fut élu par le Melody Maker guitariste de jazz de l'année 1964, Ranglin arrangea « My Boy Lollipop » de Minnie, disque qui allait se vendre à plus de sept millions d'exemplaires à travers le monde. De retour à la Jamaïque, il devint le directeur musical du studio Treasure Isle de Duke Reid. Après avoir longtemps vécu à Miami, d'où il poursuivit sa carrière de guitariste de jazz, Ernest Ranglin est récemment revenu en Jamaïque, où il continue à publier de superbes albums tels que son *Below The Bassline* de 1996.

On dirait qu'en Jamaïque tous ceux à qui on parle du début des années soixante ont inventé le ska. Mais Ernest Ranglin a de meilleures raisons de le croire que la plupart.

« Je suis le vrai fondateur de la musique ska.

Clue-J était mon bassiste. Partout où vous voyez Clue-J and the Blues Blasters, c'est ma musique. Les Skatalites se sont formés quand le chanteur Jackie Opel est arrivé de Trinidad,

Coxsone a voulu que je joue avec lui – c'était un bon chanteur. Après qu'on eut terminé le LP, les gars ont dit :

" Ensemble, on forme un super groupe. "

Et c'est comme ça qu'ils ont formé les Skatalites. J'étais encore en studio, parce que j'étais un des arrangeurs de Coxsone. Si je n'étais pas là quand ils enregistraient, j'étais là 90% des fois pour le master, pour voir que peut-être la basse n'allait pas, ou le piano – enlever des choses, nettoyer.

On s'est réunis un dimanche avec Coxsone parce que écouter tous ces types comme Louis Jordan ou Bill Doggett, c'était toujours le même tempo de shuffle. Nous, on voulait mettre **plus d'accent sur le deuxième et le quatrième temps**, ce qui fait que c'est un peu plus personnel, notre marque de fabrique. C'est de là que tout est venu. »

Publié sur le label Worlddisc de Coxsone, le disque fut un grand succès, le premier tube de ska. La face B était « Silky », une composition d'Ernest Ranglin interprétée par lui-même.

Le ska devait fournir la bande sonore de cette indépendance finalement accordée à la Jamaïque le 6 août 1962. Sous son naïf optimisme, la musique était souvent mélancolique et élégiaque ; emmenés par les cuivres, ses instrumentaux bourrés d'accords mineurs reflétaient la philosophie rastafari de bon nombre des musiciens qui les interprétaient.

Beaucoup de ceux-ci étaient employés par Coxsone Dodd. Lorsque Federal s'équipa d'un studio deux pistes, Coxsone racheta son vieux monopiste et l'installa dans le nouveau local où il s'établit en 1963, au 13 Brentford Road, dans un ancien night-club nommé The End. L'endroit devint le domicile du label Studio One. Quand, au bout d'un moment, Federal acquit une console huit pistes, Coxsone lui racheta son deux pistes.

Avec Ernest Ranglin pour arrangeur et un adolescent nommé Bob Marley comme dénicheur de talents, l'opérateur de sound system enregistra bientôt sans relâche. Duke Reid, lui, n'ouvrirait son propre studio que deux années plus tard. Plusieurs des musiciens qui enregistraient pour Coxsone – parmi lesquels le pianiste Jackie Mitto, le saxophoniste ténor Tommy McCook, le bassiste Lloyd Brevette et le batteur Lloyd Knibbs – devinrent l'assise d'un groupe qui travaillait énormément pour Studio One et auquel se joignirent bientôt le maître « bone-player » (tromboniste) Don Drummond, le saxophoniste ténor Roland Alphonso et le trompettiste Johnny « Dizzy » Moore.

Plusieurs de ces artistes avaient été élèves de l'Alpha Boys' School de Kingston, véritable pépinière de musiciens.

En 1964 ils formèrent officiellement les Skatalites – jeu de mots de Tommy McCook inspiré par les satellites que les Soviétiques envoyaient alors dans l'espace –, qui accompagnèrent la quasi-totalité des artistes importants de l'époque. Leur titre « The Guns Of Navarone » remporta un énorme succès dans les clubs de Grande-Bretagne. Bien qu'ils n'aient été ensemble que depuis un an, ils se séparèrent en août 1965 après avoir animé un bal de la police à Runaway Bay, mais le nom du groupe reste synonyme de ska.

Le ska lui aussi s'est révélé quasiment immortel. À la fin des années soixante-dix, il fut ressuscité par le mouvement 2-Tone de Jerry Dammers et – grâce à des formations comme les Specials, Madness, the Beat ou Selecter – domina les charts anglaises pendant la majeure partie des années 1979 et 1980.

En avril 1979, sous la direction de leur inspiré leader Jerry Dammers, les Specials sortirent leur premier simple sur leur propre label 2-Tone distribué par Rough Trade. La face A était une chanson intitulée « Gangsters », un remake du classique de Prince Buster « Al Capone ». Sur l'autre face on trouvait un autre groupe, Selecter, dont le morceau était précisément intitulé « The Selecter », terme jamaïquain désignant celui qui passe les disques pour un sound system. « Gangsters » connut un succès instantané. Le rude boy de cartoon, appelé Walt Jabsco, que l'on avait dessiné pour le label, contribua à établir le look du mouvement : costumes ajustés en mohair et chapeaux « porkpie » tels qu'en portaient quelque quinze années auparavant les rude boys jamaïquains immigrés et les mods britanniques. Le look de Walt Jabsco s'inspirait de la photo de Peter Tosh sur *The Wailin' Wailers*, le fameux album de Studio One sur lequel les Wailers étaient accompagnés par les Skatalites. « Ce n'est pas forcément un truc uniquement ska, expliquait Jerry Dammers. Ce que nous voulons, c'est transformer le ska en quelque chose de quasiment impossible à reconnaître, comme l'ont fait les Stones avec le R'n'B dans les années soixante. Nous essayons de préserver l'identité du label de la même façon que Stax ou Tamla avaient une identité. La base, c'est la musique anglo-jamaïquaine. C'est essayer de fusionner les deux. »

Du nord de Londres arriva un autre groupe dont le son était fondé sur le ska – le guilleret et très drôle Madness, qui allait devenir une des formations les plus populaires de Grande-Bretagne. Mais la majorité de ces nouveaux groupes venaient des équivalents britanniques de Detroit – Birmingham et Coventry, les deux villes qui ont fait battre le cœur du Motown des Midlands. Tandis que Coventry donnait naissance aux Specials et à Selecter, Birmingham offrait the Beat et Dexys Midnight Runners.

Dans les années quatre-vingt-dix, le ska redevint extrêmement populaire aux États-Unis, même si on n'y faisait pas remonter ses origines plus loin qu'au label 2-Tone. Dans le même temps, les Ska Flames continuaient d'entretenir la flamme.

Ci-contre : fondé par Jerry Dammers (à l'extrême gauche) avec les Specials Lynval Golding et Sir Horace Gentleman), le mouvement multiracial 2-Tone fut une séquelle de la fusion punk-reggae qui eut d'importantes répercussions culturelles.
Cette page : les bars à rhum de Port Antonio, en Jamaïque, étaient certainement plus rudimentaires que tout ce qu'on pouvait trouver à Coventry, la ville natale des Specials.

Le « Do The Reggay » des Maytals sortit en août 1968 sur le label Beverley's de Leslie Kong. C'était la première fois que le mot était imprimé, cela valut tout naturellement au simple d'être salué comme le premier disque de reggae. Dans l'univers anarchique de l'académisme jamaïquain, cette première orthographe était relativement

LA NAISSANCE

commune : il existait un groupe nommé les Reggay Boys, et Byron Lee and the Dragonaires avaient sorti des albums intitulés *Reggay Eyes* et *Reggay Blast Off*. Les vraies origines du mot demeurent obscures : le producteur Clancy Eccles, par exemple, prétend avoir inventé le terme – « streggae » aurait été une expression désignant une prostituée-

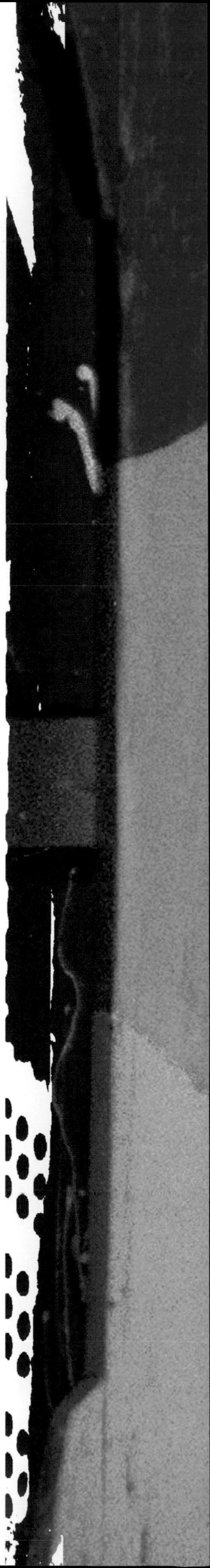

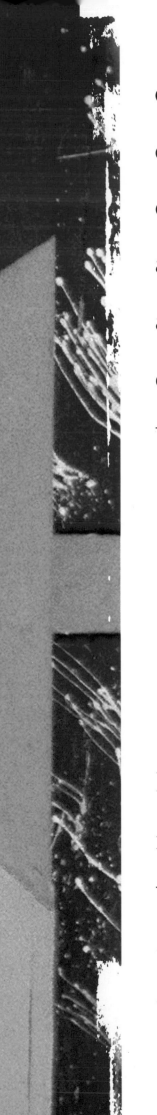

et il a également été suggéré que « reggae » est une déformation du mot « ragged » (déguenillé), ce qui donnerait au mot la connotation « rue » appropriée. Plus tôt, en 1968, les Maytals avaient sorti un autre disque, « 54-46 That's My Number », première œuvre du groupe après une absence forcée de deux années. Sur un beat à contretemps très marqué, la

DU REGGAE

chanson racontait l'expérience carcérale du chanteur Toots Hibbert, une peine de vingt-quatre mois qui lui avait été infligée pour possession de marijuana. Cette histoire vécue, qui contribua au succès d'un des meilleurs simples jamaïquains de tous les temps, était mise en valeur par un tempo associant l'ancien et le nouveau, le rocksteady et le reggae.

À l'époque où sortit « Do The Reggay », les sonorités mélodieuses et sensuelles du rocksteady étaient la tendance prépondérante depuis environ deux ans, depuis le milieu de 1966. Après sept ou huit années durant lesquelles le rythme de boogie du ska avait dominé la musique jamaïquaine, son tempo avait commencé à évoluer : les lignes de basse commençaient à se briser, engendrant des motifs de notes plus courts et plus prononcés que dans le ska.

Le rocksteady était, littéralement, une version plus calme [steady signifie posé, régulier, NdT] du tempo ska. On prétend, explication probablement apocryphe, que son origine est à chercher dans la chaleur inhabituelle de l'été 66 qui avait rendu impossibles les mouvements rapides des danseurs de ska. Quelle qu'en soit la raison, le rocksteady était, à l'automne, le son prééminent issu des studios d'enregistrement de Kingston.

Avec ses influences swing et bop, le ska avait toujours eu un parfum essentiellement « adulte ». Le rocksteady, en revanche, était languide et sensuel – et annonçait les ennuis. Il n'est donc pas surprenant qu'il ait été adopté par ces tribus de jeunes plus cool que cool et plus chaudes que chaudes, particulières à la Jamaïque et que l'on connaissait sous le nom de « rude boys ». Depuis les quasi-délinquants juvéniles du rock'n'roll jusqu'aux gangstas urbains-chic du rap, une des conditions essentielles pour vendre toute nouvelle forme musicale a toujours été que la jeunesse en fasse un culte qui lui soit propre – et les rude boys en étaient la version la plus radicale à ce jour, un pur produit de la nature quelque peu excessive de la Jamaïque elle-même.

Leurs origines étaient évidentes. Si la Jamaïque était devenue une nation indépendante en 1962, cette indépendance était surtout symbolique. La dépendance envers le Royaume-Uni avait fait place à l'obligation de se plier aux exigences des multinationales américaines et canadiennes, particulièrement celles qui régissaient l'industrie de la bauxite, laquelle – en dehors d'éventrer d'immenses portions du splendide paysage jamaïquain et de les transformer en hideuses mines à ciel ouvert – fournissait la matière première nécessaire à la fabrication de l'aluminium. Les jeunes gens avaient quitté en masse la campagne pour Kingston. Le chômage ou le sous-emploi étant la norme, nombre d'entre eux vivaient une existence précaire dans les taudis et les bidonvilles de West Kingston.

Le concept de rude boy peut être considéré comme une métaphore de la Jamaïque elle-même. Mais il suggère aussi l'arrogance nécessaire pour tenir debout dans une situation sociale où les polices d'assurances et l'État-providence n'existent absolument pas. En prenant pour modèles les héros ou les traîtres des films de cow-boys (notamment les westerns-spaghetti ultraviolents qui apparurent au milieu des années soixante) et les délinquants juvéniles version Hollywood, les rude boys incarnaient la ligne de partage floue et si essentiellement jamaïquaine entre la réalité et la vie sur les écrans de cinéma. Munis de leur arme favorite, le couteau à rochet – qu'on pouvait ouvrir à la vitesse de l'éclair –, les anarchiques rude boys étaient la vision d'un futur tout sauf utopique.

Leur influence s'étendait au-delà des mers, partout où existaient des communautés jamaïquaines ; avec leurs petits chapeaux et leurs costumes en mohair, ils furent l'un des éléments qui influencèrent les mods britanniques dont les émeutes secouèrent l'establishment anglais au milieu des années soixante.

Dans son film *The Harder They Come*, le réalisateur Perry Henzell prit comme modèle pour son héros, interprété par Jimmy Cliff, Ivanohe « Rhygin » Martin, un des premiers et des plus fameux mauvais garçons de Jamaïque, qui, l'arme au poing, sema la terreur en 1948. « Rhygin » a deux significations, chacune d'entre elles pouvant s'appliquer aux rude boys : vigoureux, fougueux et tout d'une pièce ; et en colère, sauvage et enragé.

Les rude boys étaient une émanation des « casseurs de bals » qui, à partir des années cinquante, avaient été chargés de saccager le matériel et le plaisir des sound systems concurrents. Une horde aussi facilement mobilisable offrait également des possibilités pour des individus politiquement ambitieux comme Edward Seaga, qui avait fondé WIRL Records en 1958 et était maintenant ministre du Jamaican Labour Party (JLP). En Jamaïque, la politique fonctionne à son niveau le plus élémentaire : si votre député est battu aux élections, il y a de bonnes chances pour que vous perdiez le job et le logement qu'il vous a procurés, à vous son supporter – d'où le niveau pitoyable et parfois meurtrier auquel peuvent s'abaisser les élections.

« Rude boys outa jail » [sortis de prison]? L'influence du cinéma sur le style rude boy – moitié héros de western, moitié gangster hollywoodien – était immédiatement perceptible.

Les origines sociales des rude boys se trouvaient clairement au centre-ville. Le cratère de Trench Town, par exemple, en recracha plus que sa part. En grande partie à cause de sa situation près du centre de Kingston, le quartier devint un aimant qui attirait les âmes perdues. « Quand j'ai quitté May Pen, se souvient Toots Hibbert, je suis automatiquement allé à Trench Town : Trench Town, c'est ce qu'il y a de mieux, donc je veux aller là où sont ceux qui s'éclatent. Je connais ces gens, et ils sont très gentils avec moi. Comme vous le savez, l'oppression est cause de beaucoup de mauvaises choses : ils luttent dur pour survivre, pour vivre. »

Bâtie sur le site d'une ancienne plantation de canne à sucre, Trench Town avait jadis été une adresse petite-bourgeoise recherchée. À la fin des années quarante, le tout-Kingston se pressait devant l'Ambassador Theatre pour aller entendre des vedettes internationales comme Louis Armstrong – et l'on pouvait s'y retrouver assis à côté de célébrités telles que Noel Coward ou la famille de Sir Hugh Foot, le gouverneur général britannique.

Progressivement envahi par les camps de squatters, le quartier déclina. La petite bourgeoisie prit la fuite avec un sentiment de soulagement, car Trench Town se trouve dans la partie la plus chaude de Kingston, à l'écart des brises qui descendent des Blue Mountains pour rafraîchir les quartiers les plus septentrionaux de la ville.

Les campements de squatters qui avaient peu à peu recouvert West Kingston s'étaient établis autour de l'ancienne décharge municipale de Kingston que les gens de la campagne et les citadins déplacés qui vivaient là fouillaient de fond en comble à la recherche de tout ce qu'ils pouvaient y trouver. Après l'ouragan dévastateur de 1951 qui détruisit les bidonvilles, la puissance coloniale britannique remplaça le quartier appelé le Dungle par les lotissements de Trench Town. C'était

Est-il vrai que Trench Town s'appelle comme ça à cause de l'égout à ciel ouvert qui la traverse ?

un endroit enviable si votre précédente résidence avait été une caisse d'emballage. Ces « government yards », ainsi qu'ils sont connus dans le monde entier grâce à la mythologie du reggae (comme dans les vers *« Do you remember when we used to sit/In a government yard in Trench Town »* dans le « No Woman No Cry » de Bob Marley), comprenaient des cuisines collectives solidement bâties et équipées d'une colonne d'alimentation pour l'eau. Certains furent assez ingrats pour se plaindre de ce que les maîtres de la Jamaïque avaient trouvé adéquat de construire Trench Town sans aucun système d'égouts.

En tant que paradis pour déclassés, le quartier attira bon nombre de penseurs non othodoxes – et particulièrement les membres de l'étrange secte des Rastafari, qui, depuis les années cinquante, était de plus en plus opprimée par des autorités aussi à cran que désorientées. Le quartier devint le domicile de sommités telles que Mortimer Planner, qui aiderait Hailé Sélassié à descendre de son avion lorsque celui-ci se poserait à Kingston en 1966, ou Joe Higgs, du célèbre duo chantant Higgs and Wilson, qui allait devenir le mentor musical d'un jeune groupe du voisinage appelé les Wailers ; ou encore Alton Ellis, plus tard un des chanteurs les plus superbement mélodieux – et, au cours des années soixante, des plus célèbres – qui s'installa dans le quartier aussitôt que la première tranche de travaux fut achevée.

Ellis se souvient du Trench Town des années cinquante comme d'« un endroit paisible et charmant ». « Quand je suis allé là-bas, dit le chanteur, il y avait un nouveau lotissement construit par le gouvernement pour les démunis. » Chaque appartement à l'intérieur des complexes individuels possédait deux chambres ; dans la cour commune, on trouvait quatre toilettes et salles de bains, et près de chaque grille était planté un manguier ou un papayer. « Mais, même si l'endroit était agréable, la pauvreté existait toujours. Elle était si grande que l'on savait où cela allait mener. »

« Non, man. Ils l'ont appelée comme ça à cause de Mr Trench, l'entrepreneur. »

FATHER BOBBY WILMOTT

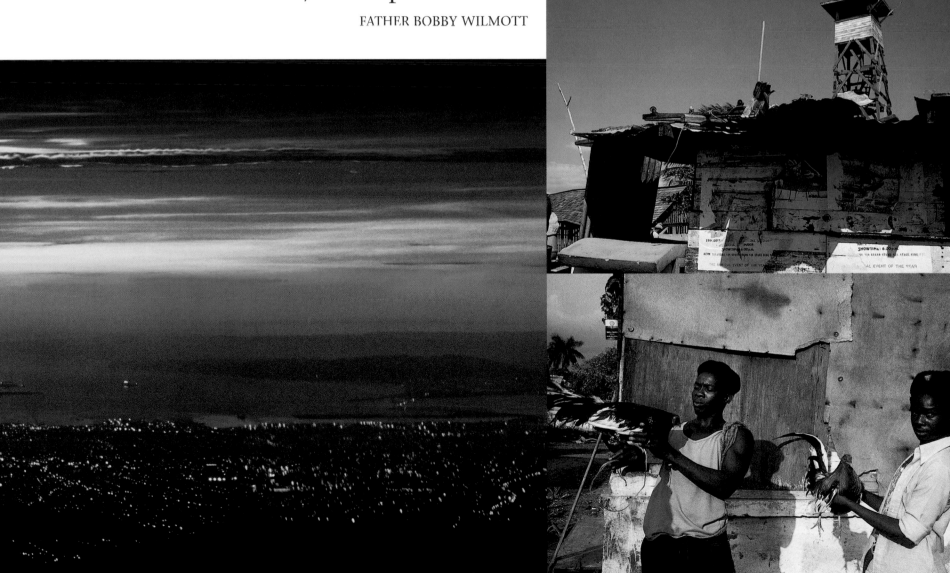

Indiscutablement, le meilleur trio vocal de rocksteady et de reggae, les Heptones sont l'archétype de tous les groupes masculins « à harmonies » de Jamaïque. Composés de Leroy Sibbles, Barry Llewellyn et Earl Morgan, les Heptones travaillèrent pendant cinq années pour Studio One. Après leur premier hit, le quelque peu lubrique « Fattie Fattie », ils ne s'arrêtèrent plus. La voix de Sibbles était superbement contrôlée, même si les deux autres assuraient de temps à autre la partie vocale solo. *The Heptones* et *Heptones On Top*, les deux premiers albums pour Studio One, sont des disques difficilement égalables. Sibbles ayant aussi travaillé pour Studio One comme arrangeur, bassiste et directeur artistique à mi-temps, il souffrit plus que les autres de la séparation en mauvais termes d'avec Coxsone. Le même groupe enregistra l'album *Party Time* pour Lee Perry, disque qui sortit à l'étranger sur Island. Après l'échec commercial de l'album, Sibbles quitta le groupe pour entamer une carrière solo et alla vivre au Canada. Il fut remplacé par Naggo Morris, mais il manquait à la nouvelle formation la magie de l'originale.

Dans sa section locale du quartier déshérité de Tivoli Gardens, au centre de Kingston, Edward Seaga engagea le Tivoli Gang du coin afin qu'il joue un rôle assez semblable à celui qu'il jouait pour les sound systems – à cette différence près que l'opposition à briser était désormais le parti politique rival, le People's National Party (PNP), et ses membres.

Dirigé par Michael Manley, le PNP répondit aussitôt à cette menace par un rééquilibrage des forces : un gang de fidèles de Duke Reid nommé les Spanglers et originaire de cette place forte du PNP qu'était Back O'Wall fut engagé pour jouer les nervis. La violence éclata et les armes à feu furent abondamment employées pour la première fois en Jamaïque, semant une telle panique dans la population qu'il fallut déclarer l'état d'urgence au cours de la campagne électorale. Là se trouve l'origine des gangs de voyous drogués qui régnèrent sur les années quatre-vingt, non seulement en Jamaïque mais aussi aux États-Unis. Plus immédiatement, cela fournit un énorme succès mondial à Desmond Dekker dont le « 007 (Shanty Town) » pour le label Beverley's de Leslie Kong rend compte de ces terribles moments : *« Dem a-loot, dem a-shoot, dem a-burn down shanty town »* [Y pillent, y tuent, y brûlent le bidonville]. Que ces paroles aient eu une signification quelconque pour les acheteurs anglais et américains qui firent du disque le premier hit international du rocksteady reste un point à débattre.

Les morceaux évoquant les rude boys étaient apparus en 1963 avec un instrumental de Duke Reid intitulé « Rude Boy ». Mais ce sont les Wailers qui, avec leur premier enregistrement « Slimmer Down », évoquèrent directement les rude boys dans leur chanson. Le morceau était loin d'être un encouragement pour eux ; au contraire, elle les incitait à se calmer : *« Simmer down/Control your temper/Simmer down/Cause the battle will be hotter »* [Calme-toi/Décompresse/Calme-toi/Car le combat va être plus chaud encore]. Publié juste avant Noël 1963, ce disque de ska était numéro un dans les classements jamaïquains dès le début de février 1964. Le thème de la chanson, le crime adolescent, fit des Wailers les porte-parole des rude boys, qui semblaient ne pas avoir remarqué la critique implicite. Le groupe se retrouva à contre-courant de ses contemporains, car jusqu'alors personne dans la musique jamaïquaine n'avait exprimé la façon de penser du ghetto. Les Wailers enregistrèrent

Qu'avez-vous pensé du jeune Bob Marley ?

Bob est venu avec son groupe, les Wailers. Ils avaient cette chanson, et on pouvait voir à la manière dont ils l'avaient construite qu'elle n'avait pas de fin. Alors j'ai dû jouer de petites intros et de petites fins, et je crois que c'est bien sorti. En tout cas, un tas de gens ont aimé. C'est comme ça qu'il a eu son premier hit, « It Hurts To Be Alone ». Et puis j'ai fait « I'm Still Waiting » et « Simmer Down » et d'autres choses. Je savais que Bob allait être un grand parce qu'il était très attentif à tout ce qui se passait. J'ai compris que ce type était un perfectionniste. Il fallait que tout soit comme il le voulait. C'est pourquoi j'ai su que ce gamin allait être un grand homme.

ERNEST RANGLIN

À gauche : les Wailers Bunny Livingston, Bob Marley et Peter Tosh (de gauche à droite) acceptèrent de bonne grâce de participer aux efforts de Coxsone Dodd pour donner aux stars de Studio One un code vestimentaire à la Motown.

deux autres chansons traitant spécifiquement de cette tribu juvénile : un morceau de 1965 qui, comme l'instrumental antérieur de Duke Reid, était intitulé « Rude Boy », et une chanson plus forte de 1966, « Jailhouse », dans laquelle on trouvait le vers *« The baton stick get shorter/Rudie get taller »* [Plus la matraque est petite/Plus Rudie est grand].

Autre groupe à enregistrer des chansons de rude boys pour Coxsone, les Clarendonians. Avec leurs titres « Rudie Gone A Jail » et « Rudie Bam Bam », ils eurent plus de succès que les Wailers avec leurs deux derniers disques rude boys. Initialement composés de Fitzroy « Ernest » Wilson et de Peter Austin, jeunes adolescents, ils firent encore tomber leur moyenne d'âge en engageant un garçon de sept ans, Freddie McGregor.

Les Clarendonians faisaient du rocksteady pur et dur. Bien qu'elle n'ait duré que peu de temps, cette atmosphère paisible eut une influence colossale. Le piano et les cuivres, si présents dans le ska, se transformèrent en sonorité d'appoint et le rythme devint l'affaire de la batterie et de la toute récente – en tout cas en Jamaïque – basse électrique, ce qui, par la suite, devait demeurer la caractéristique dominante de la musique jamaïquaine : à mesure que le rocksteady se développait, les figures de basse devinrent plus complexes et la partie percussion également.

Plusieurs disques sont en lice pour le titre de premier enregistrement de rocksteady, parmi lesquels « Hold Them » de Roy Shirley, « Tougher Than Tough » de Derrick Morgan et « Girl I've Got A Date » d'Alton Ellis.

Membre « fondateur » de la scène musicale jamaïquaine, Derrick Morgan a joué un rôle important dans les événements qui ont contribué à la naissance de l'industrie du disque sur l'île.

Vous avez commencé en enregistrant des disques pour le sound de Duke Reid ?

Oh, oui. **C'est comme ça qu'on s'est brouillés.** Parce qu'il passait ma chanson « Lover Boy » sur le sound. Je l'avais écrite et appelée « Lover Boy », mais elle avait aussi un autre nom qui était « S-Corner Rock ». C'était un coin où le Edwards Sound avait l'habitude de jouer et de passer une acétate de cette chanson. Après, j'ai entendu parler de cet homme, Lickle Wonder. Il faisait des enregistrements pour lui-même. Je suis allé le voir et quand je lui ai chanté « S-Corner Rock », il a été surpris et a voulu faire une chanson avec moi. Alors, j'ai chanté la chanson « Hey You Fat Man » pour lui.

Bref, après que j'ai fait « Fat Man », il l'a sorti et ça a fait numéro un des ventes. Duke Reid en a entendu parler et m'a envoyé quelques mauvais garçons qui m'ont dit : « Le Duke veut te voir. » [...] Je ne me sentais pas bien, j'avais peur de ces hommes. Bref, j'y suis allé.

Duke vous a dit de ne pas chanter pour quelqu'un d'autre. Quelqu'un vous a approché ?

Oui. J'ai rencontré ce type nommé Prince Buster sur Orange Street et il m'a dit qu'il avait obtenu un prêt et qu'il voulait faire des disques avec moi. J'étais avec Monty Morris [Eric Morris] et j'ai dit : « D'accord, patron », et puis : « Où t'as eu ce nom de Prince ? T'es pas un fils de roi. » Deux jours plus tard j'étais en séance et j'ai fait une chanson appelée « Shake A Leg ». Monty Morris, lui, a fait « Humpty Dumpty ». La première séance de Buster. Il a fait environ treize chansons ce jour-là, toutes des hits.

Quand avez-vous quitté Prince Buster ?

Prince est devenu jaloux en 1962, quand j'ai fait « Forward March » pour Beverley's. Prince m'a dit : « J'aime pas ça, parce que tu as pris ma chanson et que tu l'as donnée à Beverley's. » J'ai demandé : « Quelle chanson? » Il a dit que le solo de sax ressemblait beaucoup à un morceau intitulé « They Got To Come ». Et à cause de ça, il a écrit une chanson sur moi intitulée « Blackhead Chinaman » [Le Chinois à tête noire]. J'auditionnais pour Beverley's, je jouais un peu de claviers. Et j'ai dit : « Si Prince prétend que je suis un Chinois à tête noire, lui, il peut marcher sur du feu brûlant. » Et j'ai écrit la chanson « Blazing Fire ». Et elle s'est mieux vendue.

Comment avez-vous rencontré Bob Marley ?

Vers 1962, j'allais boire de l'alcool dans un bar de Charles Street, à Spanish Town Road – c'est Tivoli maintenant, mais à l'époque c'était Back O'Wall. J'avais une petite amie qui s'appelait Pat Stewart, on se retrouvait là et on buvait. Elle m'a présenté Bob en disant que c'était un bon chanteur et qu'il avait une chanson. J'ai dit : « Pourquoi ne viens-tu pas chez Beverley's, on t'écoutera. » Deux ou trois jours après, il est venu avec Jimmy Cliff et on a écouté sa chanson « Judge Not ».

À cette époque, je partais pour l'Angleterre. Prince Buster avait un manager nommé Shalett qui dirigeait Blue Beat et qui voulait que j'aille là-bas et signe un contrat. Il m'a donné 900 livres pour que je vienne signer avec lui en Angleterre – c'était beaucoup d'argent, à l'époque. Je n'avais jamais signé de papier avec Beverley's, et tout ce que Leslie Kong voulait, c'était que je continue à lui fournir des hits. Alors j'ai signé pour Shalett, et Buster et moi on est partis. Quand Leslie a compris qu'il ne pourrait pas m'en empêcher, il a organisé trois concerts d'adieu.

Tous les spectacles ont été chouettes, et c'est là que Bob est monté sur scène pour la première fois. À May Pen, ce qu'il a fait, c'est qu'il a dansé – c'était un bon danseur. Pendant tout le temps que j'ai chanté, il a dansé. Et il était très fatigué. Je l'ai emmené en coulisse et lui ai dit : « Toi, c'est pas la bonne façon de faire – tu dois chanter et, quand le solo arrive, tu dois danser. Mais si tu danses tout du long, tu vas mourir – tu dépenses trop d'énergie. » Alors, quand il a chanté ses premiers couplets il a mimé ce qu'il chantait mais n'a pas dansé. Mais les gens ont hué la première chanson – je me demandais si c'était parce qu'il faisait comme moi. Mais il a attaqué directement *« Judge not before you judge yourself »* [Ne jugez pas avant de vous juger vous-mêmes], et le public a cru qu'il chantait ça pour lui. Et il nous a volé la vedette avec cette chanson. Je suis fier de dire : « Oui, je suis le premier à avoir auditionné Bob. »

Comment avez-vous été impliqué dans le rocksteady ?

Après que je suis revenu d'Angleterre, Beverley's m'a repris. Et la première chose que je leur ai donnée, c'était « Tougher Than Tough ». Et puis j'ai commencé à leur donner des chansons comme « Greedy Girl » et « Woman No Grumble ». Beverley's était content de m'avoir de nouveau dans son camp. Et je cartonnais avec le rocksteady. Pendant la séance de « Tougher Than Tough », ce gentleman nommé Lynn Taitt est arrivé de Trinidad pour jouer de l'orgue avec Byron Lee. Mais ils n'ont pas voulu qu'il joue, alors il a pris sa guitare et Beverley's l'a employé sur cette séance. Lynn Taitt s'est mis à jouer ce genre de tempo sur les cordes basses de sa guitare, c'était différent de la vraie basse, ça cassait le truc.

Né en mars 1940, Derrick Morgan commença sa carrière à quinze ans en imitant Little Richard lors d'un concours de talents où il battit Owen Gray, Jackie Edwards, Eric Morris et Hortense Ellis (la sœur d'Alton Ellis). À ses débuts, Morgan tourna sous le nom de « Little Richie ». Il devint connu en 1959 avec son « Lover Boy » pour Duke Reid. Lorsqu'il enregistra pour d'autres producteurs, Reid le menaça et Morgan accepta de faire une série de duos avec la chanteuse Patsy. Il travailla ensuite avec Prince Buster sur « Shake A Leg » et « Lulu ». Mais le meilleur de son travail vint quand il collabora avec Leslie Kong. À un moment donné, Morgan eut plusieurs disques en même temps dans le Top Ten jamaïquain, tous sur le label Beverley's de Kong, dont le classique « Be Still » et un énorme succès intitulé « Housewife's Choice ». C'est Morgan qui présenta Bob Marley à Kong. Fâché avec Buster à cause de sa collaboration avec Kong, Morgan enregistra « Blazing Fire », fanfaronnade dirigée contre le Prince. Par la suite, Morgan enregistra des chefs-d'œuvre du rocksteady d'une douce simplicité tels que « You Never Miss The Water » et, installé en Grande-Bretagne, devint l'un des chanteurs favoris des publics mod et skinhead.

Et c'est comme ça que le rocksteady a commencé. On lui a donné le nom de rocksteady à cause de la manière dont les gens dansaient sur la chanson. Et puis tout le monde s'est mis à copier.

En juin 1964, Millicent « Millie » Small – née à Clarendon, Jamaïque, en 1942 – se rendit à Londres, où Chris Blackwell venait de transférer Island Records, une petite compagnie dont les disques étaient initialement destinés à ses compatriotes expatriés. Millie avait attiré l'attention de Blackwell après avoir décroché des hits en tant que moitié du duo Roy and Millie. En plus de travailler avec Roy Patton, elle avait aussi enregistré avec Derrick Morgan et Jackie Edwards. À Londres, Blackwell s'assura la collaboration du maître guitariste Ernest Ranglin et de ses talents d'arrangeurs et fit enregistrer à Millie une version du hit R'n'B de Barbie Gaye datant de 1957, « My Boy Lollipop ». Conscient du potentiel pop du disque, Blackwell le fit distribuer par le label Fontana et il en résulta un succès international qui se vendit à sept millions d'exemplaires. En dépit de l'atmosphère pop de la chanson, l'arrangement ska de Ranglin en fait un disque qui tient sa place à côté de ceux de sommités comme les Skatalites. Ci-dessous : « My Boy Lollipop » fut également publié sur le label Beverley's dirigé par Leslie Kong (au centre du 45 tours). Kong était un producteur influent qui enregistra les premiers morceaux de Bob Marley « Judge Not » et « One Cup Of Coffee » et travailla avec la plupart des grands musiciens jamaïquains – y compris Desmond Dekker (« 007 » et « Israelites ») et les Maytals (« 54-46 That's My Number » et « Monkey Man »). Il mourut en 1971 d'une crise cardiaque.

Parmi la communauté artistique, tout le monde ne considérait pas les rude boys comme une force à encourager. Pour Duke Reid, le grand Alton Ellis enregistra cinq simples anti-rude boys parmi lesquels le classique « Cry Tough » qui – avec l'appui de la voix rêche de Lloyd Charmers – exprimait clairement son point de vue : *« Comment un homme peut-il être dur/Plus dur que le monde/Car si un homme est mauvais/Il est contre le monde. »* Non seulement Ellis prit régulièrement position contre les rude boys, mais il critiqua sévèrement les Wailers pour avoir encouragé leurs néfastes activités.

Alton Ellis fut un des chanteurs les plus aimés et les plus influents de Jamaïque, particulièrement durant l'époque rocksteady, au cours de laquelle il enregistra abondamment pour Duke Reid. Excellent auteur-compositeur, Ellis avait le don de s'emparer de morceaux soul américains pour en faire des chansons spécifiquement jamaïquaines. Il fut l'un des premiers à s'installer dans le nouveau lotissement de Trench Town. À la fin des années cinquante, Ellis commença à enregistrer, avec le chanteur Eddy Perkins, dans le duo Alton and Eddy – « Muriel » fut un énorme succès. Quand il travailla sous le nom d'Alton Ellis and the Flames, il réussit – grâce à son fabuleux talent – le numéro de haute voltige consistant à travailler à la fois pour Coxsone Dodd et Duke Reid. Le rocksteady lui convenait parfaitement : le genre donnait aux chanteurs plus d'espace pour s'exprimer, comme dans son hit simplement intitulé « Rocksteady » et comme on peut le vérifier tout au long de l'album *Mr Soul Of Jamaica,* publié par Treasure Isle. Aujourd'hui, Ellis se produit et enregistre de façon sporadique, mais il demeure l'un des grands de l'histoire de la musique jamaïquaine.

Le morceau d'Alton Ellis « I've Got A Date » fut produit par Duke Reid. Quelle que soit la légitimité des diverses revendications de ceux qui prétendent avoir publié le premier disque de rocksteady, une chose est certaine : contrairement à son rival Coxsone Dodd, Duke Reid sentit tout de suite le potentiel du genre.

Même si Coxsone connut le succès avec la chanson des Wailers « Rocking Steady » – dans laquelle on trouve ces paroles de Bob Marley : *« When I first heard rocksteady/It thrilled me to the bone »* [La première fois que j'ai entendu du rocksteady/J'ai frissonné jusqu'au fond des os] –, son studio avait momentanément perdu le fil de l'histoire. (D'autant que les Wailers étaient sur le point de le quitter.)

Le studio Treasure Isle de Duke Reid, situé au-dessus de son magasin de spiritueux au 33 Bond Street, acquit ses galons grâce à l'enregistrement des meilleures chansons de rocksteady, des classiques comme « Happy Go Lucky Girl » par les Paragons, le splendide « Loving Pauper » de Dobby Dobson, le touchant « Don't Stay Away » de Phyllis Dillon et bien, bien des morceaux fabuleux du grand Alton Ellis, parmi lesquels une chanson intitulée « Rocksteady ».

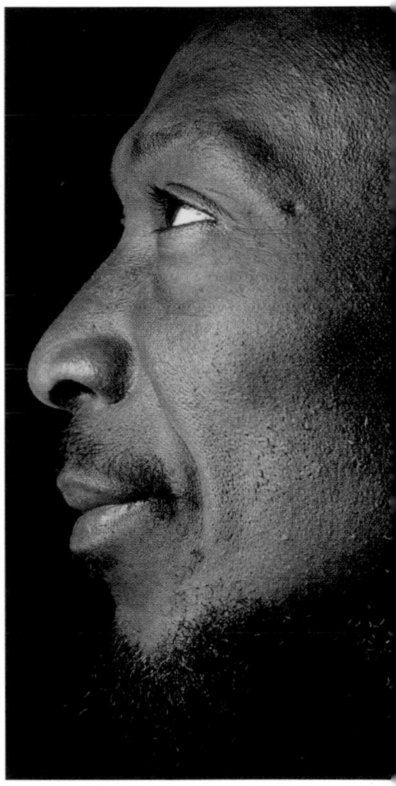

Le rocksteady était la contrepartie jamaïquaine de la musique soul américaine de l'époque : par exemple, l'excellent « Queen Majesty » des Techniques, autre disque de Duke Reid, était formaté sur le modèle du « Minstrel And Queen » des Impressions, une influence majeure pour nombre d'artistes jamaïquains. Quand « Ruddy » Redwood, qui dirigeait le sound system le plus en vue de Spanish Town, remixa les instrumentaux de Treasure Isle, cela déboucha sur le dub des années soixante-dix ; et ce fut sur des morceaux de rocksteady de Treasure Isle que U-Roy fit ses débuts de deejay.

Le sens de l'espace dans le rocksteady rendit possible la conception d'arrangements plus complexes et plus subtils. Tommy McCook and the Supersonics jouèrent un rôle fondamental dans l'élaboration des sonorités et du style de cette nouvelle musique jamaïquaine. McCook était exclusivement employé par Duke Reid. Cependant, les artistes s'influençaient constamment les uns les autres. Lynn Taitt, un guitariste de Trinidad qui arrangea presque tous les meilleurs morceaux du rocksteady initial, était l'un des musiciens les plus caractéristiques, jouant des cordes basses de sa guitare à l'unisson avec le bassiste.

Lynn Taitt, qui avait joué avec les Skatalites, avait son propre groupe, Lynn Taitt and the Jets, qui fut le principal groupe de séance de rocksteady de l'île en dehors de Treasure Isle – la plupart de ses membres jouant également avec Tommy McCook and the Supersonics. Pour Winston « Merritone » Blake, Taitt and the Jets jouèrent sur le grand « Take It Easy » de Hopeton Lewis, lui-même membre du groupe. Ce fut l'un des premiers disques de rocksteady et un énorme succès, qui se vendit à dix mille exemplaires en un week-end après avoir été programmé dans l'émission de radio de Charlie Babcock. Ils figurèrent également sur un nombre incalculable de hits pour Duke Reid, Mrs Sonia Pottinger, Bunny Lee, WIRL, Federal et Derrick Harriott, dont « The Loser » est un autre morceau essentiel de rocksteady.

Comme pour la plupart des musiciens de séance jamaïquains, le rythme de travail des Jets était faramineux, ils participaient souvent à plusieurs séances au cours de la même journée. On trouvait parmi eux le chanteur Hopeton Lewis, le trompettiste Headley Bennett, le pianiste Gladstone Anderson, le guitariste Hux Brown et le maître de l'orgue Hammond, Winston Wright. (Plus tard, Taitt jouera sur « Cupid » et « Hold Me Tight » de Johnny Nash, deux titres qui entrèrent dans les classements britanniques.)

L'adaptation réussie de gens comme les Maytals ou Desmond Dekker and the Aces au rocksteady déboucha sur la création de nouveaux trios et quatuors, et bientôt la Jamaïque fut submergée de groupes vocaux tels que les Heptones, les Gaylads, les Ethiopians, les Melodians ou les Techniques. En l'espace d'une année, cependant, un trio de producteurs – Bunny Lee, Lee « Scratch » Perry et Osbourne « King Tubby » Ruddock – allait provoquer un nouveau changement et amener le reggae.

Du fin fond de l'Afrique sont venues les sonorités du reggae. Un jour, au Sénégal, j'étais assis dans une casemate à la limite du Sahara. Un groupe de musiciens est entré pour interpréter des chansons-hommages au grand musicien local Baaba Maal sur des instruments locaux aussi splendides que les koras et les hoddus, et j'ai été sidéré d'entendre ce qui était très clairement le rythme du reggae. Quand Jimmy Cliff se rendit au Sénégal, il vécut la même expérience. « Maintenant, dit-il, je sais d'où est venu le reggae. »

Même si grâce à son titre, « Do The Reggay », le disque des Maytals publié en août 1968 a acquis une certaine crédibilité comme premier disque de reggae, plusieurs autres morceaux faisant appel à un tempo plus rapide que celui du rocksteady étaient sortis cette même année. De chez Coxsone Dodd était venu « Nanny Goat » de Larry Marshall, adossé au son d'orgue brouillé de Jackie Mittoo. Et Harry « J » Johnson avait sorti « No More Heartaches » des Beltones. Ces deux disques avaient été enregistrés à Studio One – à ses débuts, Harry J était sous contrat avec Coxsone.

Né à Cuba en 1927, Laurel Aitken enregistra en 1958 « Boogie In My Bones » pour le nouveau label Island fondé en Jamaïque par Chris Blackwell. Le disque est un des premiers exemples de ce que l'on allait appeler le « blues jamaïquain » – variante à la sauce locale des disques de R'n'B shuffle-boogie en provenance de La Nouvelle-Orléans qui furent les précurseurs du ska. Quand le ska lui-même fit rage, Aitken obtint une série de succès en Jamaïque ainsi qu'en Angleterre. Parti pour le Royaume-Uni, il s'installa d'abord à Londres puis à Leicester, enregistrant de nombreuses chansons pour le label Blue Beat d'Emile Shalett, Rio Records de Graeme Goodall et Nu Beat des frères Palmer. Grâce à un noyau de fans parmi les mods et ensuite les skinheads, Aitken connut une seconde carrière vers la fin des années soixante-dix, époque du revival ska 2-Tone.

Il y a d'autres prétendants au titre de premier disque de reggae. À cause du son de sa guitare, Alva Lewis assure que c'est « Bangarang », une production de Bunny Lee enregistrée en 1969 à Treasure Island et signée Stranger Cole et Lester Sterling : la chanson était une adaptation de « Bongo Chant », morceau pop britannique de Kenny Graham and the Afro-Cubists datant de dix années auparavant. Le producteur Bunny « Striker » Lee est du même avis, non pas, précise-t-il, à cause du son de la guitare mais du fait des riffs de l'organiste Glen Adams. Pour Striker, c'est ce son d'orgue brouillé, spécialité de Jackie Mittoo (également arrangeur et directeur artistique pour Coxsone), qui définissait les premiers disques de reggae.

S'il est indiscutable que bon nombre des premiers disques de reggae sont dominés par les sonorités de l'orgue – par exemple « The Liquidator » de Harry J Allstars avec l'orgue Hammond de Winston Wright, morceau qui cette année-là entra dans le Top Ten britannique –, l'année 1968 avait commencé avec le tempo accéléré du « Pop A Top » de Lynford Anderson. La musique jamaïquaine s'ouvrait et possédait désormais de multiples facettes. Les nouvelles chansons n'avaient pas toutes un tempo plus rapide que le rocksteady ; certaines étaient même plus lentes. Mais la caractéristique de tous ces morceaux participant de ce qui était à l'évidence un nouveau genre en train de se propager, c'était leur sonorité plus âpre et plus encore dominée par la basse que jamais auparavant dans la musique jamaïquaine.

Le guitariste Ernest Ranglin assure que ce sont Lee « Scratch » Perry, Clancy Eccles et lui-même qui ont inventé le genre lors d'une séance commune. Scratch et Eccles étaient les producteurs et Ranglin l'arrangeur d'une chanson de Clancy intitulée « Feel The Rhythm ».

Durant l'été 68, Lynford Anderson collabora avec Lee Perry sur « People Funny Boy », morceau doté d'un tempo rapide et d'un riff de guitare soutenu, l'une des caractéristiques du regaae – ce mot qui, avec le temps, allait devenir synonyme de musique jamaïquaine. La musique de « People Funny Boy » était si extrême et particulière qu'elle allait plus loin que des morceaux comme « Nanny Goat » et « No More Heartaches ». D'une certaine façon, cependant, c'était un disque unique qui, avec son tempo très marqué et son feeling africain, notamment en ce qui concerne les percussions, est le seul de son genre, surtout si on le compare aux contributions plus modérées de Toots Hibbert and the Maytals.

Toots and the Maytals enregistrèrent « Do The Reggay » en 1968 – pour une fois, l'expression « disque fondateur » a un sens.

En 1961, Frederick « Toots » Hibbert, natif de May Pen, ville située au centre de l'île, se joignit à Nathaniel « Jerry » Matthias et Henry « Raleigh » Gordon pour créer les Maytals. Très vite, ils enregistrèrent pour Coxsone Dodd. Adoptant le nouveau tempo ska pratiqué par les musiciens qui formeraient plus tard les Skatalites, les Maytals le marièrent à l'ambiance de prêches baptistes de leurs harmonies. Des titres tels que « Hallelujah », « Fever » et leur classique « 6&7 Books Of Moses » en firent le premier groupe de Jamaïque. Coxsone ne les payant que 3 livres par face, ils le quittèrent pour aller travailler avec Prince Buster. Bientôt, cependant, les Maytals enregistraient avec Byron Lee, pour qui ils composèrent un autre classique, « Daddy ». Mais l'arrestation de Toots, en 1966, pour possession de marijuana, remit leur statut de vedettes en question. Il purgea deux années de prison et enregistra à sa libération « 54-46 That's My Number » pour Leslie Kong, autre succès impérissable qui préfigurait les nouvelles sonorités du reggae. Autres chansons célèbres du groupe : « Do The Reggay », « Monkey Man » et « Pressure Drop ». Signés par Island Records, Toots and the Maytals publièrent durant les années soixante-dix un grand nombre de disques exemplaires qui contribuèrent à faire connaître le reggae au grand public – notamment les albums *Funky Kingston* et *Reggae Got Soul*. À ce jour, le groupe continue de se produire sur scène, Toots étant considéré comme une sorte d'Otis Redding du reggae.

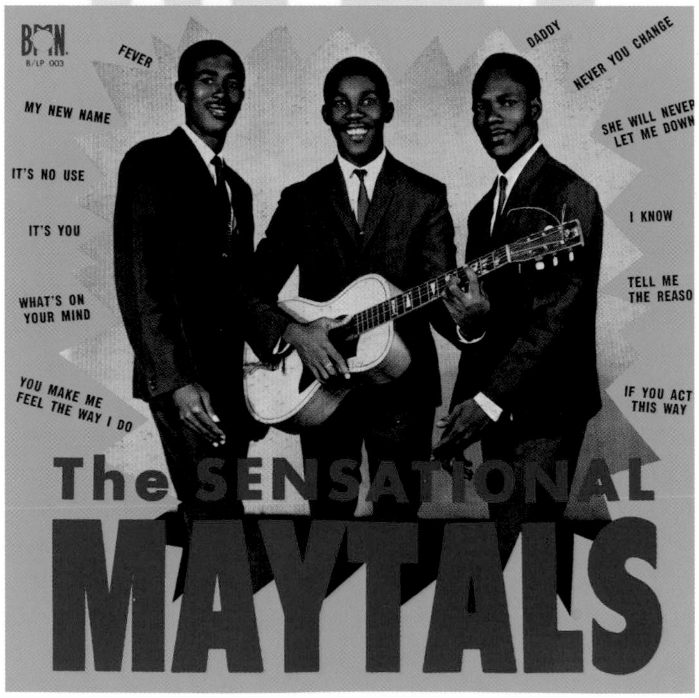

Quand avez-vous découvert que vous saviez chanter ?

Il y a longtemps. J'allais à l'église avec mes parents, un genre d'église où on tapait dans ses mains et où il y avait des concerts. J'avais environ douze ans. Chaque fois que je chantais, les gens faisaient plein de bruit, ils tapaient des mains de joie. En classe de chant tout le monde m'encourageait, alors je suis entré dans le chœur de l'église. C'est de là qu'est venu mon talent – la plupart de mes chansons viennent de l'église. Pas vraiment politiques, même si certains pensent le contraire.

Où avez-vous été élevé en Jamaïque ?

À May Pen. Je suis arrivé à Kingston quand j'avais treize ans. Quand j'ai été plus grand, j'ai découvert cette église appelée copte. C'est là que j'ai séjourné pendant très, très longtemps, j'ai arrêté de chanter pour apprendre la vérité de Rastafari. J'avais entendu parler de l'église copte et je suis allé là-bas, dans les collines au-dessus de Montego Bay, et je les ai vus et ils ont su que j'étais un de leurs prophètes. Je sais qu'il y a certaines choses que l'on doit accomplir en ce monde, et une fois qu'on les a accomplies on devient l'un d'entre eux.

Quand avez-vous commencé votre carrière professionnelle ?

Je suis venu de la campagne après que les gens m'eurent dit que je savais chanter et j'ai cherché un travail de chanteur à Trench Town. King Edwards était un très grand homme, il a simplement dit : « J'aime comme tu chantes, man. » J'avais chanté une chanson intitulée « Rosemarie », une de mes premières compositions. C'était un dub-plate. C'était un type bien. Il m'a fait débuter.

Je crois qu'après je suis allé chez Coxsone – Mr Dodd. Il m'a appris. On a fait un tas de chansons, je me fichais de l'argent. Il disait toujours : « On la fait. » Et il installait le tempo. C'était bien.

Vous chantiez vos chansons aux musiciens ?

En ce temps-là il y avait un tas de musiciens, mais les patrons, c'étaient les Skatalites et Count Ossie et tous ces grands types. Quand je suis arrivé de la campagne, j'ai d'abord rencontré Count Ossie. J'avais rencontré Jah Jerry, et il m'a présenté à Count Ossie. Et je suis allé au studio et j'ai chanté pour eux, une fois. Parfois il suffit d'entrer dans le studio et de chanter et d'enregistrer en une prise : man, ils trouvent la tonalité et puis voilà.

C'est peut-être à cause de ses débuts comme barbier que Toots ne se laissa jamais pousser de dreadlocks. Bien qu'il ait été un des pionniers de la reconnaissance internationale du reggae, le fait que sa vénération pour Rastafari fût purement intérieure le desservit à la fin des années soixante-dix.

Comment les Maytals se sont-ils formés ?

À Trench Town, j'étais barbier.

J'apprenais le métier chez un barbier et je me suis fabriqué une petite guitare à quatre cordes que j'avais tout le temps avec moi, les clients dans la boutique écoutaient. Un jour, Raleigh [Henry Gordon] est entré et m'a écouté et après quelqu'un est entré pour se faire raser.

Et Raleigh m'a demandé : « D'où tu viens? » J'ai répondu : « Je viens de la campagne. Je suis un gars de la campagne, monsieur. » Il a dit : « Non, man, tu n'as pas à m'appeler monsieur, man. J'aime ce que tu fais. Apprends-moi à chanter. »

J'ai rencontré Jerry [Nathaniel Matthias] le lendemain et ils m'ont emmené chez eux. On s'est assis sous un arbre et tout le monde s'est mis à chanter. Et eux disaient : « Yeah, man! » Ils ont voulu se joindre à moi. Alors j'ai commencé à leur apprendre. Je leur ai appris l'harmonie, je leur ai appris à écrire des chansons. Et je leur ai appris à grandir.

Meilleure vente de leur carrière, l'album *Reggae Got Soul* de Toots Hibbert and the Maytals monta haut dans les charts anglaises en 1976. Quatre années plus tard, la prestation scénique du groupe fut captée sur l'album *Toots Live*, album mis en vente vingt-quatre heures après avoir été enregistré à l'Hammersmith Palais de Londres, le 29 septembre 1980. Même si la rapidité avec laquelle l'album fut mixé, masterisé et pressé constituait à l'évidence un coup de marketing, l'énergie et (cela n'étonnera personne) la spontanéité du disque restent insurpassables.

Que signifiait le ska pour vous ?

Le ska signifiait plein de grandes choses. Une musique qui a enthousiasmé les musiciens et la Jamaïque parce que c'était nouveau. Après le shuffle-boogie, qui est comme du R'n'B, et le ska utilise lui aussi ce genre de tempo. Le ska, c'est notre première musique, on ne peut pas l'oublier.

Vous avez été le premier à utiliser le mot « reggae » dans un titre de chanson.

Avant ça il y avait le rocksteady, pas très différent, juste un tempo différent. Un jour à Trench Town, moi, Jerry et Raleigh on était en train de répéter. À côté il y avait un type en train de parler à une fille, et la fille était une gentille fille mais – juste pour le plaisir de discuter – on a employé le mot « streggae » (putain) en parlant d'elle, juste comme ça : s'il se passe quelque chose avec quelqu'un et qu'on ne veut pas lui parler, on dit : « Il est streggae. » Alors, on a dit : « Let's do the reggae, Raleigh. Let's do the reggae, man. » C'est comme ça que le mot est apparu. Je ne savais pas que ça allait se passer comme ça. Je l'ai vu dans le *Guinness Book of Records*. Je pense que c'est une bonne chose que j'ai faite là, je pense que c'était le pouvoir du plus haut.

Tous ceux qui écoutent mes chansons me disent qu'après leur esprit est changé, que je fais revivre leur esprit. S'ils sont abattus, la musique les réconforte. J'étais vraiment fier de ça, mais ce n'était pas seulement moi – c'était le pouvoir du plus haut. J'ai toujours dit que si je fais quelque chose je dois le faire dans un certain esprit, pour être certain que le Père apprécie. C'est lui qui m'a donné mon talent.

D'où est venu le nom Maytals?

Après avoir chanté pour Coxsone, on a fait quelques chansons pour Prince Buster et aussi pour Pottinger et Duke Reid. On n'a pas vraiment gagné d'argent. En ce temps-là, on nous payait une livre ou deux. Peut-être cinq livres. Et on partageait en trois. Et ça a été comme ça pendant longtemps. Jusqu'à ce qu'on chante pour Coxsone et qu'on nous dise qu'il nous fallait un nom de scène. Tout le monde a proposé des noms différents. Je me suis levé et j'ai dit: « Maytal, j'adore ce mot. » Maytal, c'est un mot comme « ital » [pur]. C'est comme ça que Maytals est venu, comme j'ai dit « reggae ». Depuis cette époque jusqu'à aujourd'hui, le nom est resté. Tous ensemble en un seul amour. Les choses mauvaises, on les pardonne: maytal, ne cache pas tes sentiments – on a mal, on en parle. Maytal, comme nourriture maytal: plantez-la et n'ajoutez aucun fertilisant. Ne faites pas de mal aux gens. Maytal comme ital, il ne faut rien absorber qui ne soit bon.

Quiconque est rasta doit être maytal, faire des choses justes. Bien traiter les gens quand on peut; rasta veut dire Dieu, prophète de Dieu. Maytal veut dire qu'il faut être comme un agneau, difficile à mettre en colère. On a toujours cette lumière qui brille.

Quand j'étais un petit bébé, les gens m'appelaient Toots. Personne ne connaissait ce nom. Jusqu'à ce que cet homme, Charlie Babcock, m'interviewe, et le nom est sorti. Et quand ils m'ont accusé pour cette histoire de ganja, même le type qui l'a fait m'a dit qu'on lui avait ordonné de le faire: je venais de remporter le festival de la chanson, voyez-vous.

Mais j'ai écrit une chanson là-dessus, et ça a fait plus de mal à certains qu'à moi. Et un tas de gens n'ont même pas compris ce qu'ils entendaient. Les choses que vous faites bien vous font comprendre que vous êtes un prophète de Dieu. Et les choses que vous faites mal vous font comprendre que vous êtes peut-être un prophète du diable.

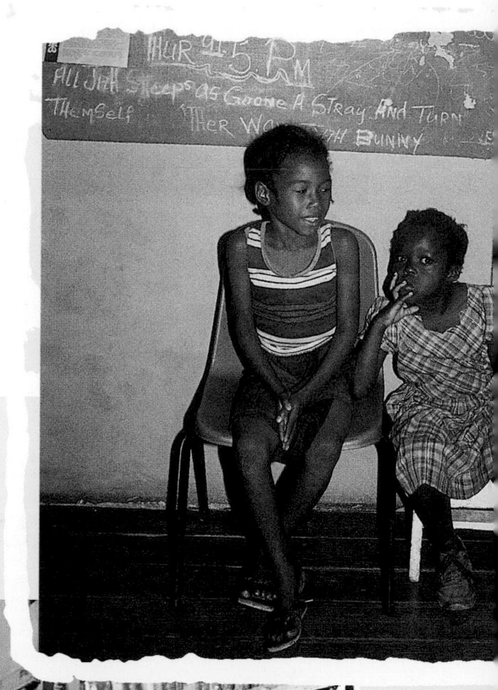

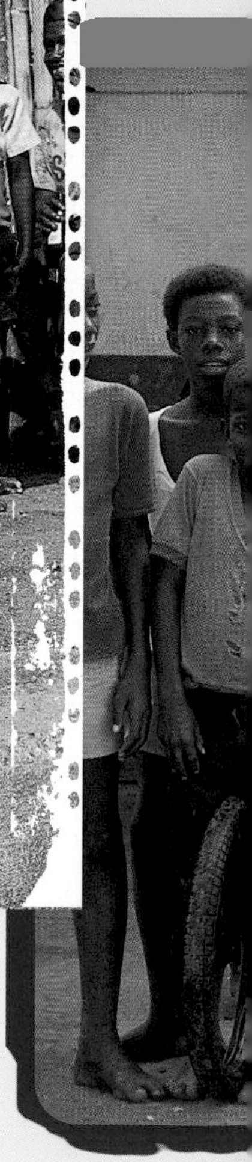

« Little Richard disait : " Le rhythm'n'blues a eu un bébé et on l'a appelé rock'n'roll. " Moi, je dis que le rhythm'n'blues a eu un autre bébé et qu'on l'a appelé reggae. »

WINSTON « MERRITONE » BLAKE

« Yeah, le reggae est une musique que j'adore.

Il y a un bon feeling là-dedans. Particulièrement en Jamaïque, c'est la musique du peuple. C'est une des choses les plus importantes. Presque partout dans le monde on s'est mis à chanter du reggae, et les mots ont une influence spirituelle. Je me sens toujours bien quand j'entends du reggae ou du rocksteady ou du ska. Je considère le reggae comme le petit enfant du ska. »

PRINCE BUSTER

Alors que le tout nouveau reggae se développait, Lee « Scratch » Perry commença à jouer un rôle prépondérant. Après avoir débuté comme porteur d'enceintes pour les sound systems, Perry avait supervisé des auditions et la distribution des disques pour Studio One, mais il se sentait exploité. C'est pourquoi en 1967 il sortit « The Upsetter » [l'Agaceur], un morceau de rock-steady dirigé contre Coxsone Dodd et condamnant ce dernier pour sa nature « dévorace » et pour ne pas l'avoir correctement traité « financialement ». L'omniprésent Lynn Taitt avait assuré deux parties de guitare sur ce disque illustrant cette vieille tradition de la musique jamaïquaine qui consiste à régler publiquement ses comptes sur vinyle.

Le texte de « People Funny Boy », son offensive discographique suivante, était bien plus révolutionnaire. « The Upsetter », nom sous lequel on connaissait également Perry, avait enregistré quelques morceaux pour le producteur qui montait, Joe Gibbs, et « People Funny Boy » était une attaque contre Gibbs dans laquelle Scratch affirmait que le producteur avait volé son talent pour devenir riche et l'avait laissé crever de faim. *« Why, why, people funny bwai... »*, se lamentait-il, sa voix soutenue par l'extraordinaire mélodie de l'orgue de Winston Wright sur un fond sonore dont on aurait dit qu'il venait du plus profond de l'Afrique. Scratch vendit 60 000 exemplaires du disque et s'offrit sa première voiture, une Jaguar. Joe Gibbs répondit à « People Funny Boy » par le biais d'une chanson intitulée « People Grudgeful » [les Rancuniers], faisant appel aux sonorités d'une poupée pleurnicharde pour se moquer de Scratch.

« Si ce n'est pas le premier disque de reggae, dit David Katz, le biographe officiel de Scratch, “ People Funny Boy ” est en tout cas le plus caractéristique de ces disques du début, celui qui a le tempo le plus marqué. D'une certaine manière son originalité s'est un peu retournée contre lui, parce que les musiciens qui ont suivi se sont plus inspirés de morceaux comme “ Nanny Goat ” ou “ No More Heartaches ”. »

« People Funny Boy » fit un tabac auprès de la communauté jamaïquaine de Grande-Bretagne. Et peu après Scratch obtint, sous le nom des Upsetters, un hit instrumental qui entra dans les classements pop anglais. « Return Of Django », titre inspiré par le western-spaghetti de Sergio Corbucci, fut numéro cinq en octobre 1969 ; on y entend la sonorité inoubliable du maître du saxophone ténor Val Bennett. Au Royaume-Uni, le public attiré par les instrumentaux rapides et saccadés tels que le « Liquidator » de Harry J Allstars, « Double Barrel », le formidable numéro un en Grande-Bretagne de Dave et Ansell Collins (un mélange d'orgue et de deejaying jamaïquain), ou « Return Of Django », était largement composé de skinheads. En 1966, les mods, autres porte-flambeaux du ska, s'étaient transformés soit en hippies, soit en skinheads.

John Holt (extrême gauche) est l'un des tout grands de la musique jamaïquaine, que ce soit en tant que membre des Paragons, auteur d'un somptueux soul reggae sur sa série d'albums *1 000 Volts Of Holt* ou encore interprète de chansons aussi réalistes que « Police In Helicopter » avec Junjo Lawes. Les titres des chansons et des albums de Scratch Perry démontrent clairement l'influence du western spaghetti (milieu). Et le tromboniste Rico Rodriguez (à droite) est une institution de la musique jamaïquaine – au début des années soixante, il fut un pilier des séances de ska ; parti pour Londres, il joua avec Georgie Fame et sortit en 1976 *Man From Wareika,* son splendide album de jazz-reggae.

Tandis qu'en Grande-Bretagne la culture des jeunes changeait, il se produisit en Jamaïque un événement qui devait irréversiblement transformer la mentalité de l'île. Le 21 avril 1966, un avion ayant à son bord Sa Majesté impériale Hailé Sélassié Ier tomba comme une flèche du ciel, guidé vers le sol par un vol de sept colombes blanches et, déchirant les lourds nuages, révéla le ciel bleu et le soleil. L'aéroport Norman Manley, situé sur le même isthme étroit que Port Royal, l'ancienne capitale des pirates de l'île, était envahi par les Rastafari venus des quatre coins de l'île pour accueillir Sa Majesté, que beaucoup considéraient comme Dieu lui-même. Même la piste d'atterrissage était cernée de dreads tandis que l'avion de Hailé Sélassié s'immobilisait sur le tarmac. Stupéfait par le spectacle de tant de fidèles, Hailé Sélassié resta tout d'abord dans l'avion avant d'être guidé jusqu'au bas des marches de la passerelle d'embarquement par Mortimer Planner (ou Planno), un aîné rastafari de Trench Town qui s'était déjà rendu en Éthiopie.

Sa Majesté faisait étape en Jamaïque sur le chemin de Trinidad. Cette visite officielle d'un chef d'État provoqua une grande consternation chez les dirigeants profondément conservateurs de l'île nouvellement indépendante : d'un côté c'était clairement un honneur, de l'autre il y avait le dérangeant problème de la loyauté que lui manifestaient ces Rastafari jamaïquains dont il ne fallait pas parler. Sans compter que cette visite servit de catalyseur à la conversion de bon nombre d'îliens à la foi rastafari, et parmi eux Rita Marley. En l'absence de son mari Bob, qui était aux États-Unis, celle-ci se fraya un chemin jusqu'à Windward Road, la route qui mène à l'aéroport, dans l'espoir d'apercevoir l'empereur d'Éthiopie.

Alors que la limousine Daimler passait devant elle, les pensées de Rita n'étaient guère positives. « Comment peuvent-ils dire que cet homme est si grand, se demandait-elle, quand il a l'air si petit avec son casque militaire mis de telle façon qu'on ne peut même pas voir ses yeux ? »

« Et puis je me suis dit : « À quoi penses-tu ? Jésus est un esprit. » » À ce moment précis, Hailé Sélassié leva la tête, regarda Rita droit dans les yeux et fit un signe de la main.

« J'ai regardé sa main, et il y avait la marque du clou. C'était une marque, et je ne pouvais que la relier aux écritures de l'Histoire qui disent : " Quand vous le verrez, vous le reconnaîtrez aux stigmates sur ses mains. " Quand j'ai vu ça, je me suis dit que ça pourrait bien être vrai, que ça pourrait bien être l'homme dont il a été dit : " Avant l'an 2000, le Christ sera un homme qui marchera sur cette terre. " »

Rita fit part de son expérience à son mari, et la vie de Bob Marley en fut changée à jamais. Tout comme celle de très nombreux citoyens de la Jamaïque. Rastafari avait toujours tenu une place importante dans la musique de l'île. De nombreux musiciens choisissaient Studio One parce que Coxsone Dodd fermait les yeux quand on y fumait de la ganja, herbe considérée comme un sacrement par beaucoup de Rastafari. (Duke Reid, l'ancien policier, ne tolérait pas la consommation d'herbe à Treasure Isle.) Quoi qu'il en soit, la croyance en cette foi apparemment étrange devait faire un bond prodigieux à partir de ce jour-là et se développer jusqu'à devenir, dans une grande mesure, le principal moteur philosophique de la musique.

Mais cela était encore à venir. Le succès de « People Funny Boy » avait à tel point accru la réputation de Lee « Scratch » Perry – qui allait devenir l'un des grands prosélytes musicaux de Rastafari – que celui-ci put obtenir pour sa marque Upsetter Records un accord de distribution en Grande-Bretagne avec le label Trojan ; celui-ci avait été créé à l'origine pour distribuer au Royaume-Uni les productions du Treasure Isle de Duke Reid.

Son morceau « Tighten Up » obtint autant de succès que « People Funny Boy ». On utilisa ce titre pour une série de compilations à prix réduit publiées chez Trojan qui allaient à juste titre être considérées comme des classiques. Chose rare pour des disques anglais, sur la pochette, le nom du producteur suivait immédiatement le titre du morceau au lieu de celui de l'auteur.

Trois des douze titres du premier album *Tighten Up*, publié en 1969, étaient crédités « Prod. Lee Perry » – « Tighten Up » par les Untouchables, « Spanish Harlem » par Val Bennett et « A Place In The Sun » par David Isaacs. Duke Reid, lui, avait deux morceaux sur l'album, tous deux par Joya Landis : « Kansas City » et « Angel Of The Morning ». Cette même année, il fut demandé à Perry de monter son propre label Upsetter sous l'égide de Trojan.

Les années 1969 et 1970, qui coïncidèrent avec le zénith du mouvement skinhead, virent un déluge de tubes jamaïquains s'abattre sur la Grande-Bretagne : Desmond Dekker fut numéro un avec « Israelites » tandis que « It Mek » figura aussi dans le Top Ten. Jimmy Cliff entra dans le même Top Ten avec « Wonderful World, Beautiful People » et « Wide World ». Bob Andy et Marcia Griffiths firent le Top Five avec une version épurée, produite par Harry J, du « Young, Gifted And Black » de Nina Simone, et Max Romeo provoqua des controverses avec le très fascinant « Wet Dream ». Grâce à la censure imposée par la BBC sur ses antennes, cette production de Bunny Lee resta dans le Top Ten britannique pendant une grande partie de l'été 1969 et se vendit à plus d'un quart de million d'exemplaires en faisant planer une atmosphère de « lascivité » – *« Lie down girl/Let me push it up, push it up »* [Allonge-toi bébé/Laisse-moi

À gauche : Jackie Edwards fut tout au long des années soixante une composante permanente de la musique jamaïquaine et l'un de ses grands ambassadeurs. Il était capable de tout enregistrer à la demande, du ska au rocksteady en passant par le reggae. Après avoir écrit et interprété « Your Eyes Are Dreaming » et « Tell Me Darling » pour Chris Blackwell en 1959, Edwards enregistra des centaines de chansons. Parti en Angleterre avec Blackwell en 1962, il continua d'écrire et d'enregistrer. Mais son plus grand succès survint en 1966 quand le Spencer Davis Group décrocha deux numéros un consécutifs avec des chansons qu'il avait écrites, « Keep On Running » et « Somebody Help Me ».

À droite : Desmond Dekker fut le premier chanteur jamaïquain à figurer régulièrement dans les hit-parades étrangers. Produit par Leslie Kong, son premier grand succès « 007 (Shanty Town) » fut, dans la nouvelle veine rocksteady, la meilleure de toutes les chansons célébrant l'arrivée des rude boys. « Israelites » fut un plus grand succès encore, le premier vrai hit international jamaïquain qui « fit » numéro neuf aux États-Unis et numéro un en Grande-Bretagne en 1969. Avec son groupe d'accompagnateurs les Aces, Dekker obtint vingt numéros un en Jamaïque entre le milieu et la fin des années soixante. Après s'être installé en Grande-Bretagne, il connut des fortunes plus diverses.

pousser, pousser]. Durant la même période, Nicky Thomas, les Melodians, Boris Gardiner et les Pioneers entrèrent eux aussi dans les charts britanniques.

Début 1970, les paroles du reggae commencèrent à se faire plus spécifiques. « Move Out A Babylon », clamait Johnnie Clarke. *« Curly locks/You know that I'm dreadlocks »*, chantait Junior Byles. Il devenait évident que les idées apparemment bizarres exprimées dans des morceaux comme « Israelites » de Desmond Dekker ou « The Rivers Of Babylon » des Melodians (en 1975, Boney M fit de leur version du psaume 137 un hit mondial) n'étaient pas des excentricités isolées mais participaient d'un courant de pensée universel.

Et, en 1972, *The Harder They Come*, premier film jamaïquain à obtenir un succès international, fit la preuve qu'en Grande-Bretagne le reggae allait au-delà de son public skinhead en voie de réduction. Interprétée par Jimmy Cliff et réalisée par Perry Henzell, cette histoire classique de petit-gars-de-la-campagne-qui-tourne-mal-à-la-ville avait une des meilleures bandes sonores jamais conçues.

En plus de la chanson-titre à base d'orgue de Jimmy Cliff, on y trouvait, parmi d'autres morceaux, « Pressure Drop » et « Sweet And Dandy » des Maytals, « Johnny Too Bad » des Slickers, « Draw Your Brakes » de Scotty et deux autres chansons de Jimmy Cliff : le splendide « Many Rivers To Cross » et « You Can Get It If You Really Want » (le fait que cette chanson figure deux fois sur l'album est une anomalie que personne ne semble vouloir commenter). Véritable initiation pour kids blancs branchés avides de découvrir une musique nouvelle, l'album était inestimable, la bande-son obligée des dîners londoniens dans le coup se terminant par des joints de congolaise. Il semblait bien que, grâce à l'image de rebelle sexy véhiculée par Jimmy Cliff dans le film, Chris Blackwell, le Jamaïquain blanc fondateur d'Island Records, avait trouvé ce qu'il recherchait : un biais pour imposer le reggae sur le marché des albums de rock.

Mais c'est le moment que choisit Jimmy Cliff pour annoncer à Blackwell qu'il quittait Island, reprochant au patron du label de consacrer trop de son temps au rock. C'est en vain qu'un Blackwell effondré lui expliqua qu'il croyait que sa connaissance du marché rock était indispensable à la percée du reggae.

Une semaine plus tard, Bob Marley pénétrait dans les bureaux d'Island. « Il est arrivé au moment exact où j'avais en tête l'idée que ce genre de personnage rebelle pouvait percer et que je pourrais lancer un artiste de ce type, dit Blackwell. Je m'occupais de rock music, qui est en fait une musique rebelle. Je me suis dit que ce serait la bonne manière de procéder pour lancer la musique jamaïquaine. Mais il fallait quelqu'un qui incarne cette image. Quand Bob est entré, il avait cette image, il était pour de vrai ce que Jimmy avait joué dans le film. »

Excellent chanteur et compositeur, Jimmy Cliff fut une vedette internationale du reggae avant même Bob Marley. À l'âge de quinze ans, en 1962, il se fit connaître comme chanteur de ska et obtint des succès pour Leslie Kong avec « King Of Kings » et « Dearest Beverley ». Ayant attiré l'attention de Chris Blackwell, il s'installa à Londres, où Island Records mit tout en œuvre pour faire de lui une star solo. Il fallut attendre 1969 pour qu'il entre dans les charts pop britanniques avec sa chanson « Wonderful World, Beautiful People », suivie l'année d'après par « Vietnam ». Parmi ses autres hits, citons la reprise du « Wild World » de Cat Stevens. Son interprétation d'Ivan Rhygin dans le film de Perry Henzell *The Harder They Come* lui assura un statut d'icône, ce qui donna un nouvel essor à sa carrière. En dépit du désir de Chris Blackwell de faire fructifier cette notoriété nouvelle, Cliff quitta Island et signa chez EMI. Même si la qualité de son travail fut toujours incontestable, Jimmy Cliff ne réalisa jamais pleinement la percée que *The Harder They Come* aurait dû lui garantir. Il demeure malgré tout une énorme star en Afrique et en Amérique du Sud.

Il existe peu d'endroits où cette vérité affirmant que nécessité est mère de l'invention s'applique mieux qu'en Jamaïque. Au cours de la crise économique qui toucha l'île au milieu des années soixante-dix, vous pouviez, par exemple, avoir besoin de remplacer le changement de vitesse de votre Ford

DEEJAYS ET

Cortina. « Pas de problème, suh [sir] », disait l'homme du garage. Et, à votre retour, vous découvriez que vous aviez désormais un changement de vitesse au plancher prélevé sur une Citroën. La conséquence la plus importante de cette version roots du post-modernisme fut peut-être l'invention des sound systems. De cette culture d'arrière-cours naquit l'ère des deejays de sound systems dont le précurseur au début des

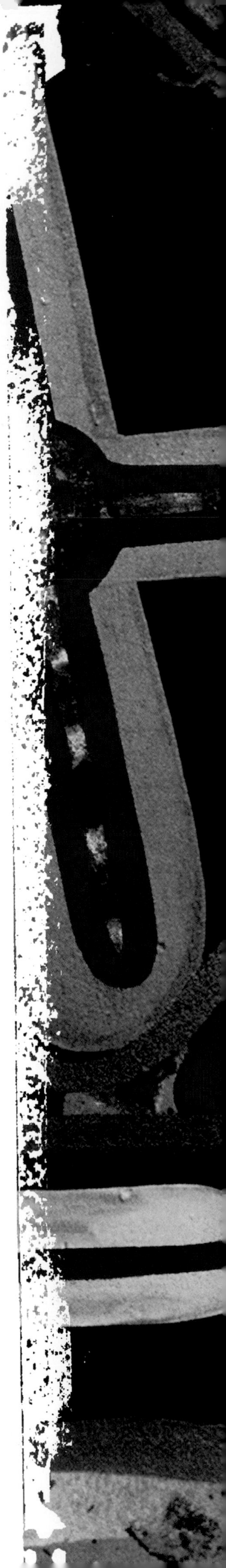

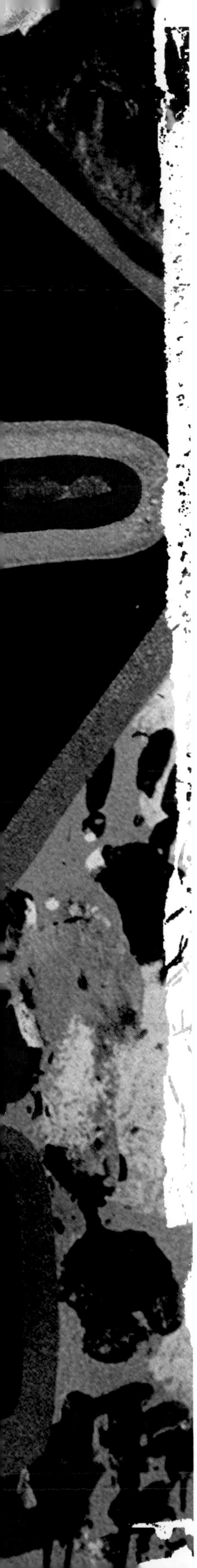

années cinquante fut Count Machuki et qui se poursuivit durant toute la décennie avec son protégé King Stitt. Les disques de ska firent peu appel aux deejays parlant par-dessus la musique et, au départ, le rocksteady paraissait trop languide. Mais quand le rocksteady céda la place au reggae, plus rapide, les

DUBMASTERS

deejays reprirent du service. Au début, pourtant, le « toasting », ainsi qu'on appelait souvent l'art du deejaying (comme un maître de maison porte un toast en l'honneur de ses invités), fut considéré par les musiciens sérieux comme une forme mineure d'art de rue, même quand Ewart Beckford, plus connu sous le nom de U-Roy, devint le premier de ces artistes à remporter énormément de succès avec ses disques.

En dépit de l'opinion commune que le deejaying n'était qu'une mode passagère, U-Roy, qui utilisait les rythmiques rocksteady préexistantes de Duke Reid comme base de ses vocaux, devint une superstar locale grâce à ses enregistrements. Certaine semaine de 1973, il occupa les trois premières places des classements pop jamaïquains avec « Wake The Town », « Rule The Nation » et « Wear You To The Ball ». Sa virtuosité était telle que lorsque la crainte de l'électrocution obligeait à débrancher les sound systems durant les fréquentes averses tropicales qui s'abattent sur la Jamaïque, il pouvait continuer à faire danser les gens grâce au seul son non amplifié de sa voix.

En 1961, U-Roy commença à faire le deejay avec le sound system Doctor Dickies Dynamic. « Dickie était un de mes amis, dit Ewart " U-Roy " Beckford. C'était un Chinois qui avait un business. Et il avait aussi ce sound system, alors, à partir de l'âge de quatorze ans, je suis allé avec eux aussi souvent que possible. Je n'ai pas pris le micro avant deux années, parce que j'étais assez timide. Et puis j'ai commencé à prendre le micro et à présenter les chanteurs et annoncer où aurait lieu le bal de la semaine suivante, des choses comme ça. »

Ce fut le grand Machuki qui inspira à U-Roy sa vocation. « J'adorais ce deejay qui s'appelait Count Machuki. Il était avec un sound system, le Sir Coxsone's. J'aimais son style. Parce que cet homme comprenait ce dont il parlait. Il ne blablatait pas stupidement. Il était relax et n'interférait pas avec le chant. Moi, j'aimais ça. C'est vraiment l'homme qui m'a inspiré pour certaines choses. »

La carrière de U-Roy se lit comme une histoire de deejay archétypale – à cette différence près qu'il a fourni le modèle original. De Dickies Dynamic, U-Roy passa au milieu des années soixante à Sir George The Atomic, un sound basé aux environs de Maxfield Avenue, à Kingston, puis au « set » Downbeat numéro deux de Coxsone, à une époque où King Stitt était le deejay attitré du sound numéro un de Dodd. Les grands opérateurs de sounds dirigeaient plusieurs sets qu'ils programmaient dans différents endroits, et Stitt lui-même avait commencé avec le Downbeat numéro deux. C'est en 1957 que Count Machuki avait remarqué King Stitt, également appelé « The Ugly One » [l'Affreux], alors qu'il dansait de façon incroyable sur des morceaux de R'n'B rapide et dur. Avec une logique imparable, Machuki avait dit à Stitt que s'il était aussi bon danseur, il devrait faire un bon deejay.

En conséquence, Stitt était devenu deejay numéro deux après Machuki et avait commencé à se produire seul au bout de deux ou trois mois. Quand Machuki se retira, peu après, Stitt reprit le flambeau. À la fin des années soixante, il devint le premier deejay dont la faconde fut gravée sur vinyle, publiant pour le producteur Clancy Eccles plusieurs hits parmi lesquels « Fire Corner » et « Lee Van Cleef » (le « Ugly » [truand] dans *Le Bon, la Brute et le Truand* de Sergio Leone).

D'autres deejays avaient suivi Machuki et Stitt. Des hommes comme Sir Lord Comic, Cool Sticky et Hopeton, malheureusement jamais enregistrés, se firent un nom en mettant bout à bout des poèmes et des accroches destinées à présenter les disques, à survolter leur sound system, à faire des annonces et, d'une manière générale, à « agrémenter le bal ». Vers la fin des années cinquante, « l'homme-au-micro » était devenu partie intégrante du sound system jamaïquain – sur le modèle des disc-jockeys volubiles et argotiques des stations de radio américaines.

Pourtant, les disques de ska faisant appel à des deejays étaient rares. Parmi les exceptions notables, citons « Ska-ing West » et « Great Wuga Wuga » de Comic et quelques grands morceaux sur lesquels on peut entendre les extraordinaires vocalises de Sticky (par exemple « Guns Of Navarone » et « Guns Fever »). Les années rocksteady n'offrirent aux deejays que quelques faces sur lesquelles s'exprimer, mais leur heure allait venir alors que le rocksteady cédait la place au reggae – une ironie du sort, si l'on considère la suite.

Après un autre bref séjour chez Sir George, U-Roy passa chez King Tubby's Home-Town Hi-Fi, propriété d'un homme qui allait devenir une autre légende, Osbourne « King Tubby » Ruddock. U-Roy avait beaucoup d'admiration pour lui.

Ci-dessus : le très grand U-Roy, sans qui l'histoire musicale de la fin du XXe siècle eût été très différente – bien que, modestement, U-Roy attribue à King Tubby le mérite d'avoir fait de la deejay music un phénomène de masse. À droite : l'usine de pressage de Tapper Zukie.

« Tubby, c'était un type qui avait un des sons les plus grandioses. Il possédait son propre sound system, il

« Certains se croient si grands qu'ils pensent être responsables de ce qui arrive. Moi, par exemple, les gens me disent : « Tu es le deejay numéro un, tu es le meilleur. » Mais ce n'est pas moi qui ai fait de moi ce que je suis – on est aidé à la fois par le plus haut et par le public. Pour devenir ce qu'on veut être. Mais cet homme, Tubby, était un génie. Il connaissait le métier. »

U-Roy devint célèbre grâce aux toasts « jive-talk » qu'il superposait aux dubs que Tubby commençait à sortir : il avait appris l'art de supprimer le chant et de remixer les morceaux instrumentaux de manière à obtenir un effet de résonance. « U-Roy avait ce truc d'écho, se rappelle Dennis Alcapone qui, à l'époque, avait son propre sound system nommé El Paso. Quand il présentait un morceau ou annonçait un bal, tous ses mots avaient de l'écho. Ça m'a sidéré. C'est Tubby qui a introduit la réverb [abréviation de réverbération] dans les bals. Je n'avais jamais entendu une chose pareille, parce que la réverb, c'était généralement dans les studios. Mais lui en avait sur le sound system et, dans l'écho, c'était génial. Tubby avait des enceintes en acier qu'il accrochait dans les arbres et quand on écoutait son sound system, surtout la nuit quand le vent dispersait le son un peu partout, c'était magique ! »

Confronté à la présence dynamisante de Lee « Scratch » Perry, U-Roy commença sa carrière discographique par deux morceaux, « Earth Rightful Ruler » et « OK Corral » ; il enregistra également l'excellent « Dynamic Fashion Way » pour Keith Hudson, mais ces disques se vendirent mal.

gravait son propre dub, c'était dur de lutter contre lui. Il avait toujours un coup d'avance. » U-ROY

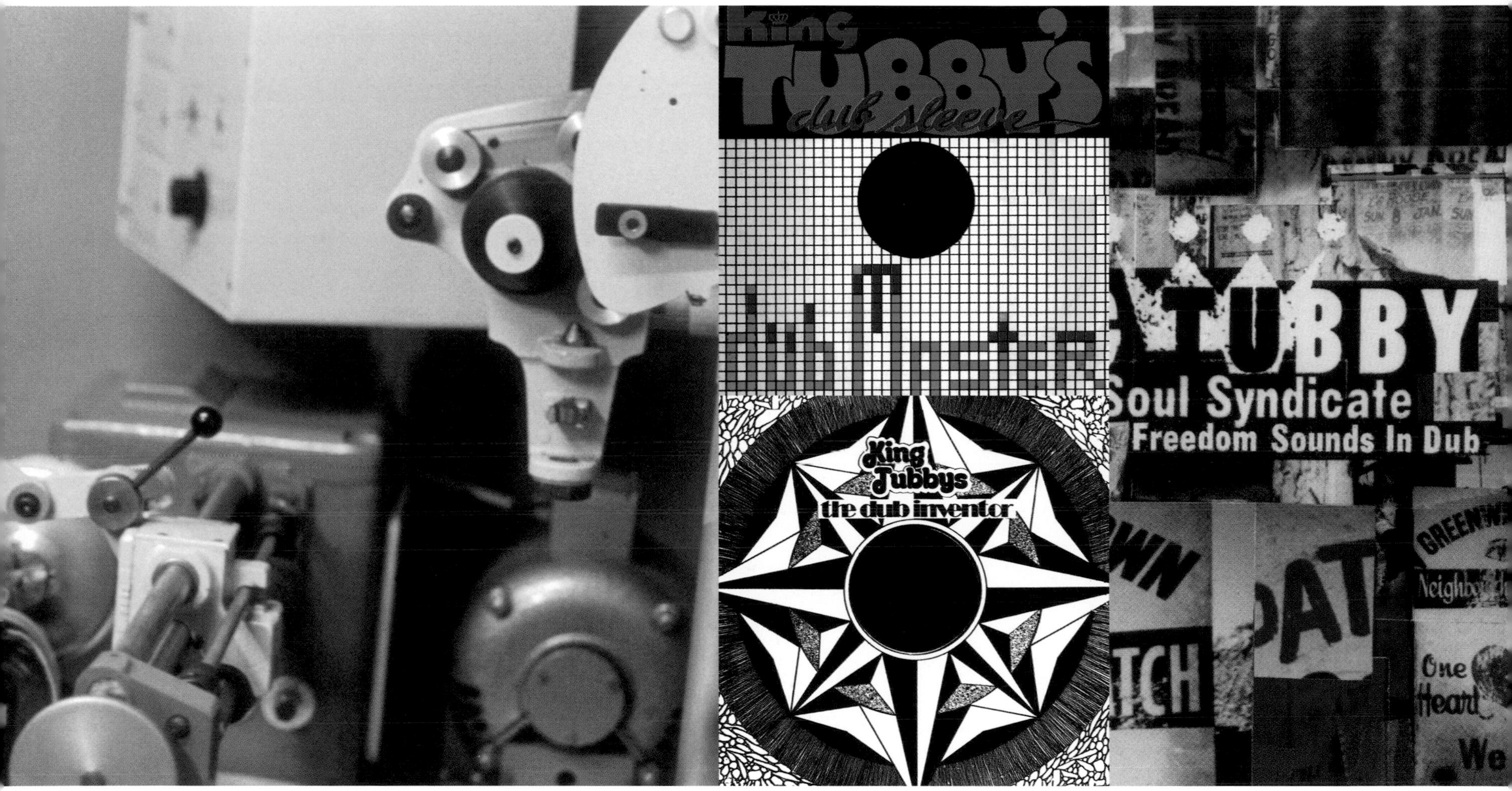

Du studio d'Osbourne « King Tubby » Ruddock, au 18 Drumilie Avenue, dans le quartier sinistré de Waterhouse à Kingston, sortit une musique artistiquement révolutionnaire. Tubby fut tragiquement tué par balles le 6 février 1989, victime d'un cambriolage qui tourna mal.

U-Roy continua à faire le deejay pour Tubby. Et puis Duke Reid entendit parler de lui et demanda à le rencontrer.

D'après John Holt, alors chanteur-vedette des Paragons, le grand groupe vocal de Treasure Isle, c'est lui qui signala à Reid ce nouveau venu très inventif. « U-Roy était le deejay du sound system de Tubby, et moi j'allais chaque dimanche à une fête sur la plage de Gold Coast, à St Thomas. C'est là que je l'ai entendu faire " Wear You To The Ball ". Il parlait dans le tempo, et j'ai eu l'impression que c'était une chanson. Alors je suis allé le trouver et j'ai dit : " Tu pourrais refaire ça, quand tu parles dans le tempo ? " Et il l'a refait exactement de la même façon. Yeah ! J'ai dit : " Wow, c'est génial ! Je vais parler de toi et de ce que tu fais à Duke Reid et puis je te contacterai et peut-être qu'il en fera un disque. "

« J'ai raconté ça à Duke Reid le lundi, le mardi il a envoyé un frère du nom d'Edward chercher U-Roy et le mardi soir le morceau était sur bande. C'est pour ça qu'il a débuté avec " Wear You To The Ball " », parce que c'était le morceau qui m'avait fait craquer. »

U-Roy, pour sa part, a un souvenir quelque peu différent – même s'il est d'accord avec le fait que, dès qu'il a rencontré Reid, le légendaire producteur l'a fait entrer dans le studio Treasure Isle. « Les premiers enregistrements que j'ai réalisés pour lui ont été " This Station Rule The Nation " et " Wake

Ci-dessous : Dennis Alcapone trouva son pseudonyme lors d'une séance de cinéma. « Ça a commencé le soir où je suis allé voir un film au Majesty Theatre. Je riais, et un type a dit : " Regardez-le se conduire comme un pocony. " Ce qu'est un pocony, je l'ignore. Et puis quelqu'un a transformé ça en Me Capone et puis en Macaroni. Jusqu'à ce que quelqu'un se mette à m'appeler Capone. J'en ai fait Alcapone, et ça m'est resté. »

The Town And Tell The People "... C'est peut-être six semaines après qu'est sorti "Wear You To The Ball". Avant ça, " This Station Rule The Nation " et " Wake The Town And Tell The People " ont fait numéro un et deux dans les radios. Et puis " Wear You To The Ball " a repoussé " Wake The Town " à la deuxième place et " Rule The Nation " à la troisième. À cette époque, les gens commençaient à entendre un peu plus parler de moi. »

Le reggae était devenu le courant musical dominant, mais les deejays allaient assurer la longévité du rocksteady en enregistrant par-dessus ses rythmiques traditionnelles. La popularité retrouvée des deejays reflétait-elle l'amour profond du public pour le rocksteady ?

U-Roy était sur le point de toucher les dividendes d'un goût aussi sûr, car c'est à lui qu'avait été dévolue la tâche de devenir un autre des authentiques novateurs jamaïquains : « Quand j'ai débuté, personne ne savait rien du deejaying et tout ça. Ce n'était pas très reconnu. Aucune musique jamaïquaine n'était vraiment internationalement reconnue en ce temps-là, voyez. Et ce que je vois aujourd'hui me surprend vraiment : parce qu'il n'y avait aucun signe indiquant que cette musique serait tellement appréciée par les gens. Ce fut une très grande surprise. »

L'histoire des deejays de Jamaïque, c'est aussi l'histoire du dub.

« Dub » est une abréviation du mot « overdub », qui désigne le procédé par lequel on ajoute des parties, chantées ou instrumentales, à ce qui a déjà été enregistré. En plus d'être abrégé, le mot a vu sa signification inversée dans le contexte jamaïquain où des parties sont en fait soustraites à ce qui a déjà été enregistré : les vocaux et certains éléments instrumentaux d'un morceau sont extraits du mixage et puis remis en place à des moments inattendus ou apparemment inappropriés.

Les tout premiers dubs, qui datent de la fin des années soixante, étaient généralement des bases instrumentales sur lesquelles on accentuait les parties de batterie et de basse en retirant partiellement l'orgue, le piano et les guitares.

Aux États-Unis ou en Grande-Bretagne, le producteur est généralement un technicien, un tripoteur de boutons de console assisté par un ingénieur du son. Mais, en Jamaïque, le producteur ressemble plus à un producteur de cinéma, une personne qui réunit des créateurs et s'occupe des finances.

Des personnages comme King Tubby, Lee Perry et Errol Thompson, révérés en tant que producteurs par les fans de reggae occidentaux, étaient généralement considérés en Jamaïque comme des « ingénieurs » – ce qu'Errol « T » Thompson a toujours été pour le producteur Joe Gibbs, par exemple. Mais, en Jamaïque, ces termes n'étaient pas spécifiques : Scratch Perry pouvait être ingénieur ou producteur selon ce qu'il avait décidé d'être un jour donné.

Ce sont en tout cas ces trois ingénieurs en particulier – King Tubby, Perry et Thompson – qui perfectionnèrent une technique qui devait avoir des effets durables non seulement sur le reggae, mais sur l'ensemble de la dance music moderne. On enregistrait de tout nouveaux morceaux sur des exemplaires uniques de disques en acétate (appelés « dubs » ou « dubplates ») destinés à être passés une vingtaine ou une trentaine de fois sur les sound systems jusqu'à usure complète, le but étant de faire connaître une chanson avant sa sortie.

« Mais la dub music en tant que telle a été inventée par King Tubby, dit Dennis Alcapone. Tubby rachetait les acétates de Duke Reid et Coxsone. Il achetait le rythme brut sur des dubplates. Et quand on passait ça dans une salle de bal, c'était l'émeute. C'était nouveau. On retirait le chant. Et puis on en remettait un peu. Et tout d'un coup il n'y avait plus de voix. Alors la salle explosait de bruit pur. Tout le monde adorait ça. Je me rappelle qu'un jour j'étais au micro quand un type a tiré un coup de feu derrière moi. Le micro a capté le son et l'a renvoyé en écho dans la salle. La foule est devenue dingue.

« Quand U-Roy est arrivé, un son nouveau est né, exactement comme il le dit, " Wake The Town And Tell The People " [Réveillez la ville et prévenez les gens]. Parce qu'un matin on s'est réveillés, et U-Roy était là en train de tout chambouler. C'est comme ça que tout le business deejay est vraiment né. U-Roy était avec Tubby, mais U-Roy surfait sur le tempo du rocksteady. Comme moi. Je suis aussi venu des rythmes du rocksteady. La batterie et la basse, comme U-Roy. C'est là que tout a changé. »

Ci-dessus à gauche : Glen « God Son » Brown était un parfait exemple de cette manière d'être jamaïquaine qui veut que ceux qui n'ont rien ne craignent pas d'être eux-mêmes. Après avoir été chanteur du Sonny Bradshaw Group, Brown personnifia tout au long des années soixante-dix ces producteurs-bricoleurs astucieux et profondément novateurs : il travailla avec des chanteurs parmi lesquels Johnny Clarke et Gregory Isaacs, mais surtout avec des deejays comme U-Roy, I-Roy, Big Youth et Prince Jazzbo. Il remettait ses « versions » au « type-chauve-au-contrôle », King Tubby, et fut le premier à citer Osbourne Ruddock sur un disque, *Tubby's At The Control.*

À droite : ami de Scratch Perry et comme lui poussé par la nécessité, Bunny « Striker » Lee louait le même studio que son compère et ils organisaient leurs séances dos à dos. « Bunny Lee écoute et il sait », disait de lui Aston « Family Man » Barrett. « En faisant de l'actualisation des morceaux de Studio One ou de Treasure Isle une pratique courante, Bunny Lee a non seulement anticipé les approches de Channel One et de Joe Gibbs, mais également la révolution dancehall de la décennie suivante », affirme « Professor » Steve Barrow.

YAMAHA
COPENHAGEN
BRUSSELS

Né à Kingston en 1939, Lee « Scratch » Perry passa du statut de « selecter » pour le sound system Downbeat puis de « fetcher » [dénicheur] pour Coxsone Dodd à un autre bien plus formidable à la suite d'une fameuse autant qu'acerbe séparation d'avec Dodd. Bob Marley passait parfois dans la boutique de Perry, Upsetter Records, pour voir de près cet extraverti qui se régalait à jouer sur les mots. Certains ont attribué la naissance du reggae au seul Scratch quand il s'est mis à bricoler un tempo musical qui donnait l'impression, disait-il, de marcher dans de la colle. En 1969, il obtint un hit mondial avec « Return Of Django » par les Upsetters, son groupe maison. Précédemment connus sous le nom de Hippy Boys, les Upsetters avaient été formés par le bassiste Aston « Family Man » Barrett ; quand Family Man se joignit à Lee Perry, le producteur décida de faire de la basse l'instrument dominant de cette nouvelle forme de reggae sur laquelle il travaillait.

« Lee Perry avait de grandes oreilles qui lui disaient ce que les gens de la rue écoutaient. Tout ce qui se passait d'insolite, il le savait aussitôt : " Mr Brown traverse la ville dans son cercueil. " Lui et Bob en riaient ensemble et disaient : " C'est quoi, ça ? Qu'est-ce qui se passe, là ? " Et les deux choses s'assemblaient, bang, et ça faisait une chanson, ça faisait un hit, c'est ce qui se passe dans la rue. Ils avaient une alchimie. »
RITA MARLEY

Comment avez-vous rencontré Coxsone Dodd ?

Coxsone faisait de la musique pour salles de bal et moi j'étais danseur, je faisais ça pour l'exercice physique – pour l'énergie, pour l'entretien du corps. Alors je m'essayais à la musique, pour mes exercices. À cette époque, je voulais tenter d'être chanteur, parce que j'avais des idées, et c'est Coxsone qui le premier m'a donné ma chance.

Et vous avez commencé par faire des disques comme « Roast Duck » ?

Des chansons obscènes. Des chansons grinçantes. « Roast Duck » [Canard rôti], c'est quand on baise et tout ça. J'étais extrêmement libertin. J'avais l'esprit mal tourné.

Et vous alliez travailler en studio avec des chanteurs comme Delroy Wilson ?

J'y allais avec n'importe quel chanteur que Sélassié Ier m'inspirait. Les gens considèrent la chair comme la chose essentielle, mais la chair n'est rien. La chair est faite de terre, de poussière et de cendres. C'est l'esprit qui agit sur l'âme et le feu. Aussi, quand la CIA a envoyé un agent en Afrique pour tuer Sa Majesté l'Empereur Sélassié, elle ne savait pas qu'il n'était pas fait de chair.
Je ne suis pas fou : je fais connaître Dieu.

« Il est un rêve qu'on peut réaliser.
Venez en Jamaïque, achetez des guides pour touristes et
réalisez votre rêve. Venez à Kingston, Jamaïque,
et achetez des livres magiques et la magie de l'amour.
L'amour studio magique, l'amour radio magique,
l'amour appareil de photos magique,
l'amour télévision magique et l'amour
révélation de la magie magique. »

ROLLS
ROYCE
TEAC

Ensuite, vous êtes allé chez West Indies Records – des morceaux comme « People Funny Boy ».

L'idée, c'était que les gens sont drôles. Cent pour cent des gens qui vivent sur cette planète sont faits de chair et de sang. Ils veulent utiliser les autres pour leurs idées et leurs pensées et leurs dons et leurs talents et leurs faveurs. Ce que je trouve extraordinairement, méchamment drôle.

Et puis vous avez lancé le label Upsetter.

Oui, pour déranger, pour m'impliquer dans une apocalypse musicale. Le label Upsetter n'a pas été fait pour déranger les gens qui dansent, parce que les gens qui dansent sont là pour danser et pour scander la fin de Babylone. Le label Upsetter a été créé pour irriter les chefs de gouvernement, le concile des églises, les politiciens, les tueurs et les enfants tueurs, toutes les forces du mal. Upsetter Records est venu pour contrarier les sept diables et tous les démons, tout le mal et les âmes et les esprits corrompus. L'Upsetter n'est pas venu pour combattre la chair et le sang.

Pourquoi avez-vous construit votre fameux studio Black Ark ?

Black heart, black ark [Cœur noir, arche noire]. Ils cherchent une arche de Noah [Noé]. Mais il n'y avait pas d'arche de Noah. C'est une création de l'homme blanc parce qu'il veut nous rouler. N-O, c'est no, et A-H signifie douleur. Ça veut donc dire : pas de douleur.

Vous avez construit une grande œuvre, là-bas.

Ce n'était pas mon œuvre. Je joue seulement mon rôle. Je suis un instrument du Maître, Ordinateur XIX. Ce n'est pas moi qui ai créé ce son – je n'étais que l'ingénieur. Je suis le pantin de la musique : c'est la musique qui agit. La musique est mon papa. Tout comme Jah vit et Jah est sage. **Je refuse les louanges :** les louanges vont ailleurs, vers Dieu. Croaking Lizard [Lézard coassant]. Et la Blackboard Jungle [titre original du film *Graine de violence*]. Nous sommes dans la jungle, mais personne ne joue le rôle de Peter Pan. Retour à la jungle : je pense que je peux voler, et je peux voler. Musicalement [rires].

Vous avez réalisé l'album Blackboard Jungle *avec King Tubby. Comment l'avez-vous rencontré ?*

Il est venu me voir parce que Tubby cherchait l'aventure et que je suis le seul aventurier. Et Tubby cherchait cette aventure qui le ferait passer de l'état de sperme à celui de bébé, et il a vu l'aventure. Il a su que c'était une aventure vitale et que c'était l'aventure de Dieu. L'aventure du dub. Je croyais qu'il était mon élève et il croyait que j'étais son élève. Mais c'est sans importance. Ça ne fait aucune différence – je ne suis pas jaloux. Les faits que vous recherchez se trouvent tous sous mes bottes de jungle.

C'était un studio quatre pistes ?

Il n'y en avait que quatre dans la machine, mais j'en tirais vingt. De l'escadron extraterrestre. Ça m'a rendu fou. J'étais tellement heureux de rencontrer l'escadron extraterrestre. Et puis j'ai sorti ma baguette et je l'ai interprété et intercédé pour les politiciens qui imitent Dieu. L'Égypte est une leçon. C'est une mémoire, la totale mégamémoire d'une expérience que j'ai faite il y a longtemps dans la jungle, quand j'étais un bébé. C'est avec moi dans l'esprit, tu peux me croire, mon frère.

Comment travaillez-vous en ce moment ?

Tout mon pouvoir me vient de la musique. Si je veux me servir de l'obeah contre quelqu'un, je le fais musicalement ; si je veux utiliser le vaudou contre quelqu'un, je le fais musicalement ; si je veux exécuter quelqu'un, je l'exécute musicalement ; si je veux exterminer qui que ce soit, je le fais musicalement ; si je veux liquider qui que ce soit, je le liquide. Chacun a son propre monde, et j'ai mon propre monde : mon monde n'est pas visible, il est invisible.

Au début des Upsetters, vous avez travaillé avec des musiciens comme Glen Adams, qui était chanteur et puis s'est mis à l'orgue.

Je ne sais pas grand-chose de ses débuts. Mais je cherchais des musiciens nouveaux. Je m'ennuie si facilement que c'en est une honte : il n'y a aucun plaisir dans l'ennui, vous comprenez ? Alors je joue mon propre jeu, et les jeunes gens cherchent des jeux à eux. Voilà pourquoi ils viennent à moi.

Comment décririez-vous la dub music ?

Comme le maître de l'univers, le maître des éléments, le maître des comètes, le maître de la magie, le maître de la logique, le maître de la science, le maître de la terre, le maître de l'air, le maître de l'eau, le maître du feu. Hare Krishna Hari Rama Shiva Sai Baba, Empereur Ras Tafari, celui qui décide de ce qui est vrai.

La musique fait les dubs. Je suis le berger du dub. Je ne peux pas me faire de louanges, je loue le Dieu qui a créé le Dieu des dieux. Je loue celui qui est au-dessus de tout.

Comment était-ce de travailler avec Bob Marley ?

C'était un sacré bon temps. Mais un sixième sens m'a montré une vision du futur et j'ai dit : « Ne laisse aucun politicien te faire une faveur : il voudra te contrôler à jamais. » Et ce fut sa plus grande faute : il n'a pas écouté ce que j'écrivais. C'était bien de travailler avec lui – numéro un. Je n'aurais pas pu trouver meilleur agent que lui. De meilleurs agents que lui ne viennent pas de la terre.
Mon amour.

Vers 1968, Dennis Alcapone avait lancé son propre petit sound, El Paso, nom tiré d'une ballade du chanteur de country-and-western Marty Robbins, qui exerça une grande influence sur bon nombre de chanteurs jamaïquains (les mélodieuses chansons de la star « conscious » contemporaine Luciano sont clairement inspirées par Robbins, ainsi que le reconnaît le chanteur). El Paso était basé dans ce quartier sinistré de Kingston qu'était Waltham Park Road. Pour Dennis Smith, au stade où il en était, il n'y avait qu'un sound, celui pour lequel U-Roy tenait le micro, celui qui dominait toute l'île : King Tubby's Hometown Hi-Fi. « En termes d'arrangements et de matériel et de tout le reste, le sound de Tubby était sans aucun doute le plus grand qu'il y ait jamais eu en Jamaïque, a déclaré le deejay à l'écrivain David Katz dans *People Funny Boy*, la biographie officielle de Lee " Scratch " Perry. La technologie et tout ça, c'était vraiment incroyable. À cette époque, quand on écoutait le sound de King Tubby, on avait l'impression qu'il allait nous rendre dingues. »

L'une des multiples armes secrètes de Tubby était sa volonté d'apporter un son de basse différent à la dance music. « Sa basse, c'était quelque chose, elle était ronde comme quand on pétrit de la pâte à pain. Chez Tubby, la basse était littéralement solide. Et puis il a amené la réverb, que personne n'utilisait avant lui, la réverb et l'écho. »

En 1970, Alcapone enregistrait lui-même, comme le prouve son album *Forever Version* pour Coxsone Dodd, album dans lequel il tire le meilleur des rythmiques de Studio One. Le fantastique morceau titre, par exemple, est une version du non moins grand « Love Me Forever » de Carlton and his Shoes. On trouve également sur cet album le « Run Run » de Delroy Wilson, « Hypnotic Baby » des Heptones et le superbe « Sunday Coming » d'Alton Ellis, sur lesquels Dennis discourt. Il devint bientôt le numéro deux des deejays jamaïquains après U-Roy.

Le phénomène dub acquit véritablement sa vitesse de croisière à partir de 1972, date à laquelle King Tubby avait équipé son studio d'un quatre pistes et mixait des morceaux pour des producteurs tels que Bunny Lee, Glen Brown et Lee Perry. Utilisant la console de mixage comme un autre instrument de musique, Tubby et les ingénieurs des autres studios (parmi lesquels Errol Thompson, Sylvan Morris et Sid Bucknor) commencèrent à expérimenter et à réarranger les pistes rythmiques en supprimant puis en faisant revenir certains instruments au beau milieu d'un mixage désormais dominé par la basse et la batterie. Des éclaboussures de réverb et des couches d'écho répété, qui devinrent la marque de fabrique du dub, étaient ajoutées pour obtenir plus d'effet.

Le dub devenant de plus en plus populaire, des mixages dub se retrouvèrent en face A et des albums entiers de morceaux dub, jadis pressés en quantités limitées pour le seul usage des sound systems, devinrent des best-sellers. On discute beaucoup pour savoir quel fut le premier album de dub publié en tant que tel. *Upsetters 14 Dub Blackboard Jungle* – plus connu

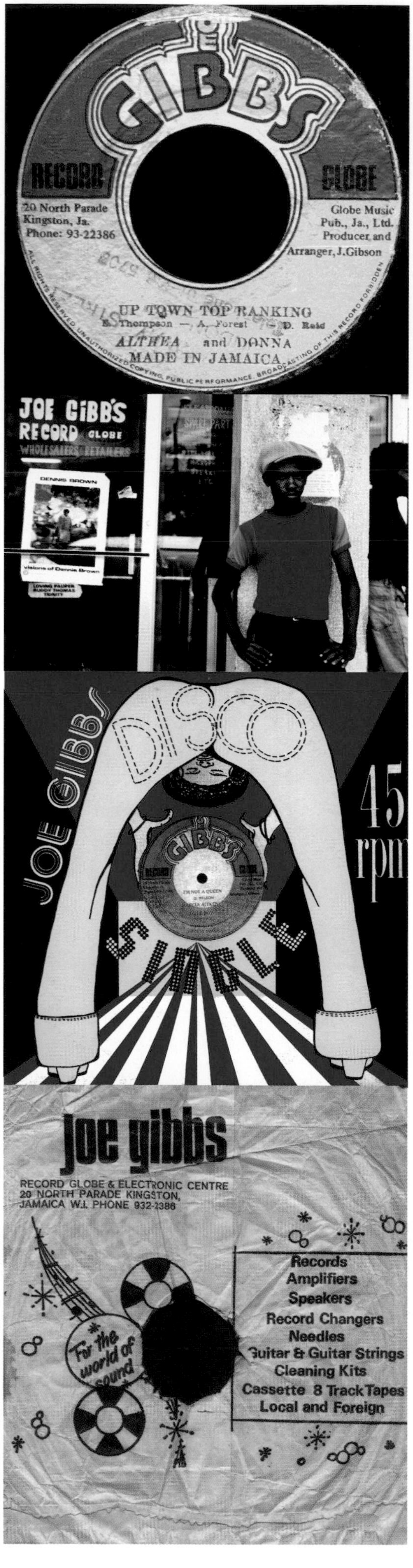

À droite : avec son maître ingénieur du son Errol « T » Thompson, Joe « Gibbs » Gordon pouvait aussi bien produire la qualité pop d'un « Uptown Top Ranking » (il utilisa la même rythmique pour le non moins fabuleux « Three Piece Suit » de Trinity, sorte de disque-réponse façon deejay) que la magistrale et « rootsy » série *Africa Dub*. Gibbs fut un des pionniers du phénomène disco-45, simples au format de 30 centimètres comportant plusieurs « versions ».
Page ci-contre : Augustus Pablo au studio Channel One.

TO
CHANNEL

KING TUBBYS
meets rockers uptown
CLOCK TOWER
STEREO

AUGUSTUS PABLO
PRESENTS
ONE STEP DUB

WELCOME
TO
CHANNEL
1

Ci-dessous : Dillinger sur scène au cours d'un des Sunsplash Festival, à Montego Bay. À droite : Prince Jazzbo fut l'un des grands deejays reggae des années soixante-dix. Son premier disque, « Crabwalking », fut un énorme hit pour Coxsone Dodd – pas mal, si l'on considère que c'était une première prise. En 1976, il fut le protagoniste d'un de ces duels de deejays typiques de la musique jamaïquaine, répondant au « Straight To Jazzbo's Head » de I-Roy par son propre « Straight To I-Roy's Head ». En 1977, Jazzbo fonda son label Ujama, sur lequel figurèrent à la fois U-Roy et I-Roy. L'album *Choice Of Version* de Jazzbo (1971) reste un classique. Page ci-contre : Laurence « Jack Ruby » Lindo (à gauche de la photo en compagnie de Neville Garrick, le directeur artistique de Bob Marley) était un opérateur de sound system d'Ocho Rios qui ranima la carrière de Burning Spear en produisant *Marcus Garvey*, son épique album de 1975.

« Scratch fréquentait beaucoup les environs de Charles Street, là où traînaient les Wailers. Comme Orange Street, c'était la rue de la musique, tous les producteurs étaient là : Bunny Lee était en bas d'Orange Street ; il y avait Beverley's un peu plus haut que Prince Buster, et sur North Parade il y avait Randy's, qui est devenu VP Records à New York. Et Joe Gibbs était au coin, Niney avait un studio, Clancy Eccles aussi. À cette époque, c'était une famille très unie. Alors, quand on entrait en studio il était facile de trouver les musiciens : si le batteur n'était pas chez Scratch, il était chez Bunny Lee ou Joe Gibbs ou Randy. On n'avait qu'à lui dire : « Demain, tu as une séance. »

DILLINGER

sous le nom de *Blackboard Jungle Dub* – est souvent cité, même si *The Message* de Prince Buster et *Java Java* de Clive Chinn parurent à peu près à la même époque. Le disque de Scratch était une compilation de quatorze des plus âpres et des plus récents dubs des Upsetters : « Black Panta » était un dub de « Bucky Skank », « African Skank » une version du « Place Called Africa » de Junior Byles et « Moving Skank » une version du « Keep On Moving » des Wailers, qui avaient enregistré l'original au cours de leurs séances avec Perry. Le « Dreamland » du même groupe devint « Dreamland Skank » et « Kaya » devint « Kaya Skank ».

Que B*lackboard Jungle Dub* ait été ou non le vrai précurseur, il a à coup sûr contribué à la naissance d'un nouveau genre, les albums de dub. Durant la dernière partie des années soixante-dix, nombre de producteurs et de studios confortèrent leur réputation en faisant du reggae dub orthodoxe, y compris Channel One, Joe Gibbs, Lee Perry, Bunny Lee et Augustus Pablo. À travers des disques tels que le classique *King Tubby Meets Rockers Uptown*, des artistes comme Augustus Pablo, le brillant joueur de melodica, furent définitivement associés à un genre qui donnait toute sa mesure quand il passait à pleine puissance sur un sound system.

Durant la seconde moitié des années soixante-dix, les albums de dub inondèrent Kingston en même temps que cela devenait la règle pour les artistes de sortir des versions dub de leurs albums officiels – *Garvey's Ghost*, le dub enregistré par Jack Ruby du déjà novateur *Marcus Garvey*, devint un classique du genre quand il sortit en 1976. Entre-temps, Joe Gibbs était descendu avec fracas dans l'arène grâce à sa fameuse série *Africa Dub* enregistrée par Errol T.

Si la musique des sound systems avait été considérée comme un art de seconde zone, celle des deejays était carrément jugée comme le bidonville de la musique jamaïquaine – de façon appropriée, puisqu'elle permit à bien des jeunes du ghetto d'espérer. Dennis Alcapone ne fut pas le seul à prendre la roue de U-Roy. De plus en plus, les disques

Ci-dessus : au début, la réputation de Tapper Zukie, l'homme de Rema, fut plus grande en Grande-Bretagne et aux États-Unis qu'en Jamaïque. En 1973 sortit en Angleterre le disque grâce auquel il se fit un nom, *Man A Warrior*. C'est Larry Lawrence, le propriétaire du label Ethnic/Fight, qui, connaissant la réputation du « toaster » depuis qu'il avait travaillé avec le sound system Virgo, l'enregistra pour la première fois. Le 45 tours « MPLA » de Zukie, adopté par des gens tels que la star du punk Patti Smith, fut le titre de deejay le plus vendu de 1976. Page ci-contre : le photographe Adrian Boot rencontra pour la première fois Mikey Dread alors que ce dernier était élève à la Titchfield School de Port Antonio où Boot lui-même enseignait. Quand ils se revirent, c'était avec les Clash lors d'une fête donnée par une maison de disques à Camden, Londres – Dread avait été engagé par le groupe et tournait avec lui, « toastant » sur quelques morceaux. Ancien DJ de radio en Jamaïque devenu deejay, il devait ensuite travailler pour Radio Bristol en Grande-Bretagne.

jamaïquains firent appel aux hommes-au-micro, dont les voix résonnèrent pendant toutes les années soixante-dix.

Des gens tels que Prince Jazzbo, Tapper Zukie, Prince Far-I ou Dr Alimantado, qui s'autoproduisait, devinrent des figures marquantes de la musique jamaïquaine.

Au milieu des années soixante-dix, deux amis proches, Wade Brammer (alias Trinity) et Lester Bullocks (alias Dillinger) mirent au point un style plus commercial et plus suave qui fit entrer le reggae dans l'âge du 12-inch disco-mix [maxi-45 tours], le « Disco 45 ». Innovation américaine à l'origine, l'idée était de graver des disques d'une intensité sonore et d'une durée supérieures à celles des simples traditionnels. Les producteurs jamaïquains ne furent pas longs à s'apercevoir que ce format convenait parfaitement à cette habitude du reggae qui consistait à fréquemment faire suivre un morceau chanté par sa version deejay, puis par un mixage dub.

Le maxi-45 pouvait sans problème contenir la version vocale et la version deejay sur une seule face, même si les tentatives pour associer les deux se sont souvent révélées maladroites.

« Cocaine In My Brain » de Dillinger devint presque un standard au milieu des années soixante-dix : le sujet de la chanson en fit un must dans des clubs new-yorkais comme le Studio 54 et aujourd'hui encore le morceau passe, sous diverses formes remixées, dans bien des night-clubs à travers le monde. Son succès incita Dillinger à enregistrer une suite intitulée « Marijuana In My Brain » – qui, cela ne surprendra personne, devint numéro un aux Pays-Bas.

« Cocaine In My Brain » était extrait de *CB 200*, le deuxième album de Dillinger, album qu'il avait enregistré à Channel One pour Jojo Hookim, le propriétaire du studio. En plus de « Cocaine » et du presque aussi fameux morceau-titre

Il y avait un triumvirat de deejays **dont les interventions verbales sur disques ouvrirent la voie à l'émergence du rap aux États-Unis.** En plus de **U-Roy** (à droite), ce trio était complété par son **presque homonyme I-Roy** (à gauche) et par **Big Youth.**

– qui fait référence à ce modèle de moto Honda dont à l'époque tout le monde rêvait en Jamaïque –, cet album contenait plusieurs autres hits parmi lesquels « Crank Face » et « Plantation Heights ».

Originaire du quartier de Waltham Park Road, à Kingston, Lester « Dillinger » Bullocks se vit attribuer son nom de scène par Lee « Scratch » Perry. « Au début, j'essayais de sonner comme Alcapone, explique Dillinger. Quand j'entrais en studio, je disais : " Je m'appelle Alcapone Junior ", mais Scratch Perry m'a emmené au studio Dynamic et m'a demandé comment je m'appelais. J'ai dit : " Alcapone Junior. " Et lui : " Non, non, tu es Dillinger. " Scratch m'a donné ce nom. »

Au début, Dillinger voulait être chanteur. Mais quand il se présenta à l'une des auditions qu'organisait Coxsone Dodd le dimanche, celui-ci lui conseilla de revenir deux ans plus tard. « Je ne pouvais pas attendre. J'étais pressé, alors j'ai décidé d'être deejay. Il n'y en avait que quelques-uns à cette époque, alors c'était plus rapide de passer dans la catégorie deejay.

« J'ai été influencé par Dennis Alcapone et U-Roy : le sound El Paso, King Tubby's Hi-Fi, Duke Reid the Trojan et Sir Coxsone Downbeat. Il y avait quelqu'un dans ma famille qui organisait des bals. Alors, quand on était enfants, on y allait pour ramasser les bouteilles et les ranger dans les caisses. Après, on allait écouter la musique et le sound system. »

Pour Coxsone Dodd, Dillinger enregistra *Ready Natty Dreadie*, un extraordinaire premier album. « Avant l'époque de Channel One. Celui pour Coxsone, on dirait qu'il est éternel. Il sonne encore bien. J'ai employé un tas de vieilles rythmiques, comme celles d'Alton Ellis ou de Real Rock. Quand j'allais en studio et qu'ils mettaient le rythme, je demandais parfois une chanson que j'aimais beaucoup, genre Delroy Wilson. Et eux disaient : " Celle-là, on dirait qu'elle est faite pour toi. " Mais en général, les producteurs vous convoquent et vous disent qu'ils veulent que vous " toastiez " sur telle ou telle rythmique. »

I-Roy commença par perfectionner son style vocal – narquois, drôle et souvent lascivement averti – en travaillant avec différents sound systems de l'île. De son vrai nom Roy Samuel Reid, il fut d'abord employé comme comptable au Jamaican Department of Customs and Excise [Administration des impôts indirects]. Fan de musique et doté de revenus suffisants pour s'adonner à sa passion, il débuta avec la disco des Soul Bunnies de Kingston en 1966. « Ce type a de la logique. » C'est, d'après lui, de cette façon que le public acclamait les présentations et commentaires souvent hilarants dont il épiçait les morceaux instrumentaux ; grand raconteur d'histoires, qu'il aimait embellir, Reid se retrouva dans son rôle naturel de griot technologique.

En 1969, Reid s'était rebaptisé I-Roy, en partie pour répondre avec esprit à U-Roy [U signifiant you/toi, et I, moi, NdT]. Il travailla pour le sound system Son's Junior à Spanish Town, puis pour Ruddy's S-R-S, le sound numéro un de Spanish Town : sur des morceaux d'artistes tels qu'Alton Ellis ou les Heptones, I-Roy improvisait des interventions du genre : *« My cash disbursement is without contentment/So come on down yah/For the heatment is greatment/In this compartment. »*

Après avoir entendu « Wake The Town », le novateur premier disque de U-Roy dans lequel ce dernier « toastait » sur un

Ci-dessous : Clint Eastwood, le frère du deejay Trinity, devint une star en Grande-Bretagne quand Junjo Lawes l'associa à General Saint sur une version du « Another One Bites The Dust » de Queen, titre qui lui permit de faire carrière sur le circuit anglais et européen des facultés.

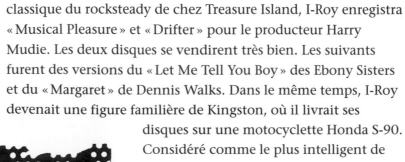

classique du rocksteady de chez Treasure Island, I-Roy enregistra « Musical Pleasure » et « Drifter » pour le producteur Harry Mudie. Les deux disques se vendirent très bien. Les suivants furent des versions du « Let Me Tell You Boy » des Ebony Sisters et du « Margaret » de Dennis Walks. Dans le même temps, I-Roy devenait une figure familière de Kingston, où il livrait ses disques sur une motocyclette Honda S-90. Considéré comme le plus intelligent de tous les deejays, I-Roy se réfère à des icônes culturelles telles que Mickey Spillane, Alfred Hitchcock et Cléopâtre.

I-Roy travailla comme deejay pour le King Tubby's Hometown Hi-Fi, mais il le quitta en 1973 après avoir défendu une fille qu'un homme essayait de violer derrière une enceinte. Il avait à l'époque enregistré pour la plupart des grands producteurs jamaïquains, y compris Lee Perry, Winston « Merritone » Blake, Lloyd Charmers, Keith Hudson et Bunny Lee. Pour Gussie Clarke, il enregistra son premier album, le superbe *Presenting I-Roy*. Ses morceaux n'étaient jamais loin du sommet des charts locales et se vendaient même fort bien dans les communautés jamaïquaines d'Angleterre et des États-Unis. Après la séparation d'avec King Tubby, il se rendit à Londres en 1974 et s'installa à demeure au fameux Roaring Twenties, le club de Carnaby Street.

De retour en Jamaïque en 1975, I-Roy s'allia au Channel One Studio de Jojo Hookim. Son titre « Welding » devint un grand hit et fit de lui le producteur attitré du studio, ce qui lui permit de travailler sur des titres aussi légendaires que « MPLA ». Cette même année, le toujours réjouissant I-Roy eut avec Prince Jazzbo une de ces querelles qui pimentent l'histoire de la musique jamaïquaine. Et au « Straight To Jazzbo's Head » du premier, le second répliqua par son « Straigth To I-Roy's Head ».

Page ci-contre : Jah Stitch commença sa carrière sur Tippertone Hi-Fi, le sound qui employait déjà Big Youth. Il partit en 1976 pour diriger son propre « set », Black Harmony. Quand il annonça en plaisantant qu'il allait démolir Tippertone, deux supporters de ce sound le pourchassèrent à travers la Tuff Gong Record Shop de Bob Marley sur King Street et lui tirèrent une balle dans la tête. Le deejay survécut par miracle et enregistra bientôt dans le studio de Tubby « No Dread Can Dead » pour Bunny Lee. La série *Original Ragga Muffin* (1975-1977) de Stitch sur Blood and Fire est magistrale.

En 1976, I-Roy signa avec Virgin Records et enregistra pour le label cinq albums parmi lesquels le splendide *Heart Of A Lion* de 1977. « J'adorais quand I-Roy venait et tenait sa cour, dit Jumbo Van Renen, le directeur artistique du deejay sur le label. Il était si drôle et c'était de toute évidence un authentique penseur. Je lui disais que de chacune de ces visites il aurait pu tirer une demi-douzaine d'albums. »

Juste derrière U-Roy et I-Roy, on trouvait le talent verbal de Manley Augustus Buchanan, plus connu sous le nom de Big Youth.

REATION
OF DUBWISE
ROOTS MUSIC
ERNATIONAL
ITAL SHOP
PRINCESS ST.

C'est Big Youth qui devait déterminer le style des deejays de la décennie suivante, à la fois comme initiateur de ce qui allait devenir connu sous le nom de rap et, plus tard, comme inventeur du « singjay », quand il se mettrait à chanter, littéralement, ses interventions.

Comment avez-vous débuté ?

C'était à une époque où les gens ne disaient pas grand-chose. Une époque de conflit et de confusion. On avait besoin de plus d'inspiration, de plus que « *baby, baby* ». C'est alors que Big Youth est arrivé avec tout le truc de Jah Love. Je suis arrivé avec une sorte de spectacle rasta, une forme poétique et chargée de spiritualité qui disait aux gens de faire l'amour et pas la guerre, de s'unir.

Deejay attitré du sound Lord Tippertone au début des années soixante-dix, Big Youth devint un « tchatcheur » emblématique. Produit par Keith Hudson en 1972, son « S.90 Skank » resta numéro un pendant des semaines. « *Don't you ride like lightning/Or you'll crash like thunder* » [Ne file pas comme l'éclair/Ou tu chuteras comme le tonnerre], déclarait-il. Avec ses incisives serties de pierres rouges, or et vertes, Big Youth était aussi populaire en Jamaïque que Bob Marley. L'album *Screaming Target*, aux bases rythmiques fournies par Gregory Isaacs et Dennis Brown, marqua son époque. Après avoir fondé ses propres labels Negusa Nagast et Augustus Buchanan, Big Youth sortit quantité de disques fantastiques. Il eut une influence énorme sur le reggae et le rap contemporains.

Tippertone est le premier set qui vous ait fait connaître.

Oui, Tippertone était un vieux sound urbain – à Princes Street ou Matthews Lane, tous ces endroits de Kingston. Une nuit, on est allés à un bal à Papine. On a vu un sound pour lequel travaillait I-Roy the President, mais quelqu'un avait volé tous les disques et le deejay avait peur de se montrer. I-Roy a pris le micro avec la Satta Massa Gana et a fait un grand numéro.

C'est là qu'on a su que quelque chose était en train d'arriver. Écoutez ça : ce n'est pas de la vantardise, je ne me vante jamais, mais venir à Tippertone et essayer de lutter contre moi, c'était comme essayer de défier Mohammed Ali, vous ne pouviez pas gagner. Et puis je suis entré en studio avec Gregory Isaacs et j'ai fait « Movie Star » et « Black Cinderella ». Et puis Gussie est arrivé et on a fait « The Killer » pour Joe Gibbs. Un autre vendredi, Keith Hudson est venu et on a fait un numéro un, « S.90 Skank ».

Vers le milieu des années soixante-dix, vous aviez votre propre production.

Oui, parce qu'à un moment donné j'avais sept chansons dans les deux classements et cinq dans les deux Top Ten – 1, 2, 4, 5, 6. On disait que j'étais un phénomène. Mais, malgré tout, ça ne me rapportait pas grand-chose financièrement. Alors j'ai fait une reprise de « War » et je l'ai appelée « Streets In Africa ». C'était différent du toasting : c'était de la chanson, cette fois. Un tas de gens m'ont dit : « Oh, boy, tu sais pas chanter », mais cette chanson m'a plus rapporté que ce qu'ils me disaient de faire. C'est là que j'ai commencé à progresser avec les « African Daughter », « Hit The Road Jack », « Every Nigger Is A Star ».

On dit que vous êtes un deejay différent de gens comme U-Roy.

Définitivement. C'est la révolution du naturel. Ce n'est pas quelque chose dont on se moque. Le grand truc, c'est de ne pas perdre le contact avec les gens. Je vis avec les gens. J'ai vu la violence et les dissensions dans la ville, la méchanceté dans les rues. Je vois des gens dire d'autres personnes qu'elles sont mauvaises alors que je sais qu'elles sont bonnes.

L'inspiration passe par les vibrations de l'époque. La formulation vient quand on a trouvé le tempo. Encore aujourd'hui, j'ai des tas de chansons en moi. Je crois au Tout-Puissant.

Ci-dessus : le style prétendument « vulgaire » de Yellowman n'était pas aussi unidimensionnel qu'il y paraissait. D'une manière typiquement jamaïquaine, il y avait toujours un arrière-plan de spiritualité et sa « grossièreté » recelait aussi beaucoup d'ironie. Survenant juste après la mort de Bob Marley, le succès de Yellowman parut marquer un déclin de la musique jamaïquaine, mais le temps a montré que la réalité était plus complexe que cela.
Page ci-contre : en 1992 et 1993, Chaka Demus et Pliers devinrent pour une courte période les artistes jamaïquains qui vendaient le plus de disques dans le monde : sur des rythmiques fournies par Sly et Robbie, l'association du chanteur Pliers (à droite sur la photo) et du deejay Chaka Demus obtint en Grande-Bretagne six hits extraits de leur album *Tease Me*, parmi lesquels le fabuleusement entêtant morceau-titre et « Murder She Wrote ».

Big Youth incarnait une approche encore plus « roots » qui combinait le langage quotidien de la rue avec des thèmes à dominante religieuse et politique souvent adaptés des disques des Last Poets, dont il disait s'être autant inspiré que de John Coltrane et des Beatles.

C'est pour Prince Buster que Big Youth enregistra son premier album – ou, plus exactement, le tiers d'un album intitulé *Chi Chi Run*, complété de morceaux de Dennis Brown, John Holt et Alton Ellis, et d'instrumentaux des All Stars de Buster.

Keith Hudson avait déjà produit U-Roy, Dennis Alcapone et I-Roy quand il mit la main sur Big Youth, la nouvelle sensation du « toasting », lui procurant son premier hit majeur avec « S.90 Skank », un hommage à cette moto Honda incroyablement populaire en Jamaïque (Hudson installa une moto dans le studio et emballa le moteur pour obtenir l'ambiance requise). Pour « S.90 Skank », Big Youth toasta sur la rythmique de « True True To My Heart », un morceau qu'avait chanté Hudson lui-même.

Mais c'est *Screaming Target* qui fut le premier grand album de Big Youth. Produit par Gussie Clarke (qui avait environ vingt ans, l'âge de Youth), le disque utilisait notamment les rythmiques du « Pride And Ambition » de Leroy Smart, du « One One Cocoa Fill Basket » de Gregory Isaacs, du « No, No, No » de K.C. White et du « Slaving » de Lloyd Parks.

« Clint Eastwood avait joué dans ce film, *Dirty Harry*, un film de flingues assez dingue, se rappelle Big Youth. Et puis quelqu'un a fait un film intitulé *Screaming Target*, et ce flingueur-là était encore plus dingue que Clint Eastwood. Je me suis moqué de ça, de ce *Screaming Target* qui était encore plus frappé que *Dirty Harry*. Parce que si vous écoutez bien la chanson « Screaming Target », c'est une chanson qui apprend aux gens à ne pas rester illettrés, à aller dans un endroit cultivé et à devenir civilisés. C'est vraiment une chanson pédagogique. » Le style psalmodiant de Big Youth devint un modèle pour les deejays de la décennie suivante. Il personnifiait également ce style « roots » qui devait devenir un thème central du reggae à partir du milieu des années soixante-dix.

Au cours des années quatre-vingt, le deejaying fut reconnu au même titre que tout autre genre de musique reggae. De nouvelles tendances émergeaient. Par exemple, celle incarnée par Anthony « Lone Ranger » Waldron, qui avait passé la majeure partie de son enfance en Grande-Bretagne et commença à enregistrer vers la fin des années soixante-dix, travaillant d'abord avec Studio One, puis avec Alvin Ranglin. Il obtint en 1980 un succès majeur avec « Barnabas Collins », une chanson de vampire dans laquelle on trouvait ce vers : « Je mâcherai ton cou comme un chewing-gum. » Ce fut Lone Ranger qui lança les stimulantes interjections *« ribbit! »*, *« oink! »* et *« bim! »* qui allaient devenir un must dans la deejay music des années quatre-vingt.

Dans le même temps, les thèmes culturels d'artistes comme Big Youth entraient en conflit avec la vague de lubricité sexuelle ambiante – cette dualité allait marquer le dancehall, style né en 1979. Cette année-là, par exemple, General Echo publia un album produit par Winston Riley, intitulé *The Slackest* [Le plus dissolu], qui, ironie du sort, valut au travail d'Echo d'être comparé, en termes d'originalité et d'influence, à celui de Big Youth. Le disque fut suivi par un autre, *12 Inches Of Pleasure* [30 centimètres de plaisir], dont le contenu était plus explicite encore et qui était produit par Junjo Lawes, le père du dancehall.

Comme pour confirmer que ce genre de sujet était dans l'air du temps, sortit en 1980 l'album *Sex Education* de Clint

Eastwood, le frère de Trinity qui avait auparavant enregistré des albums du genre de ceux de Big Youth.

Même s'il y avait eu des signes avant-coureurs, ce fut malgré tout un choc – et un choc dont bien des fans de reggae dans le monde ne se sont jamais remis – quand, après la mort de Bob Marley, le 11 mai 1981, ce fut la figure de Yellowman qui personnifia la musique jamaïquaine.

Comme le sang-mêlé Bob, Winston « Yellowman » Foster était un marginal – et même un exclu, ce qui en Jamaïque est le destin de ceux nés avec une peau albinos (d'où son nom de Yellowman). Avec le recul, il est difficile de se représenter l'énorme popularité qui fut celle de Yellowman dans les premières années quatre-vingt. Et pourtant, pendant un court moment, il fut indiscutablement l'artiste vivant en Jamaïque le plus connu, en partie grâce à la manière dont « King Yellow » joua délibérément sur son physique : en 1982, il publia seize albums dont la plupart des chansons traitaient de ses incommensurables sex-appeal et prouesses sexuelles, sombre ironie appréciée par son public et rehaussée par le ton monocorde de son discours. Le fait que plusieurs de ses disques aient été produits par Junjo Lawes, dont l'oreille infaillible savait dénicher le son qui faisait danser, contribua à sa popularité.

Dès 1984, Yellowman était sur le déclin, victime peut-être de sa propre surproduction. Néanmoins, apparu dans le sillage immédiat de Bob Marley, il donna le ton de la musique jamaïquaine à venir. Au cours des années quatre-vingt, les styles des deejays jamaïquains et des artistes de rap américains se rapprochèrent progressivement l'un de l'autre. Lorsque la musique devint numérique, à peu près à l'époque où Yellowman tomba en disgrâce, les deejays en apparence arrogants – dont les complexités ironiques passaient souvent inaperçues – étaient devenus la norme : la vantardise et les fanfaronnades de Shabba Ranks, éléments de l'arsenal qui lui assura le succès à la fin des années quatre-vingt et au début des années quatre-vingt-dix, ne firent que symboliser l'humeur de la décennie.

Quand arriva la fin du millénaire, les deejays étaient encore largement en activité, des artistes tels que Beenie Man, Bounty Killer, Buju Banton, Capleton ou Mr Vegas représentant différentes facettes du genre – sans compter que certains des pionniers se voyaient offrir l'occasion d'enregistrer et de se produire à nouveau.

L'évolution la plus notable a été l'influence considérable que les deejays reggae ont eue sur ces jeunes Noirs-Américains qui ont repris le style, l'ont combiné avec des éléments plus proches d'eux et ont fini par le réinventer sous le nom de rap – la musique noire la plus vendue dans le monde aujourd'hui.

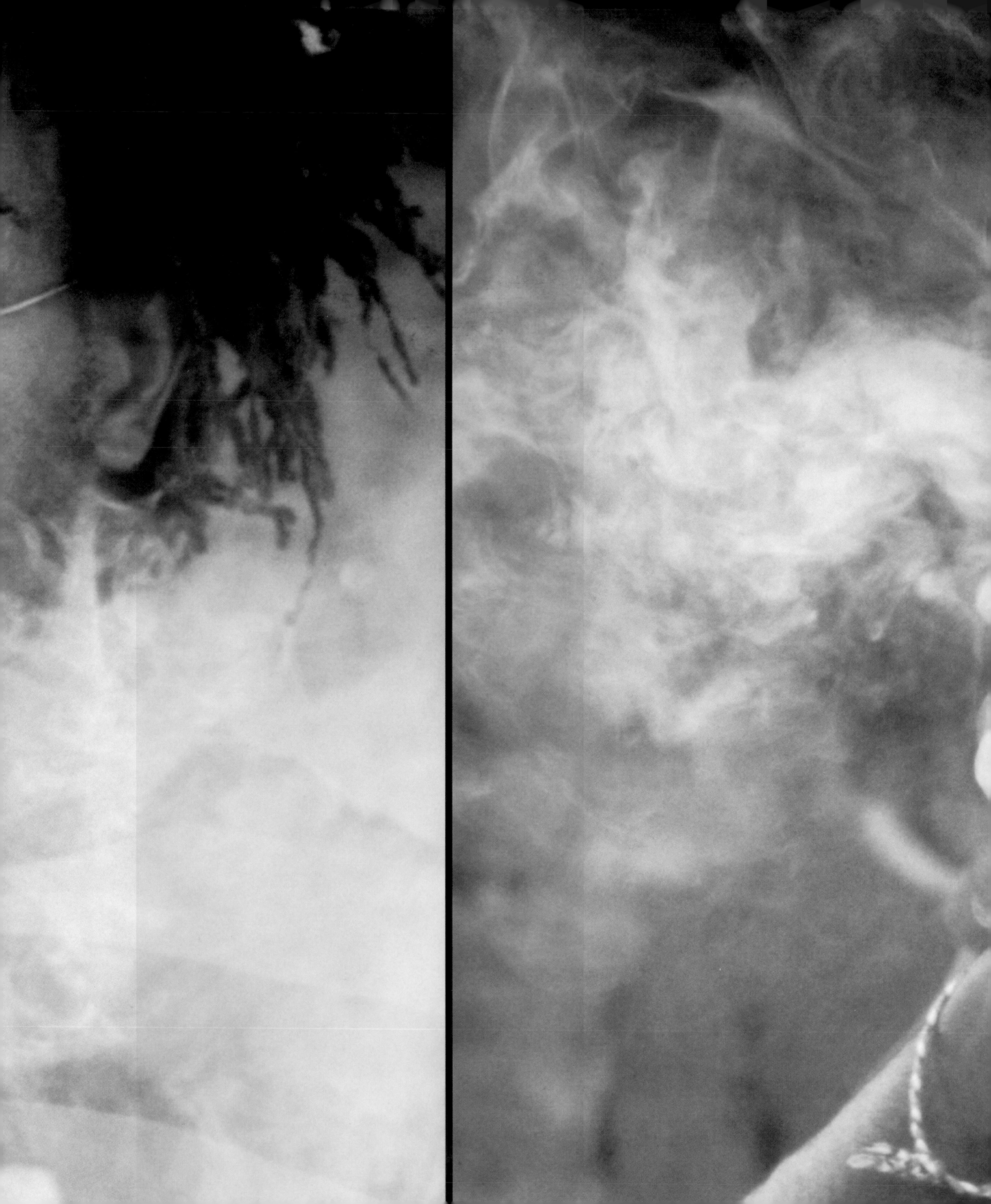

Aux yeux du public international, Bob Marley fut l'incarnation du roots rock reggae, de l'indissociable Rastafari – le messager du monde de Jah, Hailé Sélassié – et du pouvoir du drapeau rouge, or et vert éthiopien. Mais Bob n'était pas seul : au studio Black Ark de Lee « Scratch » Perry, par exemple, on débattait de la Bible chaque jour. Au milieu des années soixante-dix, écouter du reggae c'était

ROOTS ROCK

comme être initié à un domaine secret de l'histoire. La formidable et flamboyante iconographie de Rastafari – dominée par l'image archétypale de Hailé Sélassié Ier – était à cette époque omniprésente, pénétrant même le royaume du punk rock auquel, en Grande-Bretagne, le reggae joignit ses forces pour constituer la bande sonore des spoliés.

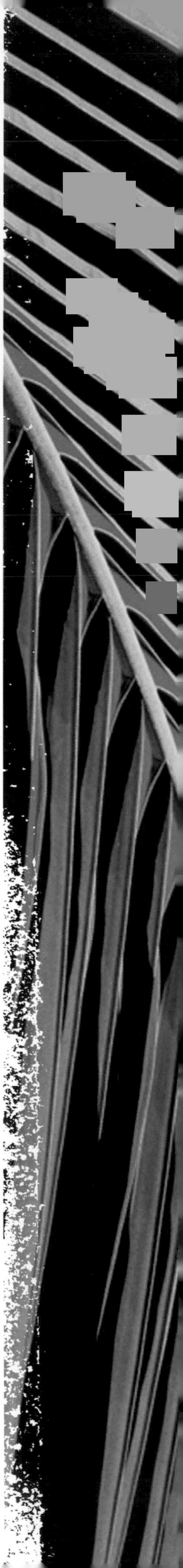

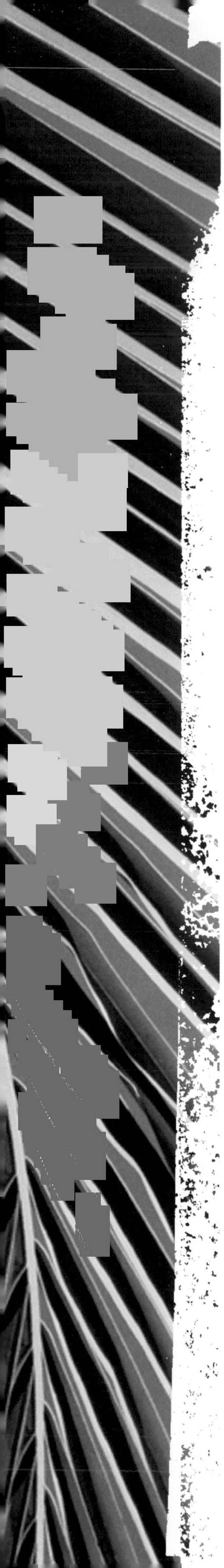

REGGAE

Durant cette période, Kingston devenait de plus en plus incontrôlable, et l'intérieur de l'île paraissait être un lieu plus accueillant pour tout homme désireux de fumer un peu d'herbe afin de stimuler ses méditations. Loin dans la brousse, les aînés rastas s'assemblaient dans des campements d'où montait le son des tambours « nyabinghi ». Lorsque Burning Spear intitula son deuxième album Island *Man Of The Hills*, on eût dit qu'il se présentait comme étant la quintessence de la culture roots rasta. Car l'âme de la Jamaïque se trouve dans ces Blue Mountains à l'intérieur de l'île : elles sont les dépositaires de l'inconscient collectif de la nation. La poésie de cette migration avait une profonde et forte signification. Il n'est pas étonnant que Babylone ait tremblé de peur.

« Scratch, vous étiez rastafari et puis vous êtes devenu la seule personne au monde à embrasser la religion de Pipecock Jackson, religion que vous avez vous-même inventée. Êtes-vous encore rastafari ? »

« L'Art ! Car c'est à ça qu'on en est venu aujourd'hui : l'Art ! » Scratch fait une pause, sa silhouette se découpant sur la baie vitrée de l'HLM d'Edgware, au nord de Londres, dans laquelle, pour une raison inexplicable, il vit en cet automne 1987. « How great thou art! » [Jeu de mots à partir de How great thou are, Tu es si grand ? NdT]

Pour la plupart des Occidentaux, les interviews promotionnelles de Bob Marley pour *Catch A Fire* furent leur première occasion d'entendre parler de cette apparemment étrange religion appelée rastafarisme. Alors qu'il était connu depuis quarante ans en Jamaïque, Rastafari se répandit comme une traînée de poudre dans les années soixante-dix, et ce en partie à cause de la situation politique de l'île. Son mélange de mysticisme et de contestation extrême toucha un point sensible collectif, à la fois chez les musiciens et dans le public. Et fournit la bande sonore, dure et provocante, de la décennie naissante.

Port Antonio, 1974 : adeptes de la vie avec dreadlocks selon Rastafari (ci-dessus). St Ann's Bay, milieu des années soixante-dix : moment de détente quotidien dans le yard de Burning Spear (à droite).

Les années soixante-dix furent une période de transformations radicales dans toutes les Caraïbes. Au Nicaragua, au Salvador, au Guatemala et en Colombie, les groupes de guérilleros d'extrême gauche montaient en puissance, prêts pour l'engagement ultime qui allait commencer avec la décennie. Cette atmosphère n'épargna pas la Jamaïque. Michael Manley, le Premier ministre porté au pouvoir en 1972, appliquait une politique socialiste qui garantissait presque à coup sûr une situation conflictuelle avec les États-Unis – notamment quand il décida d'unir la destinée de son pays à celle de Cuba, déclarant que les pays du tiers-monde devaient faire front commun.

Dans le but de mobiliser ses troupes, Manley avait évoqué l'esprit du défenseur noir jamaïquain des droits civiques Marcus Garvey qui en 1914 avait fondé l'Association universelle du progrès noir. Avec la solennité d'un prophète, Manley déambulait parmi ses hommes en brandissant sa « badine de correction », un bâton hérité de Garvey. De toute évidence, Manley était en phase avec l'air du temps.

À partir de 1974, la Jamaïque fut plongée dans un état de quasi-guerre civile, déchirée par les affrontements entre les porte-flingues du JLP de droite et ceux de ses rivaux du PNP. La musique de l'époque refléta ces dissensions, créée dans un esprit que l'on appela « cultural » ou « reality » : en d'autres termes, les auteurs et les musiciens étaient conscients des injustices sociales imposées à leur pays et à leurs compagnons de souffrance, les « sufferahs ».

Pour exprimer ce combat, on fit bien souvent appel à la panoplie complète de l'imagerie rastafari, même si celle-ci n'était parfois qu'un habillage. Mais bataille contre l'oppression et religion de Rastafari ne firent bientôt plus qu'un dans leur lutte contre l'ennemi commun, « Babylone » – c'est-à-dire essentiellement les perversions collectives du système politique et économique.

Dans les années soixante-dix, les portraits du mélancolique Hailé Sélassié et le rouge, or et vert du drapeau éthiopien devinrent la marque de fabrique du reggae. Bien rares étaient les albums dont la pochette ne présentait pas l'artiste en train de fumer un énorme spliff sur fond tricolore. La ganja, ou « herbe », comme on l'appela plus tard, avait été sanctifiée par les Rastas à la suite d'une interprétation quelque peu enthousiaste de certains passages soigneusement choisis dans la Bible. Elle conférait également au reggae cet esprit de rébellion indispensable à l'épanouissement de tout mouvement musical underground.

Entre le milieu et la fin des années soixante-dix, presque tous les musiciens jamaïquains s'étaient laissé pousser des dreadlocks et traitaient dans leurs chansons de sujets à résonance culturelle. Il fallait pouvoir justifier des origines les plus sinistres et les plus déshéritées pour être considéré comme acceptable par les petits bourgeois snobs qui écrivaient dans la presse musicale anglaise et américaine. Des groupes comme Third World ou Inner Circle et son chanteur Jacob Miller s'attirèrent la défaveur des journalistes en raison de leurs origines relativement privilégiées.

Même le grand I-Roy, qui préférait les immenses chapeaux et les verres de rhum, surveillant d'un œil les talents lézardant au bar de la piscine du Sheraton, fut considéré comme un

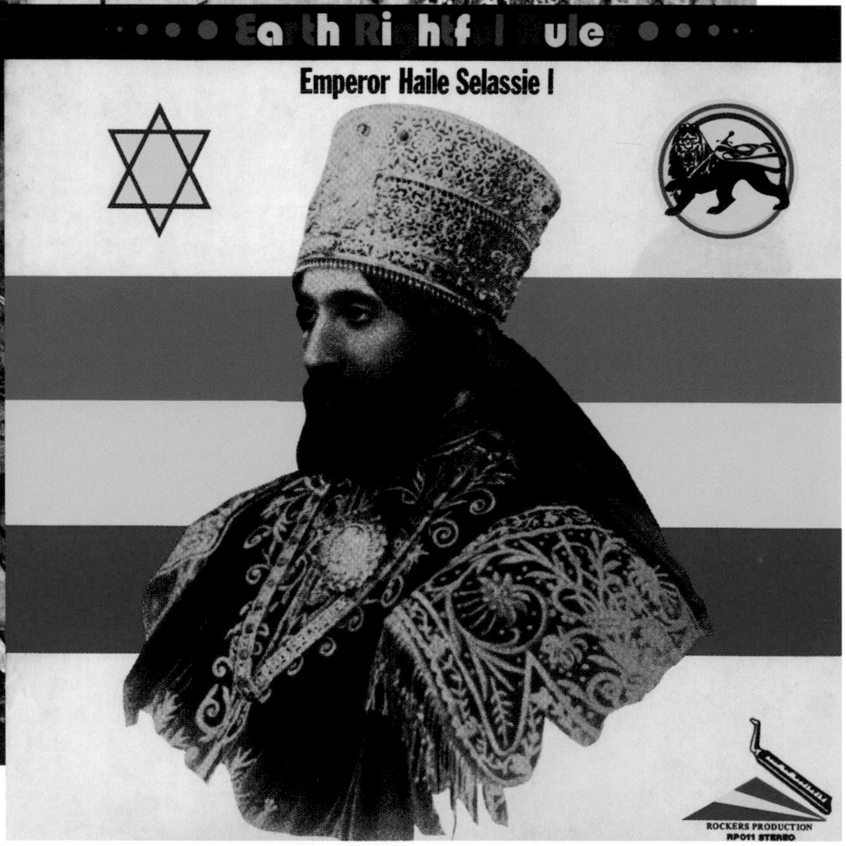

Le rastafarisme – dont la pratique en Jamaïque remonte aux années trente – est la foi en la plus ancienne forme connue de christianisme, cette église orthodoxe éthiopienne dont on dit qu'elle fut créée lorsque les disciples persécutés du Christ s'enfuirent dans la région du Nil supérieur. Ce qui peut paraître déconcertant dans le rastafarisme, ce sont les aspect informulés et anarchiques de cette religion – même si le peu de goût qu'ont les Jamaïquains pour les règles rend la chose un peu plus cohérente : chaque individu peut apporter ses interprétations et ajouts personnels, la tendance à consommer de grandes quantités d'herbe étant sans doute la plus notoire. Plus difficile à interpréter semble être cette vénération pour le dernier empereur d'Éthiopie Hailé Sélassié Ier, car là encore rien n'est très précis. Hailé Sélassié, qui descendait de Salomon et de Saba, était-il un prophète de premier rang ? Était-il la réincarnation du Christ ? Ou était-il Dieu lui-même ? Pour les Occidentaux, Hailé Sélassié était un despote absolu mais, pour les Africains ou les Jamaïquains, c'est le seul souverain noir à avoir vaincu les colonialistes européens.

artiste mineur comparé à U-Roy, fumeur de ganja et porteur de dreadlocks patenté. Peu importait la quantité de chansons engagées qu'I-Roy avait déjà publiées. Et un artiste aussi doué (mais « chauve ») que George Faith fut à peine écouté à l'étranger en dépit de son superbe album *To Be A Lover* produit par Lee « Scratch » Perry.

La fièvre roots s'empara de l'île où la musique du même nom, avec son emphase mise sur la spiritualité et l'être intérieur, fournit dans une certaine mesure un contrepoint à la passive acceptation quotidienne de la mort et de la dévastation engendrées par les tueurs à la solde des politiciens. Fin 1976, Bob Marley lui-même avait été blessé par balles au cours d'une tentative d'assassinat survenue dans son quartier général du 56 Hope Road, dans les quartiers résidentiels de Kingston. Il semblait impossible d'emprunter une seule rue de Kingston sans avoir l'oreille attirée par quelque soldat du prosélytisme rasta. Comme si ces fondamentalistes ne réalisaient pas que l'on avait entendu exactement le même discours de la part du dernier dread avec qui l'on avait parlé…

Avec *Marcus Garvey*, son mémorable album de 1975 produit par Jack Ruby, Burning Spear avait donné le ton tout en se faisant le chantre d'un des héros nationaux jamaïquains. *« Personne ne se souvient du vieux Marcus Garvey »*, se lamentait le premier vers de la chanson. Merveilleuse et poétique œuvre de vision mature, l'album conforta le succès que Spear avait commencé à bâtir en 1969 avec son premier simple pour Studio One, « Door Peep », et donna le coup d'envoi d'une carrière qui allait voir, au début des années quatre-vingt-dix, le groupe consacré porte-parole aîné et incontesté du reggae.

L'annonce de la mort, survenue le 27 août 1975, de Sa Majesté impériale Hailé Sélassié Ier ne fit qu'enflammer la ferveur pour le rastafarisme. La violence apocalyptique de cette information fut ressentie à travers toute l'île, accroissant encore la confusion entre le métaphorique et le réel : ainsi Junior Byles, le protégé de Scratch Perry, fit une tentative de suicide et fut hospitalisé à Bellevue. Bob Marley, pour sa part, réagit instantanément en chanson avec le stupéfiant « Jah Live » produit par Lee Perry au studio de Harry J.

Si Bob Marley fut considéré hors de Jamaïque comme l'incarnation du mouvement, sur l'île il n'était bien entendu qu'un parmi les fidèles de Rastafari. Depuis son studio Black Ark, dans un faubourg de Kingston appelé Washington Gardens, l'excentrique Scratch Perry faisait jaillir un flot sans fin de classiques du roots ; à Black Ark, d'alambiqués « débats » sur la Bible avaient lieu chaque jour et parfois durant la journée entière. Après avoir passé deux semaines à enregistrer là-bas, le chanteur de soul blanc Robert Palmer devait déclarer que le studio de Scratch semblait être « le centre spirituel et politique de l'île ».

« Le but du concept rasta, c'était d'unifier l'humanité grâce à la musique, voyez. Ce n'est pas la race. Cette musique était destinée à réunir les gens. Et tout ce bien qu'on essayait de faire en prêchant l'amour et l'unité et l'harmonie… En 1980, il y a eu un article sur le reggae disant qu'il était destiné à abattre la culture occidentale, vous comprenez ? Et ils ont pris Marley pour cible, et on a vu le Gong décliner. Je l'ai vu. Les gens ont commencé à devenir méchants. À cette époque-là, on allait voir un petit môme et on disait : « Fais-lui craindre la mort et montrer du naturel. » Mais aujourd'hui les petits bébés hommes chantent les pires chansons et parlent du flingue le plus crucialiste. C'était l'amour qu'on apportait, pour que les gens se libèrent. Depuis toutes ces années, la graine que j'ai plantée me fait encore vivre. Je fais toujours ma musique et essaie de toutes les manières de la faire entendre. Alors, on sait que la vertu peut soulever une nation et que le péché est un reproche adressé à l'homme. »

BIG YOUTH

« Tout au long de ma vie, la plupart de mes amis ont été des Rastafari. Mais, pour une raison quelconque, ça ne m'a pas attiré. Pour moi, vénérer un corps de chair comme étant Dieu dépassait mon entendement – pour moi, Dieu doit être plus grand que la chair. Et en même temps je recevais des informations sur l'Éthiopie et sur les agissements de Hailé Sélassié qui allaient à l'encontre de ce que me disaient les Rastas en Jamaïque. Alors, je n'ai pas accepté tout ça. Je ne me suis pas fâché avec mes amis pour autant, mais vous me connaissez – je suis mon propre maître, je n'imite personne. »

PRINCE BUSTER

The Mystic Revelation
Of Rastafari
« Roots, sister, Roots.
Nuttin' else. »

DR. GLEN
THE SHELL-FISH MERCARDO,
SCHOOL OF THOUGHT, AND
SCIENTIFIC RESEARCH CENTRE
AD-MAJOREM
DEI-GLORIAM
SCIENTIFIC
CHRISTIANITY

DIAMONDS

Les racines du style originel de Burning Spear plongent dans la **musique pure** que l'on jouait aux « grounations » (ou réunions) rastafari. Cette forme musicale était connue sous le nom de musique « nyabinghi » et reposait sur les mélopées et les rythmes joués sur des instruments de type africain par les **mystiques aînés de la foi**. C'était le genre de musique dans laquelle Don Drummond s'immergeait quand il disparaissait dans les collines de Wareika pour écouter des adeptes tels que Ras Michael and the Sons of Negus ou Count Ossie and the Mystic Revelation of Rastafari – dont le triple album *Grounation* fut le premier exemple de ce **style profondément roots** pour bon nombre de novices du reggae.

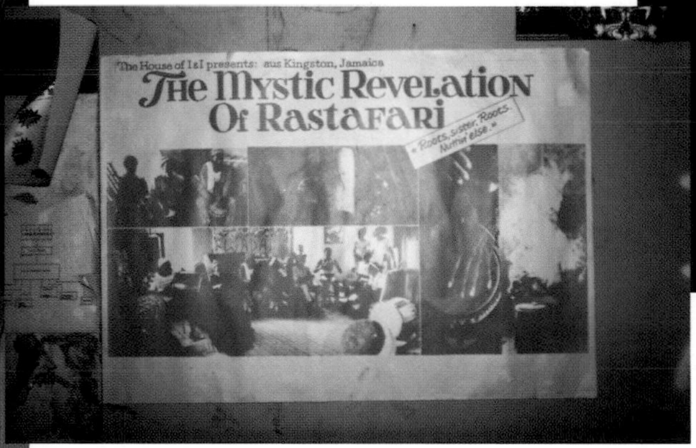

Prince Buster, quand vous avez produit la version originale de « Oh Carolina » par les Folkes Brothers, vous avez utilisé les tambours « buru » de Count Ossie. C'était la première fois que des musiciens rastafari étaient employés sur un disque jamaïquain.

Oui, et même eux ne croyaient pas que ça allait fonctionner. C'était dans le studio de la JBC, ma première séance, et il avait fallu convaincre Ossie que, oui, ça pouvait marcher avec seulement les tambours et pas un groupe normal. Ossie a cru que je le prenais pour un idiot – il a fait appel à tous les anciens, et ils se sont réunis sept fois. Et quand je suis arrivé au studio que j'avais réservé, Duke Reid y était, en train de l'utiliser, et j'ai dû me battre avec lui, là, dans le studio. Voyant combien j'étais désespéré, un certain Mr Watt m'a dit : « Viens, Buster, ne t'en fais pas. » Il m'a emmené en haut, a préparé une petite pièce et apporté quelques micros et c'est comme ça qu'on a fait « Carolina ». C'était la première fois qu'on employait des musiciens rastas. J'ai dû obliger Count Ossie à jouer, tout le monde s'en souvient. Quand j'étais petit, je suivais Ossie. Je grimpais aux arbres pour écouter ses tambours – j'ai toujours eu en moi le désir de faire des morceaux à base de tambours. Ensuite, quand j'ai eu ce groupe, guitare, piano, batterie et basse, c'est devenu la norme, alors j'ai voulu aller au-delà, regarder vers les tambours.

À la base, c'étaient des tambours « nyabinghi » sur le disque ?

Oui. On est allés les chercher, on les a emmenés au studio, on leur a donné les micros et c'est parti. Ça a marché. Cette nuit-là, voyez, c'était **« pas d'herbe, mon frère »**.

À gauche : Bernard Collins (droite) et Lynford et Donald Manning, tous deux anciens membres de Carlton and his Shoes, formaient The Abysinnians (Abyssinie, l'autre nom de l'Éthiopie, signifie en arabe « gens mélangés »). Le trio devint une légende avec son morceau « Satta Massa Gana », précurseur des tempos poisseux et des mélodies en accords mineurs de cette tradition country roots qui démarqua le trio vocal jamaïquain de l'influence de la soul music américaine. Coxsone Dodd, qui avait publié leur non moins légendaire « Declaration Of Rights », refusa de sortir « Satta Massa Gana », qu'il trouvait trop radical. Le groupe publia la chanson lui-même en 1977 sur son label Clinch.
Ci-dessous : Dans la tradition de Bob Marley et de Burning Spear, Joseph Hill, de Culture, était un grand showman.

Lee Perry était de toute évidence inspiré par l'esprit rasta ambiant, et ce n'est sûrement pas une coïncidence si le milieu des années soixante-dix fut sa période la plus créative. C'est à cette époque qu'il établit une fois pour toutes sa réputation grâce à une succession que l'on eût dit illimitée de disques magistraux. Ce fut vraiment une période dorée. Simplement rebaptisé « War Ina Babylon », le « Sipple Out Deh » de Max Romeo devint le titre d'un des meilleurs albums de la décennie. Les autres chansons étaient tout aussi fortes, particulièrement « One Step Forward », qui critiquait Michael Manley pour ne pas adopter une position plus radicale envers les États-Unis. En toute justice, ce genre d'opinion sur Manley indique que le politicien n'avait aucune chance, attaqué qu'il était d'un côté par des opposants soi-disant soutenus par la CIA et de l'autre pour ses supposées courbettes devant Washington.

Du studio Black Ark sortit en 1976 une autre chanson « reality » qui résumait bien le sentiment du ghetto : « Police And Thieves » de Junior Murvin, chanson-hymne d'un tel impact que Murvin ne put jamais faire mieux. L'année suivante fut celle du très inventif album *Colombia Collie* de Jah Lion (nom donné par Scratch, jamais à court de nouveaux sobriquets, à Jah Lloyd, un « toaster » relativement établi sur la scène de Kingston). En même temps qu'une série d'albums de dub sous le nom des Upsetters – tels que *Cloak And Dagger, Revolution Dub* et *Super Ape* –, Perry publia un de ses plus grands morceaux avec « Dreadlocks In Moonlight », un reggae obsédant à la mélodie superbe. Un jour de décembre 1976, Perry était en train de mixer cette chanson quand Chris Blackwell passa le voir ; en persuadant Blackwell de rester jusqu'à ce que le mixage soit terminé, Lee empêcha le patron d'Island de se rendre au rendez-vous qu'il avait au 56 Hope Road, à l'heure précise où des tueurs pénétraient dans la maison et tiraient sur Bob Marley.

Mais un seul de ces albums soutient-il la comparaison avec *Heart Of The Congos*, le chef-d'œuvre des Congos ? Publié en 1977, ce disque d'une extraordinaire ferveur a sa place parmi les tout meilleurs jamais réalisés. Expérience d'un autre monde, l'album combinait les rythmes africains traditionnels avec les harmonies et les émotions nyabinghi, le tout mis en valeur par la production de Lee « Scratch » Perry, peut-être ce qu'il a fait de mieux. Constitué à l'origine des seuls Cedric Myton et Roy Johnson, le groupe des Congos se transforma en trio quand, sur la suggestion de Scratch, Watty Burnett se joignit à eux.

Élément de la prodigieuse éruption de créativité jaillissant à l'époque du yard de Scratch sur Washington Square, le groupe était un habitué du studio Black Ark. Les Congos aidèrent Scratch à approfondir sa foi en Rastafari, le persuadant de se laisser pousser des dreadlocks et l'encourageant à consommer de l'herbe plutôt que de l'alcool. S'étant entre-temps fâché

avec Island Records qui avait jusqu'alors publié la majorité des œuvres issues de Black Ark, Scratch pressa et distribua personnellement l'album des Congos. Il s'ensuivit une dispute entre Scratch et le groupe, et les disques suivants des Congos ne devaient jamais égaler cette œuvre d'art digne de tous les superlatifs.

« Two Sevens Clash » de Culture, énorme hit qui, comme le « Police And Thieves » de Junior Murvin, marqua l'année 1976 en Jamaïque, était une vigoureuse expression de prescience alliée au mysticisme implicite de son titre numérologique : tout allait changer en 1977 ! Le trio traitait de thèmes culturels et socio-politiques similaires à ceux de Bob Marley et de Burning Spear. Enregistrée pour Joe Gibbs, la chanson « Two Sevens Clash » bénéficia du son moelleux et très accrocheur qu'Errol Thompson, l'ingénieur du son de Gibbs, donnait à tout ce sur quoi il travaillait.

L'album du même nom, également enregistré pour Joe Gibbs, fut tout aussi impressionnant – comme l'étaient un certain nombre de 45 tours de disco réalisés pour Gibbs, dont « Baldhead Bridge » et « Forty-leg Dread ». Culture était formé de Joseph Hill, le leader, et de Kenneth Paley et Albert « Ralph » Walker. Hill se révéla un étonnant homme de scène, pétrifiant le public grâce à ses yeux qui louchaient de façon prononcée. Extraordinairement populaire à la fin des années soixante-dix, le groupe connut un bref succès international quand, intrigués par les prédictions apocalyptiques de Hill, les punks britanniques s'entichèrent de « Two Sevens Clash ».

Après avoir signé avec Virgin Records, Culture quitta Joe Gibbs pour la chevronnée et révérée productrice de Kingston, Mrs Pottinger (qui venait de racheter le catalogue de Duke Reid à la veuve du Trojan), pour qui il enregistra l'excellent album *Harder Than The Rest* et son simple « Stop The Fighting ».

Même si les Wailers originaux avaient disparu en tant qu'entité, la tradition des trios vocaux jamaïquains était toujours vivace et ne se limitait pas aux Congos et à Culture. Propulsés par la basse de Robbie Shakespeare et la batterie de Sly Dunbar, le son « rockers » de Channel One, thème dominant du reggae durant la seconde moitié des années soixante-dix, les Mighty Diamonds connurent un succès instantané quand leur commercial mais hautement crédible recueil *Right Time* fut publié en 1976.

Jacob Miller (en haut), qui se tua en 1980 dans un accident de voiture sur Hope Road, obtint plusieurs succès en tant que chanteur solo, parmi lesquels le virginal « Cottage In Negril » ; avec Inner Circle, il entra dans les charts britanniques avec « Everything Is Great ». Max Romeo (deux photos du milieu) fit un tabac dans les charts britanniques avec son salace « Wet Dream » de 1969. En 1975, il était devenu un authentique artiste « reality » avec son album *War Ina Babylon* pour Lee Perry. Les Congos (en bas, de gauche à droite) Watty Burnett, baryton, Cedric Myton, falsetto, et Roy Johnson, ténor, sortirent en 1977 le splendide album *Heart Of The Congos* pour Perry.

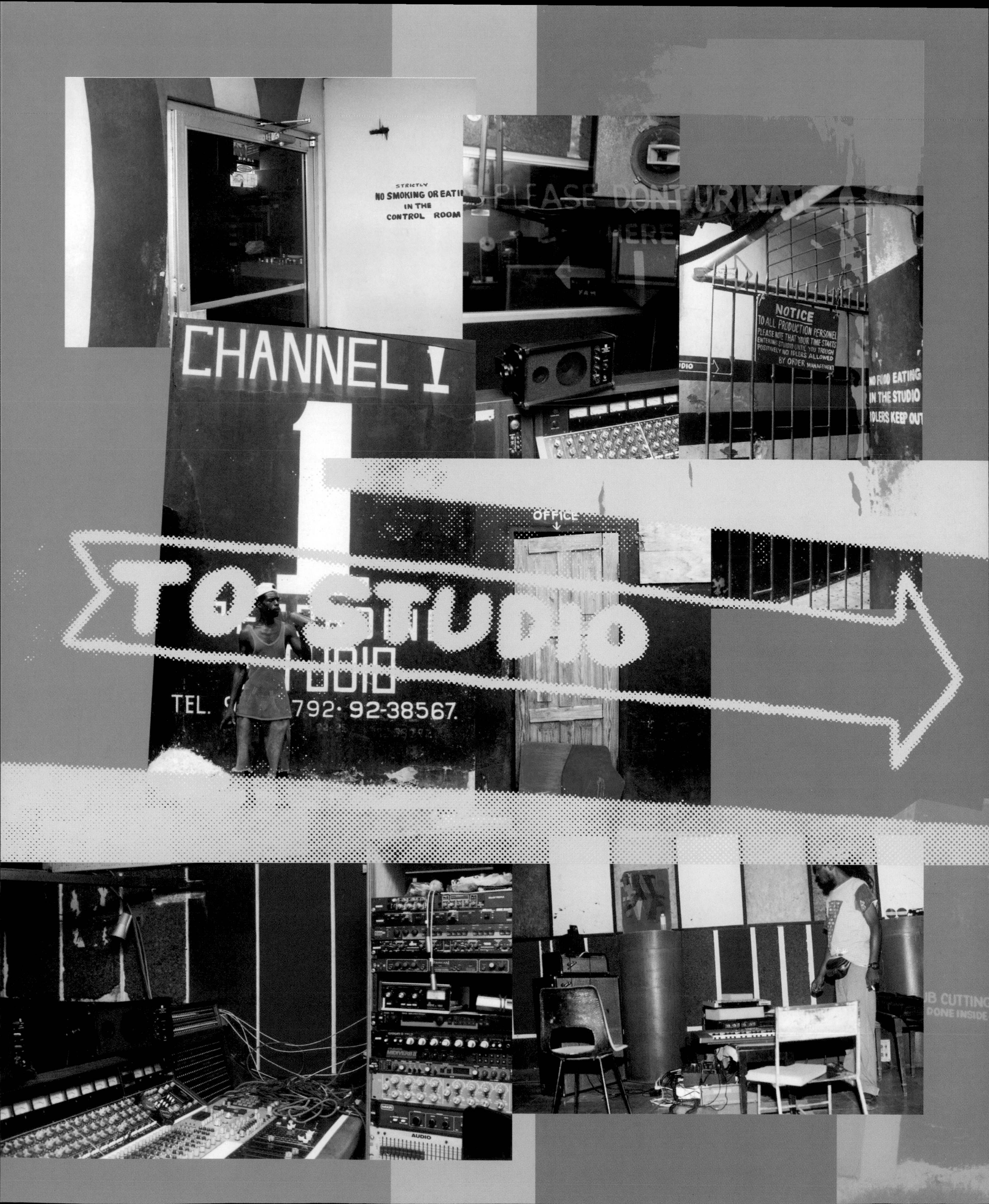
STRICTLY
NO SMOKING OR EATI
IN THE
CONTROL ROOM
CHANNEL 1
1
OFFICE
TO STUDIO
TEL.
792· 92-38567.
NOTICE
TO ALL PRODUCTION PERSONEL
BY ORDER MANAGEMENT
NO FOOD EATING
IN THE STUDIO
IDLERS KEEP OUT
AUDIO

Situé sur Maxfield Avenue, le studio Channel One était construit sur l'emplacement d'une ancienne boutique de marchand de glaces, ce qui explique peut-être pourquoi il en sortait un son si frais.

Propriété des quatre frères Hookim (Jojo, Kenneth, Ernest et Paulie), des Chinois jamaïquains qui avaient été distributeurs de juke-box, il ouvrit en 1972. À partir de 1975, il concurrença le studio de Joe Gibbs en tant que centre de créativité commerciale. Ernest et Jojo étaient les plus impliqués dans le fonctionnement de Channel One, tandis que le batteur Sly Dunbar et le bassiste Robbie Shakespeare, membres du groupe maison connu sous le nom de Revolutionaries, fournissaient une assise rythmique efficace à des artistes comme les Mighty Diamonds et contribuaient à l'éclosion de ce qui allait devenir le style « rockers ». Ils étaient fréquemment produits par I-Roy, qui travaillait assidûment à la console du studio.

À l'extérieur du studio, au cœur du ghetto dans lequel celui-ci était situé, on pouvait trouver la moitié des musiciens de Kingston en train de fumer de l'herbe et de discuter. Ce quartier allait devenir connu sous le nom d'« Idler's Row » [rue des Glandeurs].

Les débuts des Diamonds sur la scène du Lyceum de Londres ne furent pas loin d'égaler le triomphe qu'avait remporté l'année précédente Bob Marley au même endroit. Signés par Virgin Records, qui eut l'idée discutable d'envoyer le trio se faire produire à La Nouvelle-Orléans par Allen Toussaint, les Diamonds se composaient de Donald « Tabby » Shaw, chanteur soliste, Fitzroy « Bunny » Simpson et Lloyd « Judge » Ferguson.

Expression militante des harmonies roots, les Gladiators se firent connaître sur la scène internationale quand ils signèrent eux aussi chez Virgin. *Trenchtown Mix-up*, leur premier album pour le label, semblait apporter renouveau et fraîcheur quand il sortit en 1977 – impression confirmée par ses successeurs, *Proverbial Reggae* et *Naturality*. En réalité, le groupe s'était formé dès 1965 et avait passé la majeure partie des années soixante-dix à enregistrer pour Coxsone Dodd – ainsi, « Hello Carol » sur *Trenchtown Mix-up* était un remake de l'époque de Studio One. La version originale, comme nombre de leurs anciens hits pour Coxsone, figura sur *Presenting The Gladiators*.

Israel Vibration personnifiait cette victoire sur l'adversité qui caractérisait une grande partie de la musique jamaïquaine. Dans les années cinquante le monde fut la proie d'une épidémie de poliomyélite, et la Jamaïque fut particulièrement touchée. Cecil « Skeleton » Spence, Albert « Apple » Craig et Lascelles « Wiss » Bulgrin se rencontrèrent au Mona Rehabilitation Center, à la périphérie de Kingston. Mais, quand ils épousèrent la religion rastafari et commencèrent à se laisser pousser des dreadlocks, ils en furent expulsés et gagnèrent tant bien que mal de quoi survivre en chantant dans les rues. C'est là qu'ils perfectionnèrent les étranges harmonies qui, fin 1976, propulsèrent leur chanson « Why Worry » vers le succès. Succès également pour « The Same Song », qui est aussi le titre de leur premier et très fort album « reality ». Le trio devint universellement connu quand il passa avant Bob Marley au One Love Peace Concert de 1978.

De ce même studio de Joe Gibbs où fut enregistré le « Two Sevens Clash » de Culture sortirent un grand nombre de brillantes chansons « culturelles » avec un petit air pop telles que « Uptown Top Ranking » d'Althea et Donna, chanson qui symbolisait à merveille le radical chic de l'ère Manley et allait par la suite devenir numéro un en Grande-Bretagne. L'habituelle magie déployée en studio par Errol « T » Thompson, l'ingénieur de Gibbs, servit la cause d'un autre hit utilisant la même base rythmique, « Three Piece Suit » du deejay Trinity. Mais la voix bourrue de Prince Far-I, ancien

En haut à gauche : Israel Vibration, « le plus culturel des groupes » selon le spécialiste du reggae Steve Barrow, débuta sa carrière avec deux simples devenus des classiques, « Why Worry » et « The Same Song », également titre de son premier album « reality ». En bas à gauche : Dr Alimantado, « The Best Dressed Chicken In Town » [le poulet le mieux habillé de la ville], présente la façon de porter ses chaussures qui était de rigueur à Kingston vers le milieu des années soixante-dix – lacets dénoués. Ci-dessus : les Gladiators. Quand, alors qu'il se trouvait à Kingston au début de 1978, l'auteur leur demanda comment était *Proverbial Reggae*, leur imminent deuxième album pour Virgin, ils le lui chantèrent intégralement dans une parfaite harmonie à trois voix. De gauche à droite : Clinton Fearon, Dallimore Sutherland et Albert Griffiths.

videur de Studio One, eut un impact plus grand encore, notamment grâce à la série de disques *Cry Tuff Dub Encounter*. On avait le sentiment que Far-I, showman époustouflant, pouvait réellement faire s'écrouler Babylone avec ses incantations, et sa mort par balles à Kingston en 1983 fut une véritable tragédie.

Après que Virgin eut signé Prince Far-I sur son label Front Line, ce deejay à la belle prestance fut adopté par le public de rock blanc. L'importance de la fusion punk-reggae en Grande-Bretagne ne doit pas être sous-estimée. Au cours de ses tentatives pour incarner à lui seul le rôle d'archétype du punk, le chanteur des Sex Pistols Johnny « Rotten » Lydon prétendit avoir été la première personne à passer du reggae à la radio anglaise le 16 juillet 1977 sur Capital Radio. En réalité, Capital Radio et BBC Radio London avaient depuis longtemps leurs émissions de reggae destinées à la population des immigrés jamaïquains de Londres. Parmi les morceaux que Lydon passa figuraient « King Tubby Meets Rockers Uptown » d'Augustus Pablo, « I'm Not Ashamed » de Culture, « Jah Wonderful » d'Aswad et des chansons de Ken Boothe, des Gladiators et de Fred Locks. Il sélectionna également « Born For A Purpose » de Dr Alimantado, hymne roots dont le succès s'explique en partie par son passage dans l'émission de Rotten.

Dr Alimantado, le plus haut en couleur et le plus sociable des deejays inspirés par Big Youth, débuta sa carrière en 1972 par une crise aiguë d'identité qui le vit enregistrer sous un nom différent (Winston Prince, Winston Coll et Ital Winston – son vrai nom était Winston Thompson) chaque fois qu'il mettait les pieds dans un studio. Le meilleur de cet artiste inconstant se trouve sur ses propres labels, Ital Sounds et Vital Food, où son style de deejaying, sauvage et exubérant, brille dans des morceaux tels que « Plead I Cause », « Just The Other Day », « Poison Flour » et ce chef-d'œuvre surréaliste enregistré par Lee Perry qu'est « The Best Dressed Chicken In Town ». D'un enthousiasme contagieux, Alimantado devint un personnage populaire au centre-ville où on pouvait le rencontrer sur North Parade en train de partager son humour et sa sagesse avec ses amis musiciens. À la fin de 1976, une rencontre qui faillit lui être fatale avec un bus l'envoya au Kingston's Public Hospital pour six semaines. Convaincu qu'il avait été épargné par une intervention divine, l'incident lui inspira « Born For A Purpose », disque qui fit de lui une improbable icône du punk rock.

Winston Rodney, également connu sous le nom de Burning Spear, était originaire de St Ann's Bay et sa voix de gravier semblait contenir chaque parcelle de vérité que l'île ait jamais recelée.

C'est Bob Marley, autre natif de la commune de St Ann's, qui conseilla à Rodney de se présenter aux auditions qu'organisait chaque dimanche Studio One. Et bientôt le premier 45 tours de Spear/Rodney parut sur le label de Coxsone Dodd : « Door Peep », autre nom pour « duppy », le terme jamaïquain désignant un fantôme et singulier sujet pour un disque destiné à la vente.

En 1975, toujours sous le nom de Burning Spear, Rodney s'adjoignit Rupert Wellington et Delroy Hines pour constituer un trio qui prit la forme si prisée en Jamaïque d'un groupe à harmonies vocales, plus roots cependant que tous les autres. Avec Jack Ruby, le premier producteur d'Ocho Rios, Spear enregistra les albums *Marcus Garvey* et *Man In The Hills*, œuvres remarquablement poétiques qui exprimaient la vision profonde du Rastafari rural. Seul de nouveau, Burning Spear fit à tel point évoluer sa musique que son album *Social Living* de 1978 ressemblait presque à du jazz.

C'était une musique authentiquement révolutionnaire. Spear, de plus, était un homme de scène quasiment surnaturel dont les spectacles touchaient au plus profond de l'âme. Aujourd'hui installé à New York, Burning Spear (photographié en bas à gauche avec Thomas Mapfumo, le géant de la musique shona) continue de se produire à travers le monde, remportant un Grammy à l'occasion et occupant la position on ne peut plus méritée de porte-parole aîné du reggae.

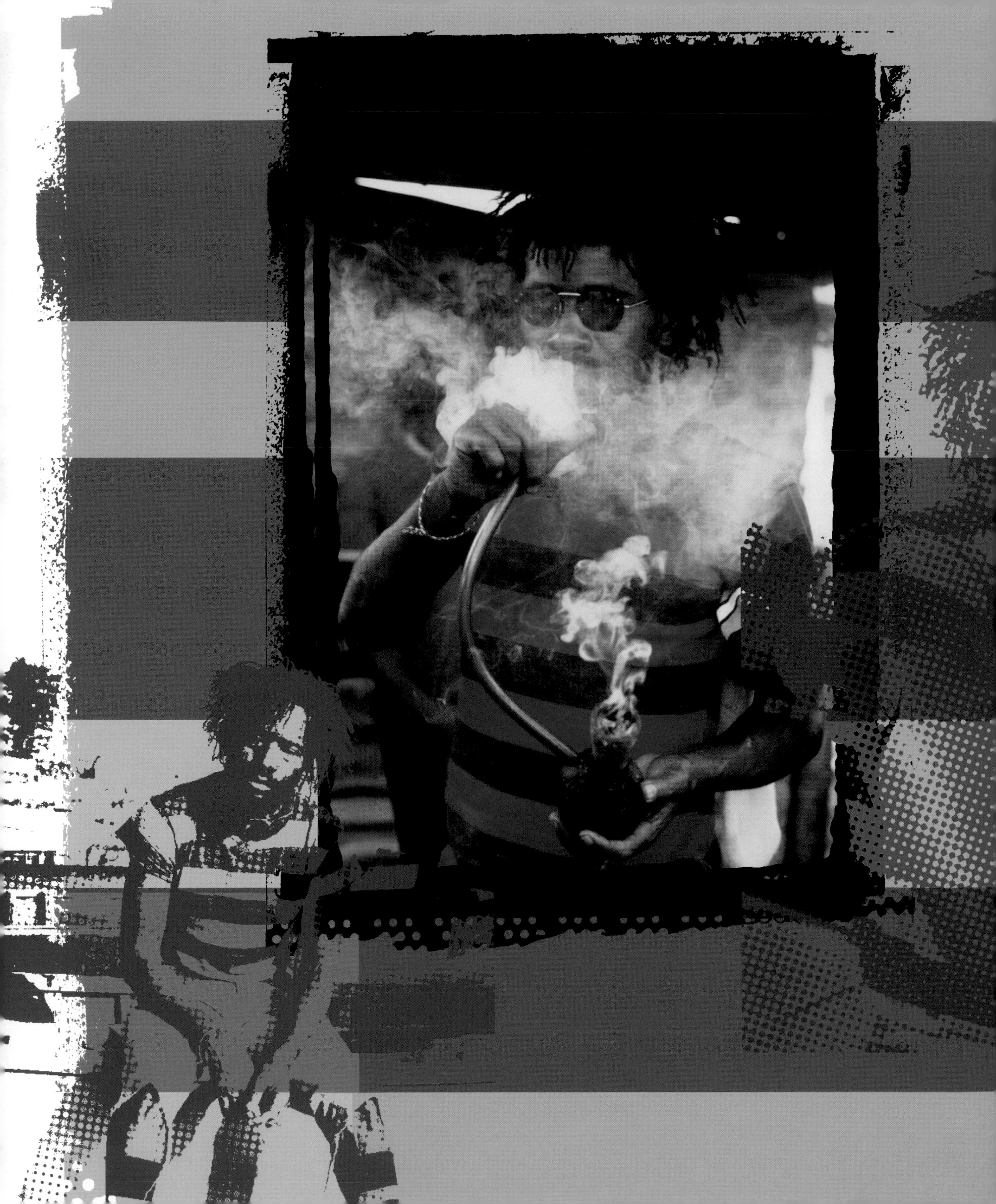

Au cours de son passage à Radio Capital, Johnny Rotten avait également fait entendre *King Tubby Meets Rockers Uptown* du minuscule Augustus Pablo, créateur de l'autoproclamé « Far East » [Extrême-Orient] sound et l'un des meilleurs musiciens et concepteurs de disques issus de la Jamaïque. Bien que sa grande époque ait été les années soixante-dix, Pablo réussit par la suite à s'adapter avec relativement d'aisance à la technologie informatique. Ce maître des claviers et du trop dédaigné melodica, instrument entendu pour la première fois en 1969 sur le simple « Iggy Iggy », enregistrait chez Randy's. C'est là que Pablo enregistra son fameux album instrumental *This Is Augustus Pablo,* avec le producteur Clive Chinn. Pour son propre label Rockers, il réalisa *King Tubby Meets Rockers Uptown*, superbe album de dub et un des meilleurs disques de tous les temps, tous genres confondus. *East Of The River Nile* de 1978 est un autre instrumental qui égala presque sa première réalisation. De santé fragile, le grand Pablo mourut en 1999. Avec son mélancolique melodica, il a fourni à l'ère du roots rock une bande sonore dub et instrumentale qui a fait plus que passer l'épreuve du temps.

Au milieu des années soixante-dix, la popularité du deejay Big Youth fut presque aussi grande que celle de Bob Marley. En dépit d'incursions dans les charts locales de quelques autres grands deejays, les chanteurs solo plus traditionnels conservaient les faveurs du public. À côté des thèmes politiques et religieux de l'époque, l'amour arrivait toujours à se faire une place entre les morceaux les plus militants, et on eût dit qu'il n'existait rien de plus doux ou de plus tendre qu'une chanson d'amour ou un chanteur de charme jamaïquains. Le premier d'entre eux fut Dennis Emanuel Brown, dont le nom, durant les années soixante-dix, était une telle garantie de qualité vocale et d'enregistrement que son surnom de « The Crown Prince Of Reggae » [le prince héritier du reggae] était amplement mérité. Bien qu'il n'ait été surpassé dans le cœur de la nation jamaïquaine que par Bob Marley lui-même, son public à l'étranger se réduisait presque uniquement à la communauté ethnique. Mais son grand talent était considéré comme une évidence, et l'on pensait que ce n'était qu'une question de temps avant qu'il touche un plus large public. Pourtant, et même s'il entra dans les charts britanniques en 1979 avec « Money In My Pocket », Brown n'élargit jamais réellement son auditoire.

À l'instar de bien des artistes de reggae de l'époque, Dennis Brown se considérait comme un « divertisseur » (c'était également le cas, par exemple, de Joseph Hill, de Culture, en dépit du fait que son groupe annonçait Armageddon). Dans le cas de Brown, cette conception était le reflet de son passé, car son père avait été un comique très célèbre en Jamaïque. « Je pense que son père a eu quelque chose à voir avec la direction qu'il a choisie et qui était de prendre du bon temps et de proposer un bon spectacle, pas de sortir son flingue et de descendre les gens », dit à son sujet le poète et universitaire Linton Kwesi Johnson.

Du dur quartier de Waterhouse, à West Kingston, émergea Black Uhuru, autre trio à harmonies dont l'incarnation la plus vendeuse fut sa troisième configuration, celle qui comprenait Michael Rose, Puma Jones et Ducky Simpson (de gauche à droite sur la page ci-contre). Une fois associés au talent de producteurs de Sly et Robbie (en arrière-plan), ils sortirent des morceaux de la qualité de « Plastic Smile », « General Penitentiary » et « Abortion ». Signé par Island Records, Black Uhuru fut poussé et promu comme un groupe de scène dont Sly et Robbie étaient des membres honoraires. Les albums *Sinsemilla*, *Red* et *Chill Out* se vendirent très bien et le groupe devint une véritable attraction scénique – même si l'organisation de leurs concerts londoniens posait toujours un problème en raison d'une agression mortelle au couteau qui était survenue lors de leurs débuts au Rainbow Theatre. Il est possible que leur militantisme les ait desservis au cours des conservatrices années quatre-vingt, et quand Michael Rose quitta le groupe en 1985, suivi l'année d'après par Puma, Black Uhuru resta virtuellement au point mort – Puma Jones est malheureusement décédée d'un cancer en 1990.

Michael Rose : **Quand j'ai commencé dans la musique,** j'ai dû faire le circuit des hôtels – on divertit les touristes sur la côte nord. C'est quand je suis parti de là-bas que j'ai rencontré Ducky. J'étais à Waterhouse à l'époque, on s'est associés et on a un peu répété. Et après, on a trouvé Puma.

Puma : **Ducky et Michael sont venus à la porte** et on a un peu bavardé. Ils avaient entendu parler de moi par hasard. J'ai rejoint Uhuru, on a commencé à répéter, on est entrés en studio et c'était parti.

Sly : **Michael a débuté comme deejay.** Mais quand il a commencé à chanter avec nous, il chantait comme Dennis Brown – je crois qu'il avait déjà enregistré « Guess Who's Coming To Dinner » pour Niney. J'entendais quelque chose de différent dans sa voix et je lui ai suggéré de le travailler. Quand il est revenu, deux semaines plus tard, il s'est mis à chanter *« Abortion, abortion/You got to have caution »* [Avortement, avortement/Il faut faire attention]. Moi, j'ai dit : « Super. »

Sly : **Pendant neuf mois on a eu ces chansons sur bande** – « Guess Who's Coming To Dinner », « Shine-eye Girl », « Abortion », « General Penitentiary » –, mais on n'avait pas les moyens de graver un disque de démonstration. Alors ce qu'on a fait, c'est qu'on a donné à U-Roy un dub-plate des quatre chansons. Son sound a été le seul à avoir ces morceaux, personne d'autre ne les a eus, et les gens allaient au bal de U-Roy parce qu'à quatre heures il passait ces quatre Black Uhuru.

Michael : Il fallait diffuser le message, le faire circuler à travers le monde sur des sujets comme l'avortement. Quand on grandit à Waterhouse, man, on voit des choses à peine croyables. Et on se dit : « Mince, je peux pas croire que ces trucs-là peuvent vraiment, vraiment arriver. »

« On le considérait comme un rasta peace and love. Mais il fut aussi un des grands enfants-stars qu'engendra le reggae. Tout est là, dans le premier album. »

L'album en question, *No Man Is An Island*, sortit sur le label Studio One en 1969, alors que Brown n'avait que douze ans : l'assurance et l'émotion de son chant sur la douzaine de morceaux que contient le disque sont proprement extraordinaires pour quelqu'un d'aussi jeune, et il n'est guère surprenant qu'il soit devenu un phénomène adolescent parfois qualifié de « Michael Jackson du reggae ». Plus important que tout peut-être, sa personnalité solaire était si attachante que le seul fait de penser à Dennis Brown faisait naître un sourire sur le visage des gens. Comme beaucoup de musiciens jamaïquains, Brown avait été élevé à l'Alpha Boys School de Kingston, sorte de version ghetto de la New York City High School for the Performing Arts. À neuf ans il chantait avec Byron Lee and the Dragonaires, souvent perché sur des caisses de bières à cause de sa petite taille. En 1968, à la suite d'une mémorable prestation comme chanteur du Falcon Band au cours d'une matinée de Noël au cinéma Carib de Kingston, il attira l'attention de Clement « Coxsone » Dodd, qui lança résolument l'adolescent.

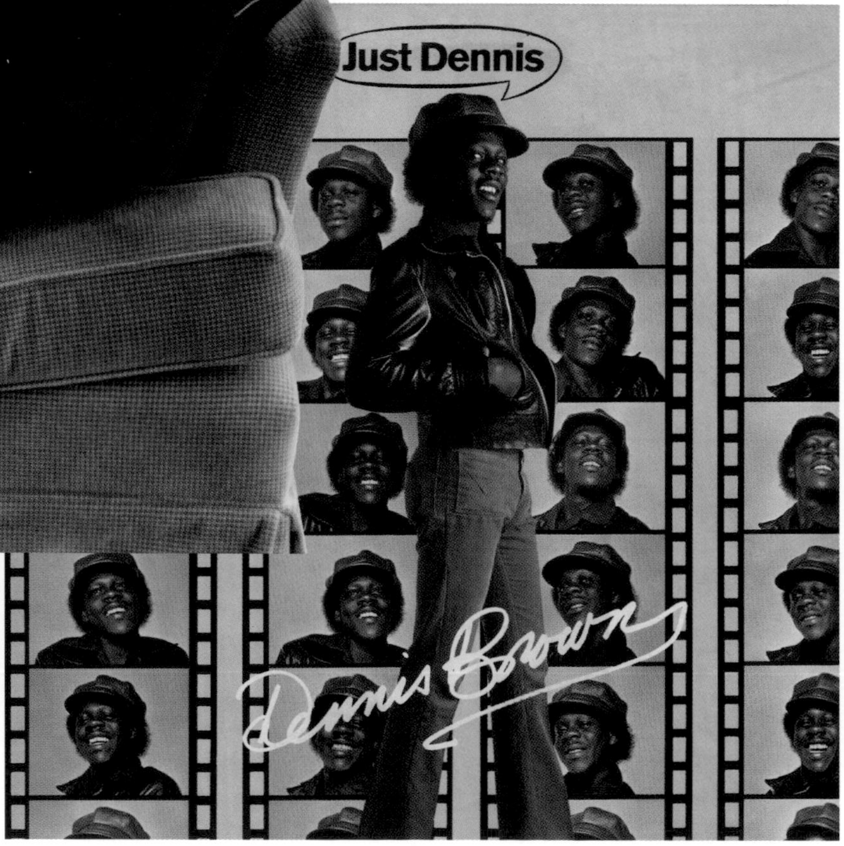

Cette page : à la fin des années soixante-dix, Dennis Brown, le prince héritier du reggae, était une aussi grande star que Bob Marley auprès de la communauté jamaïquaine expatriée. Page ci-contre, en haut : l'œuvre de Third World, groupe de six membres initialement destiné à être une formation scénique, est toujours écoutée dans le monde, notamment les formidables chansons de son deuxième album, *96 Degrees In The Shade*. Page ci-contre, en bas : bien que retombé dans l'oubli aussi rapidement qu'il avait atteint les sommets, le duo de collégiennes Althea and Donna sortit un des meilleurs simples de tous les temps avec son « Uptown Top Ranking » produit par Joe Gibbs.

Dennis Brown passait avec une grande aisance des lamentations romantiques les plus suaves et les plus sentimentales aux graves thèmes culturels rastafari. « Il incarnait l'esprit jubilatoire de l'âge d'or du reggae responsable, une présence débordante de vie dans la chair et dans la cire qui rendait la journée un peu meilleure quand on l'avait ressentie », a dit de lui l'auteur Vivien Goldman.

Bien qu'il écrivît la plupart de ses chansons, Brown était également un grand interprète du répertoire des autres, une de ses reprises les plus fameuses étant sa version du « Black Magic Woman » de Peter Green pour le producteur Phil Pratt. Pour DEB, son propre label, Brown enregistra quantité de morceaux tout en produisant des artistes du calibre de Junior Delgado. Mais c'est pour son travail avec les producteurs Joe Gibbs et Winston « Niney » Holness qu'il reste le plus connu. Pour le premier, Brown enregistra de grands succès culturels tels que « Cup Of Tea » et « Slave Driver », ainsi que trois formidables albums à la fin des années soixante-dix – *Visions, Words Of Wisdom* et *Joseph's Coat Of Many Colours*. Bien que Gibbs eût déjà produit « Money In My Pocket » en 1972, Brown en enregistra pour Niney une seconde version qui devint un hit en 1978. La rythmique brute qui était la spécialité de Niney hissa l'extraordinaire voix de Brown jusqu'à des sommets de créativité. « Wolf And Leopard » fut un autre exemple particulièrement inventif de leur collaboration avant de devenir le titre d'un album de 1977 qui reste une référence de l'époque roots. « Même aujourd'hui le morceau est ovationné dans les bals blues », raconte Linton Kwesi Johnson. « Cette chanson, qui est essentiellement un hymne au peuple noir, est si extrême qu'on a le sentiment qu'elle aurait dû être de Bob Marley, assure Don Letts, le réalisateur jamaïquain. Elle démontre la capacité de Dennis à écrire des chansons porteuses de messages incroyables. Et, malgré cela, il a fini par succomber aux loups. »

Les « loups », ou plutôt la cocaïne, commencèrent à faire des ravages en Jamaïque à partir de la fin des années soixante-dix et furent l'une des causes de la mort de Brown en 1999. L'habileté des trafiquants de ganja jamaïquains était telle qu'ils furent sollicités par les cartels colombiens de la cocaïne. Les ramifications culturelles de cette réalité perdurent encore de nos jours, à la fois en Grande-Bretagne et aux États-Unis, où à partir du milieu des années quatre-vingt les gangs jamaïquains firent de la vente de crack un négoce de rue, et dans l'île elle-même, où le passage aux sonorités plus dures du dancehall a été attribué à la substitution de la ganja par la cocaïne.

Autre fabuleux talent dont la trajectoire vers le sommet fut interrompue pour cause directe de consommation de cocaïne, celui jadis magistral de Gregory Isaacs. Gregory, l'authentique « Cool Ruler », aurait pu être un grand, l'égal ou presque de Bob Marley. Sa douce voix de crooner était la languide arme de séduction de ce roi honoraire du lover's rock, mais son âge d'or personnel prit fin dans la seconde moitié des années soixante-dix. Pour l'historien Steve Barrow, « il fut le chanteur numéro un du monde du reggae entre 1977 et 1979 ».

On aurait dit qu'il ne se passait pas une semaine sans que sorte un simple de Gregory Isaacs – les albums, eux, paraissaient environ chaque mois –, tous de qualité supérieure. L'homme était formidablement prolifique : en 1978, l'album, publié par GG et intitulé *The Best Of Gregory Isaacs*, ne contenait pas comme on pouvait le penser d'anciens hits mais bien de toutes nouvelles chansons enregistrées à Channel One avec les Revolutionaries. Peu de temps après sortit le *The Best Of Gregory Isaacs, volume 2*, fruit de la même séance.

Gregory aurait pu être un vrai prétendant au titre. L'homme dont les visites au magasin de Cecil Gee semblaient suffire à maintenir à flot l'industrie anglaise du vêtement avait le style le plus poignant qu'on puisse imaginer. Talent immense, il était capable d'écrire une chanson délicieusement sensuelle en moins de temps qu'il ne lui en fallait pour retirer son chapeau à larges bords. Même à l'aube de l'an 2000, une nouvelle chanson de Gregory Isaacs était la garantie d'une qualité certaine.

« Gregory Isaacs était un Kingstonien, voyez. Né et élevé dans le ghetto, man. Alors quelque part en cours de route on devait se rencontrer, même si c'était à travers la musique. Gregory Isaacs était un grand croyant et un homme qui voyait des choses. » BIG YOUTH

YAMAHA

Issu du milieu rural désespérément pauvre de Davey Town, dans la région de Manchester à l'intérieur de l'île, Jepther McClymont emprunta son nom d'artiste à l'impitoyable exécuteur de la mafia Lucky Luciano. Il est donc presque surprenant que, vers le milieu des années quatre-vingt-dix, il soit devenu le roi du « conscious » jamaïquain.

« Il semble, propose humblement Luciano en guise d'explication, que de l'ancienne conscience de l'humanité on soit passé à une dimension supérieure. Pour une raison quelconque, certains artistes et moi-même avons commencé à ressentir le besoin d'améliorer la condition humaine subconsciente, ici en Jamaïque. Nous avons réalisé l'impact qu'avait la musique sur les jeunes esprits. »

Installé à Kingston, Luciano y travailla d'abord comme tapissier avant d'être découragé par le chaos régnant dans la ville. Il émigra à Montego Bay, y vendit des oranges puis retourna à Kingston où il enregistra pour Sky High, Castro Brown et Freddie McGregor. Travaillant avec le renommé Phillip « Fatis » Burrell sur son label Xterminator, Luciano s'orienta de plus en plus dans une direction « conscience ». *Where There Is Life*, son deuxième album produit par Fatis, était une œuvre superbe, mature et profonde, débordant de belles chansons du genre de « How Can You » *(« How can you be so ungrateful/After all that God has done for you... »* [Comment peux-tu être aussi ingrat/Après tout ce que Dieu a fait pour toi...]) qui, pour beaucoup d'entre elles, avaient un évident parfum de country-and-western. Ses autres disques produits par Fatis, *One Way Ticket* et *The Messenger*, sont presque de la même tenue. Bien qu'il ne travaille plus avec Fatis, Luciano se produit régulièrement à travers le monde et ses spectacles, parfois théâtraux, restent une expérience exaltante.

Qui êtes-vous, Luciano ?

Je me considère comme un messager sincère du tout-puissant Jah venu enseigner quelque chose à l'humanité. Nous avons tous connu des moments durs dans la vie et, après avoir appris, Je et Je avons réalisé qu'il fallait faire quelque chose. Donc, pour le bien de nos jeunes et pour racheter les vieilles âmes, je dois accomplir des choses afin de répandre l'énergie positive de la vie : en unissant Je et Je, c'est le même feu rastafari qui brûle en Je et Je jusqu'à ce que nous puissions continuer à élever cette flamme de plus en plus haut. Nous ne pouvons pas savoir jusqu'où nous sommes capables de l'élever. Si on le leur permet, Je et Je pourrons porter la flamme si haut que l'humanité tremblera à la vue de Jah Rastafari.

Quand avez-vous compris que vous deviez vous trouver vous-même avant de poursuivre votre enseignement ?

On ne peut pas participer avant de se trouver soi-même. Ce n'est pas comme de partir en quête d'un frère qui a de la bonne herbe. On parle ici d'observer, d'étudier de nouvelles philosophies, de les mettre en œuvre jusqu'à ce qu'on voie quelle est leur efficacité. Jusqu'à ce qu'on voie dans quelle mesure on peut faire progresser sa communauté et son environnement. Comment on peut créer un monde meilleur et faire comprendre aux gens que l'amour est la seule essence grâce à laquelle Je et Je pouvons survivre et vivre.

Parce que, au fil des années, on a essayé et démontré, et qu'on a pu voir que si on fait du mal, le mal nous suit, et que si on fait du bien, le bien nous suit. À partir de là, on commence à fonder sa propre philosophie, à chercher et à chercher plus profond et plus profond encore jusqu'à voir quel bien on peut en tirer, de quelle manière on peut faire parler son âme. C'est donc une recherche constante qui dure toute la vie : Je et Je explorerons toujours l'âme de Je et Je. Parce que s'il n'y a pas de profondeurs et pas de sommets, Je et Je devons établir pour Je et Je des limites à la manipulation et à l'utilisation de la gloire du tout-puissant Jah qui travaille en Je et Je pour toujours et toujours. Jah Rastafari, Sélassié Ier.

Mais, en même temps, vous êtes un exemple.

Tout est question de discipline. Et de principe roi. Cela se ramène à savoir que son frère est une partie de soi et qu'on doit l'aimer comme soi-même et le tout-puissant, de tout son cœur. Et même quand on a défriché une certaine partie de sa conscience, on sait qu'il y a beaucoup de confusion dans le monde. Dans le

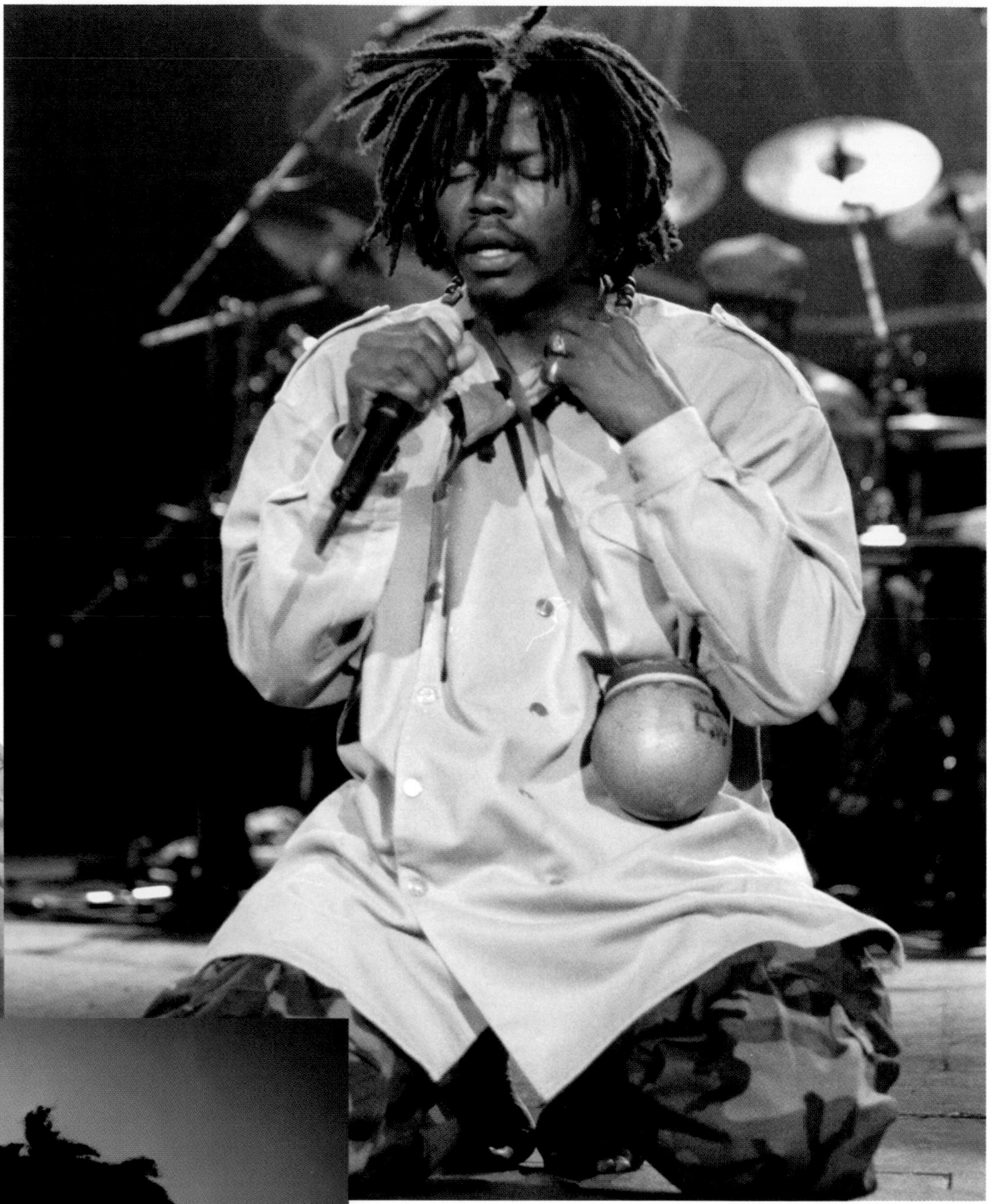

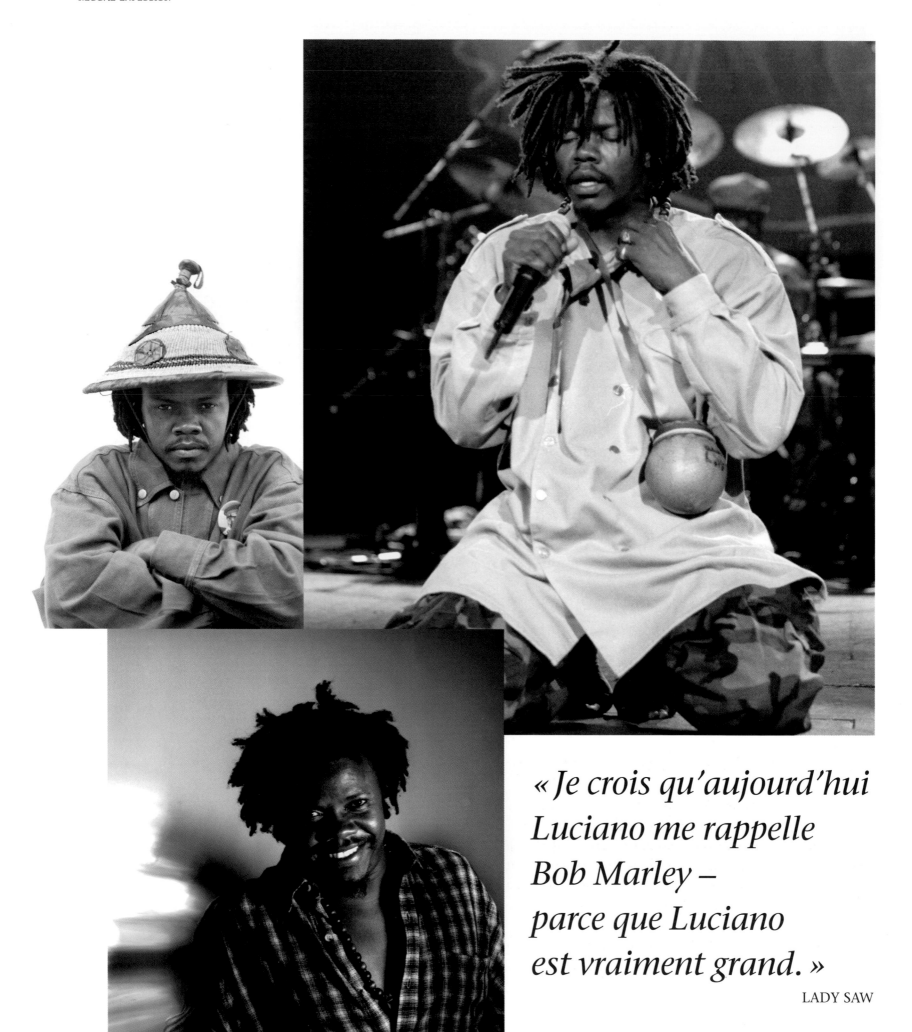

« Je crois qu'aujourd'hui Luciano me rappelle Bob Marley – parce que Luciano est vraiment grand. »

LADY SAW

mouvement rastafari il y a, selon certains, les Twelve Tribes, les Nyabinghi, les Bobashanti, quelques orthodoxes et quelques authentiques chercheurs naturels. Je et Je voyons mon moi comme celui de tous les autres, car tous cheminent sous le parapluie de Rastafari.

Quand nous disons « empereur Hailé Sélassié Ier **»,** nous devenons automatiquement une partie de son royaume. Et nous devrions tous être fiers de nous considérer comme Africains et Noirs ayant été mis sur terre pour être un phénomène spirituel. Nous devons être heureux de nous référer à notre héritage – ce sont nos racines, et si nous renions nos racines nous renions notre âme et nous nous renions nous-mêmes et nous renions notre propre présence et notre existence.

Des gens m'ont dit qu'ils aimaient Luciano parce qu'il admet l'existence de toutes les philosophies.

Au bout du compte, on doit savoir qui est Luciano. Parce que ce n'est pas seulement un chanteur que les gens viennent voir pour danser. Je veux qu'ils m'aiment pour la vie que je mène et la droiture que j'essaie de transmettre par ma musique. Grâce à cela, on peut arriver à améliorer sa vocation et purifier son activité. Et rendre ce monde meilleur, parce qu'on sait qu'il y a de l'hypocrisie partout. Et Je et Je n'aimons pas ça.

N'y a-t-il pas toujours eu une dualité dans la musique jamaïquaine ? Le rude boy d'un côté et la spiritualité de l'autre ?

Je vois qu'il y a eu ségrégation et séparation depuis la création de l'homme. Et ce qui arrive en est le reflet musical. On le voit aussi dans les usines, la façon dont les gens fabriquent des choses et se font concurrence ; même ça, ça en fait partie.
On en revient toujours à l'amour, parce qu'à la fin on réalise que l'amour est le principe, l'amour est le principe roi, l'amour est vertueux, l'amour est tout. Et pour qu'existe cet amour inconditionnel, il faut de la justice. Au bout du compte, pour survivre dans ce système il nous suffit d'exercer les principes de vie. Surtout ceux qui proclament qu'ils veulent mener et diriger le monde. Ils doivent suivre les principes de l'empereur Hailé Sélassié Ier.

Parlez-moi de l'importance de l'herbe en Jamaïque et dans le rastafarisme.

L'herbe est en Je et Je comme le monde vivant l'est dans ma méditation.

Et, d'un point de vue plus séculier, de l'importance de la country music en Jamaïque.

Plus on devient universel dans son esprit et moins on impose de limites à la musique. On réalise que tous ceux qui dansent d'une manière ou d'une autre, la salsa ou le funk ou le nyabinghi, ont droit à une place dans l'existence. Et je prétends que, s'il est autorisé à voir une lumière plus brillante, chacun de nous peut avoir une vocation plus universelle. Et je prétends que c'est la raison pour laquelle nous sommes là, pour propager l'universalité de la musique.

Juste pour faire passer le message, parfois nous disons « Seigneur », parfois nous disons « Dieu » ou « Jésus » ou « Père » – des mots auxquels les gens s'associent déjà, de sorte que nous pouvons atteindre les profondeurs de leur méditation et amener quelque amélioration dans leur esprit et dans leur âme. Voilà de quoi il est question.
Parfois on fait des compromis afin de laisser s'écouler le flux du monde jusqu'à ce que nous atteignions un autre niveau de conscience. Jah est plein d'inspiration et de subtilité. Jah est plein d'unicité, et nous devons savoir que Jah ne se comportera jamais comme se comportent les politiciens.

Vous avez eu beaucoup de succès et avez beaucoup voyagé. Cela a-t-il changé votre vie ?

Je vais te dire la vérité vraie, mon frère : quand on devient célèbre, des tas de choses grandissent. Mais si je devais voir la vie d'un point de vue matérialiste, je dirais que ma vie est détruite. Mais étant un homme de compréhension, je sais que ce qui arrive est une chose empreinte de spiritualité. Je réalise que, même dans ma propre famille, on peut voir que le jugement a touché. Alors, à ce stade, je dois être encore plus fort et encore plus militer pour les philosophies de Je et Je afin de sauvegarder ce temple. Parce que je sais que tous ceux qui veulent bien écouter Je et Je peuvent élever leur propre méditation à un niveau supérieur afin de découvrir leurs propres chansons et leur énergie à accomplir les choses.

Ce qui arrive aux gens, c'est qu'au fil des années ils deviennent trop paresseux à cause des activités révolutionnaires de l'industrie qui transforment les gens en zombis, en morts vivants. Les choses qu'ils devraient apprendre et propager, aujourd'hui ils les combattent.

Ceci est le dernier avertissement : le système va s'effondrer.

Au cours des années quatre-vingt-dix, pourtant, il y eut un **retour au style roots reggae** – à cette différence près qu'on l'appelait désormais « **conscious** » music, à l'opposé tout à fait des chansons déchaînées de dancehall numérique qui prédominaient alors. **Le grand prêtre de ce nouveau genre fut Garnett Silk** dont on pouvait entendre, mise en valeur par le producteur de dancehall Bobby Digital, l'orthodoxe voix de ténor soul sur des albums comme *It's Growing*. Originaire de la « campagne », Silk écrivait surtout des chansons parlant **de l'éblouissement sacré des zones rurales de la Jamaïque.**

Silk, Sizzla, Buju. Artiste responsable de l'introduction du « conscious » dans le dancehall, la place de Garnett Silk (page ci-contre) au panthéon de la musique jamaïquaine est assurée. Sizzla (à gauche), qui veut aller en Angleterre « pour parler à Elizabeth du rapatriement », est devenu, grâce à quelques excellents morceaux comme « Black Woman And Child » et de fascinantes prestations scéniques, le deejay star du bobbadread. Grâce à son mémorable album *Til Shiloh*, Buju Banton (à droite) est devenu un modèle du conscious.

Gregory Isaacs possédait toutes les qualités nécessaires pour devenir une énorme star internationale. Mais son goût pour la vie de mauvais garçon devait en décider autrement, et même à l'époque où il enregistra son presque cross-over (phénomène par lequel un artiste transcende un genre spécifique pour toucher le grand public) « Night Nurse », en 1982, sa carrière était déjà sur le déclin.

Après la mort de Bob Marley en 1981, reggae et rastafarisme donnèrent l'impression de pouvoir être dissociés : les styles dancehall prédominaient et il y avait dans les chansons moins de références précises à Jah. Pourtant, même dans les morceaux les plus salaces, il existait souvent un courant sous-jacent de religiosité rasta qu'on en était arrivé à considérer comme allant de soi. D'un autre côté, il y avait des artistes comme Cocoa Tea, un dévot rasta à dreadlocks qui enregistra un grand nombre de disques nourris de sa foi. Chanteur à la voix douce associé à la première explosion de disques crus de dancehall au début des années quatre-vingt, Cocoa Tea était issu du même circuit de sound systems que la nouvelle race de deejays et était un adepte des improvisations au micro semblables aux leurs. Travaillant avec Jammy, Gussie Clarke et Junjo Lawes entre autres, il se fit une place à part qu'il conservait encore à la fin du siècle.

De la même façon, Johnny Osbourne s'était fait au début de la décennie une réputation d'artiste majeur avec son album *Truths And Rights* pour Studio One. C'est un disque magistral et sous-estimé qui reste un classique. Cet artiste qui fut à l'époque un des chanteurs les plus populaires de Jamaïque obtint en 1983 un énorme succès avec « Water Pumping », et les hits se succédèrent tout au long de la décennie.

Après la mort accidentelle de Garnett Silk dans un incendie en 1994, Luciano, un confectionneur de hits nanti d'une réserve substantielle de chansons d'une grande spiritualité, reprit le flambeau. Une partie de la musique « conscious » la plus exemplaire était l'œuvre d'artistes de dancehall plus âgés qui avaient expérimenté des conversions de style biblique : Capleton, par exemple, un tapageur deejay de dancehall, changea de style pour s'affilier au même groupe de bobbadread que Sizzla. Après s'être laissé pousser des dreadlocks, Banton sortit le meilleur album de reggae des années quatre-vingt-dix, *Til Shiloh*, œuvre de mature spiritualité.

« De la même façon que la musique a changé, il y aura une rupture dans l'actuel ordre mondial, prédisait Luciano à l'aube du nouveau millénaire. Même ceux qui dirigent le monde savent que le système actuel s'effondre. Un système, quel qu'il soit, qui n'est pas fondé sur l'égalité et la justice ne peut pas durer, tout simplement. »

C'est là une opinion avec laquelle Bob Marley, pionnier de la reconnaissance internationale de ce mode de pensée jamaïquain, aurait été catégoriquement d'accord.

L'HÉRITAGE

Le bébé naquit aux alentours de deux heures trente, le matin du mercredi 6 février 1945. Il pesait trois kilos et demi et on lui donna le nom de Nesta Robert Marley – Robert à la demande de Norval, son père de race blanche. À l'âge de cinq ans, le père de Bob l'arracha à son lieu de naissance de Nine Miles, sur la commune de St Ann's. Ils s'installèrent à Kingston, où le père abandonna pratiquement son fils, le confiant à une femme qui vivait dans le centre. Un an plus tard, Cedella, sa mère, découvrit où était Nesta et le ramena avec elle. Avant son séjour dans la capitale, Nesta avait démontré qu'il possédait un don pour lire les lignes de la main.

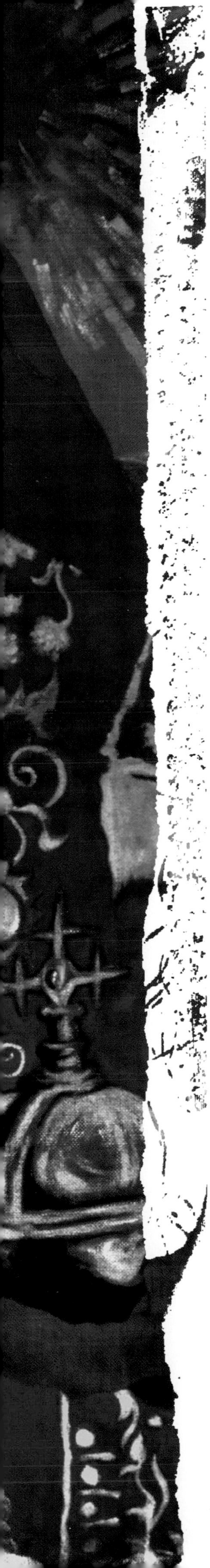

Mais, après son retour à Nine Miles, lorsqu'une femme lui demanda de déchiffrer sa paume, il secoua la tête et dit : « Non, je ne lis plus dans les mains. Maintenant, je chante. » « Il avait ces deux petits bâtons, se rappelle Cedella. Il s'est mis à les frapper avec ses poings pour créer un rythme tandis qu'il

MARLEY

chantait cette vieille chanson jamaïquaine : *" Hey Mr, won't you touch me potato/Touch me yam, punking tomato/All you do is King Love, King Love/Ain't you tired of squeeze up, squeeze up/ Hey Mr, won't you touch me potato/Touch me yam, punking tomato. "* Et la femme a été si contente qu'elle lui a donné deux ou trois pennies. C'était la première fois qu'il parlait de musique. » Peu après, Cedella alla vivre à son tour à Kingston et revint voir son fils pendant les week-ends.

Quand Nesta eut douze ans, Cedella décida que le temps était venu pour lui de la rejoindre à Kingston. Elle s'installa au 19 Second Street, à Trench Town, où l'enfant s'imprégna des ambiances, et plus, d'un quartier qualifié de ghetto. L'un de ses amis les plus proches était un garçon nommé Bunny Livingston, avec le père de qui Cedella avait eu une aventure.

C'est dans le yard d'un musicien estimé nommé Joe Higgs que Nesta goûta pour la première fois à une chose qui apaisa suffisamment son esprit pour lui faire comprendre le processus non conventionnel du jazz, genre musical prisé par Higgs. « Au bout d'un moment j'ai fumé un peu de ganja, de l'herbe, et j'ai compris. J'ai essayé de me mettre dans l'état d'esprit dans lequel la lune est bleue et de comprendre le sentiment exprimé. Joe Higgs m'a aidé à comprendre cette musique. Il m'a appris beaucoup de choses. »

Comptant parmi les nombreux pères de substitution qui jalonnèrent la vie de Nesta, Joe Higgs enseigna assidûment l'art de l'harmonie au garçon de quinze ans et à son copain Bunny, conseillant à Bob de chanter sans cesse et d'affermir sa voix. Au cours d'une de ces séances, Bob et Bunny rencontrèrent Peter McIntosh, autre jeune désireux de « tenter le coup » comme chanteur et qui vivait sur la West Road voisine.

Poussés par Joe Higgs, ils formèrent un groupe : les Teenagers se composaient des trois adolescents, d'un solide chanteur local nommé Junior Braithwaite et de deux filles qui faisaient les chœurs, Beverley Kelso et Cherry Smith. Les Teenagers devinrent ensuite les Wailing Rudeboys, puis les Wailing Wailers.

Un « frère » de Higgs, Alvin « Franseeco » Patterson (plus tard connu sous le nom de Seeco), enseigna aux musiciens en herbe la philosophie du rythme. Seeco faisait partie de ce groupe de musiciens professionnels qui vivaient désormais à Trench Town, et le style de tambour buru qu'il pratiquait était un rythme africain de libération adopté par le genre rastafari nyabinghi, à base d'incantations et de percussions. C'est ce mélange de dévotion et de ferveur rebelle qui forma la base de la compréhension du rythme par les Wailers.

Ci-dessus : Bob, Rita et leurs enfants. À partir de la gauche, la belle-fille de Bob, Sharon, Ziggy et Cedella ; assis dans la poussette, Steven. Page de droite : Rita et Ziggy.

Après avoir rencontré Derrick Morgan, Nesta, qui se faisait désormais appeler Bob, se lia avec le producteur Leslie Kong et sortit son premier disque. « Judge Not » fut enregistré en août 1962 à Federal Studio, le mois où la Jamaïque devenait indépendante, et sur ce premier enregistrement la stridente voix adolescente de Bob Marley avait pour arrière-plan le joyeux galop du ska. Mais l'ambiance festive de « Judge Not » ne parvenait pas à masquer son évidente tonalité biblique. Blâmant ceux qui portent un jugement sur lui et ses pairs, Bob Marley prévient : *« While you talk about me/Someone else is judging you »* [Pendant que vous parlez de moi/Quelqu'un d'autre vous juge]. Sortie sous le nom de « Robert Marley », la chanson ne se vendit pratiquement pas et ne passa pas à la radio.

Kong publia deux autres morceaux de ska de Bob Marley, « Terror » et « One Cup Of Coffee », sans grand résultat. Les rares auditeurs crurent que c'était l'œuvre d'un certain « Bobby Martell », Kong ayant affublé Bob de ce surnom kitsch tout comme il avait transformé James Chambers en Jimmy Cliff.

En dépit de ce manque de succès, Bob Marley, alors âgé de seize ans, avait décidé de tenter sérieusement sa chance en compagnie de ses partenaires de Trench Town. Seeco connaissait Clement « Coxsone » Dodd, le patron de sound system qui venait de créer sa propre maison de disques, et savait qu'il organisait chaque dimanche des auditions à Studio One, son nouveau studio une piste de Brentford Road, au nord de Trench Town. Un peu avant Noël 1963, pressé par Joe Higgs, Seeco y emmena Bob et le reste du groupe, y compris Beverley Kelso et Cherry Smith.

Quand il les entendit chanter sous le manguier planté dans le yard poussiéreux de son studio, là où se déroulaient ces auditions hebdomadaires, Coxsone aima leur couleur sonore et plusieurs des chansons qu'ils avaient composées. Il leur fit sa proposition habituelle : un contrat d'exclusivité de cinq ans pour les droits d'enregistrement et le management, plus une garantie de 20 livres par face. La première séance eut lieu quelques jours plus tard. Les titres sélectionnés pour l'enregistrement étaient « I'm Still Waiting » et « It Hurts To Be Alone ».

him with the
psaltery
st

« I'm Still Waiting » est un belle chanson écrite par Bob Marley, même si le préambule de l'harmonie vocale doit beaucoup aux Impressions. Quand Bob entame son solo vocal d'une époustouflante douceur, c'est comme du sang s'écoulant d'un cœur brisé.

Suspendue dans un vide où la douleur fait écho, sa voix semble avoir été enregistrée à une vitesse différente, plus lente, du reste du morceau. « It Hurts To Be Alone » était un titre de Junior Braithwaite sur lequel celui-ci chantait solo. En tant qu'arrangeur maison pour Coxsone, Ernest Ranglin supervisa la production des deux faces. Dès que Coxsone entendit le résultat, il demanda au groupe de revenir en studio. S'il devait continuer à travailler avec eux, leur dit-il, il voulait un chanteur solo clairement désigné.

Il fut décidé que la tâche incomberait à Bob, et on promit à Bunny et à Peter qu'ils auraient eux aussi leur part de chant.

« Au début, les Drifters furent ma plus grande influence – « Magic Moment », « Please Stay », ces choses-là. Alors je me suis dit que je pourrais monter un groupe. »

BOB MARLEY

À droite : les Wailers avec leurs vestes en lamé or à la Beatles – de gauche à droite, Bob, Bunny Livingston et Peter Tosh avec Beverley Kelso. À gauche : Bob retournait à Nine Miles environ six ou sept fois par an ; c'est là qu'il allait reposer à jamais (ci-dessus).

BOB MARLEY & THE WAILERS
RASTAMAN VIBRATION

« Simmer Down », une chanson apportée par Bob à la séance, conforta Coxsone dans sa décision d'imposer un lead singer aux Wailers. Ce morceau avait un double propos : avertir les rude boys, dont le mouvement était en train d'émerger, de ne pas s'attirer les foudres de la loi, et répondre à une lettre de sa mère qui vivait aux États-Unis et craignait que son fils n'ait de trop mauvaises fréquentations.

La crème des musiciens de ska de Coxsone fut convoquée pour la séance. Une fois encore, Ernest Ranglin arrangea la chanson tandis que Don Drummond, maître jamaïquain du trombone, ajoutait ses très inventives parties de jazz.

Quant à Bob, il reçut lui-même quelques bons enseignements car nombre de musiciens jouant à Studio One étaient

de pieux et convaincus Rastafari. Des années durant, Bob avait eu sa bible à portée de main. On lui en proposait désormais de nouvelles interprétations, à faire tomber sa mâchoire d'incrédulité.

Pendant le reste de l'année 1964, les Wailers quittèrent rarement les charts jamaïquaines tant ils enregistrèrent au 13 Brentford Road : « Lonesome Feeling », « Mr Talkative », « I Don't Need Your Love », « Donna », « Wings Of A Dove ». « Mr Dodd » devint un autre père de remplacement pour Bob et, à un degré moindre, pour Bunny et Peter. Quand il apprit que le jeune homme n'avait pas de domicile, Coxsone passa un accord avec lui. Il présenterait de nouveaux artistes à Bob pour que celui-ci leur trouve des chansons. Bob pourrait prendre sa guitare et répéter les morceaux avec eux – avec Delroy Wilson ou Hortense Ellis, par exemple. En échange, Coxsone laisserait Marley vivre au studio et dormir dans une pièce qu'on utilisait pour les auditions ou les répétitions. Mais Bob ne pouvait s'endormir que lorsque les séances étaient terminées, souvent tard dans la nuit.

En 1967, Bob annonça aux autres Wailers qu'il avait l'intention de monter sa propre affaire, un magasin de disques, le Wail'N'Soul'M – en hommage aux Wailers et aux Soulettes, groupe dans lequel chantait Rita, sa nouvelle épouse. Pour ce faire, Bob installa un comptoir vitre dans ce qui, la nuit, redevenait leur petite maison. Un premier simple sortit, « Bend Down Low », enregistré à Studio One mais produit par Bob et publié sur son propre label. « Mellow Mood », la face B, était une des meilleures chansons que Marley ait jamais écrites.

Mortimer Planner, le dread qui avait aidé Hailé Sélassié à descendre de son avion à l'aéroport de Kingston, était devenu pour Bob une sorte de mélange de mentor et de manager. Planner avait rencontré Danny Sims, un Américain qui résidait en Jamaïque et organisait des concerts dans toutes les Caraïbes. Celui-ci était également le manager de Johnny Nash, un beau gosse natif du Texas doté d'une voix à la fois douce et puissante qui s'était lui aussi installé à Kingston et fut probablement le premier artiste de renommée internationale à intégrer des rythmes jamaïquains dans ses chansons.

Quand Sims contacta Bob, le musicien envoya Planner négocier. Après que les deux hommes eurent « échangé quelques paroles un peu vives », l'Américain finit par appeler le dread « chef » et un arrangement fut trouvé. Impressionné par les talents d'auteur-compositeur de Bob, Sims s'engagea à le faire connaître à la fois comme auteur de chansons et comme artiste à part entière.

Peter Tosh naquit en 1944 à Grange Hill, Westmoreland. Enfant, il déménagea plusieurs fois, de Savanna-la-Mar à Denham puis à Trench Town. À l'époque où il rencontra Bob Marley et Bunny Livingston, Tosh était devenu un guitariste capable, propriétaire d'un modèle acoustique bon marché, et c'est sa maîtrise de l'instrument qui incita Bob à se mettre sérieusement à la guitare. En 1966, pendant que Bob Marley était aux États-Unis, Tosh enregistra « I'm The Toughest » et « Rasta Shook Them Up » ; pour Scratch Perry, il enregistra « Second Hand » et « Downpresser ». Et, avant même que les Wailers se séparent, Tosh avait déjà fondé son label Intel Diplo H.I.M. (Intelligent Diplomat for His Imperial Majesty), pour lequel il enregistra des classiques tels que « Stepping Razor » et « Legalise It », plaidoyer pour plus de tolérance envers cette herbe qui lui avait valu plusieurs arrestations et quelques sérieux passages à tabac. Ses derniers enregistrements pour le label Rolling Stones furent curieusement inégaux – même si sa reprise du « Don't Look Back » des Temptations fut un succès. Le talent de Tosh était à peine moins grand que son amertume dévastatrice, et on pouvait penser qu'il incarnait la part d'ombre de Bob Marley – fantasque mais excessivement doué, sa douleur était l'égale de celle de Bob. Mais ils étaient tous les deux unis par une rébellion spontanée contre ce que Tosh appelait le « shit-stem » [jeu de mots avec shit, qui signifie merde, et system, NdT]. Peter Tosh était un familier de la tragédie, il avait notamment eu une enfance difficile. L'accident de voiture de 1973, qui coûta la vie à sa petite amie et lui valut plusieurs graves fractures du crâne, ne fit qu'aggraver sa légendaire irritabilité. Le 11 septembre 1987, Peter Tosh fut tué par balles dans sa maison de Kingston au cours d'un cambriolage.

« Avec Peter, ça a toujours été difficile. Je trouvais Bunny plus facile que lui, parce que avec Bunny c'était toujours non : il ne voulait pas partir en tournée à l'étranger, il ne voulait rien avoir à faire avec Babylone. Avec Peter, c'était oui et puis non, oui et puis non. »

CHRIS BLACKWELL

L'accord de Marley avec Danny Sims stipulait que Bob recevrait des royalties adéquates pour ses compositions et un contrat d'édition avec la compagnie de Sims, Cayman Music; les Wailers toucheraient chacun une avance de 50 dollars américains par semaine.

De plus, les Wailers s'accointèrent peu après avec Lee « Scratch » Perry, et les disques qui résultèrent de cette association furent ce que les deux parties avaient jamais fait de mieux. Scratch persuada les Wailers de laisser tomber leurs harmonies doo-wop et de se laisser guider par le feeling inné des sonorités qu'ils entendaient dans leur tête, pour trouver, littéralement, leurs propres voix. La première chanson que les Wailers, Scratch et ses musiciens de studio, les Upsetters, enregistrèrent ensemble à Randy's Studio fut « My Cup », rapidement suivie par « Duppy Conqueror », dans laquelle les Wailers proclamaient que si quelque force du mal venait les défier, ils sauraient l'écraser grâce au pouvoir et à la force de leur spiritualité. De nombreux simples virent le jour lors de ces séances inspirées, et les chansons furent réunies par Scratch sur deux albums, *Soul Rebels* et *Soul Revolution*.

Avec l'aide d'Alan « Skill » Cole, le meilleur footballeur jamaïquain et ami proche de Bob, le groupe fonda au cours de l'été 1971 son propre label, Tuff Gong. Le premier morceau publié s'intitulait « Trench Town Rock », une chanson sur la souffrance et la vie à Trench Town où, en dépit de l'environnement défavorisé dans lequel ils évoluaient, Bob, Rita et les Wailers se réunissaient la nuit pour faire de la musique, *« and when it hit you feel no pain »* [et la douleur s'effaçait].

« On était catalogués comme " gens du ghetto ", mais on savait que notre heure viendrait parce qu'on semait la bonne graine », dit Rita. Et l'heure du groupe vint presque immédiatement après la sortie de « Trench Town Rock », puisque celui-ci resta numéro un pendant une grande partie de l'été. Sur leur propre label, les Wailers étaient finalement au sommet des charts : leurs efforts étaient récompensés et ils allaient toucher un bon paquet d'argent.

Et puis Danny Sims demanda à Bob s'il voulait bien prendre l'avion pour Stockholm où Johnny Nash jouait dans un film intitulé *Love Is No Game*. Bob pourrait-il écrire quelques chansons pour la bande sonore ? Bob se rendit effectivement en Scandinavie, mais l'expérience se révéla désastreuse : lors de son étape à Londres, le projet d'une tournée en première partie de Johnny Nash tomba à l'eau, même si Bob joua de la guitare dans un groupe qui accompagna Nash lors de quelques concerts dans des écoles secondaires anglaises. Dans le même temps, CBS manqua singulièrement à sa parole en ne faisant pas la promotion pour « Reggae On Broadway », un simple de Bob Marley en solo.

Bob prit une décision. Il n'y avait, pour autant qu'il le sache, qu'une porte de sortie. Il demanda à Brent Clarke, un attaché de presse d'origine jamaïquaine qui travaillait pour Sims, d'arranger un rendez-vous avec Chris Blackwell, le fondateur de la maison de disques indépendante la plus réputée de Grande-Bretagne, Island Records.

Bunny Livingston fut rebaptisé Bunny Wailer après la séparation du groupe originel. Dès la sortie de son album *Blackheart Man*, en 1976, il fut évident qu'en tant qu'artiste solo Bunny avait un très grand talent.

Quand il était adolescent en Jamaïque, Chris Blackwell s'était trouvé à bord d'un navire qui s'échoua dans des eaux peu profondes ; après avoir longtemps nagé vers le rivage, il s'évanouit d'épuisement sur une plage où il fut recueilli et emmené dans un camp rastafari. Les habitants soignèrent ses blessures et le nourrirent à la fois de nourriture « ital » et de rhétorique rastafari. Le Jamaïquain blanc ne devait plus jamais être le même.

En 1958, à l'âge de vingt et un ans, Blackwell fonda une petite maison de disques à Kingston. Produisant ses disques lui-même, il donna au label le nom d'Island Records. Blackwell entra pour la première fois dans les charts jamaïquaines en 1959 avec Laurel Aitken et son morceau « Boogie In My Bones », disque qui fit de ce natif de Cuba influencé par le bluesman de Memphis Roscoe Gordon la plus grande star de Jamaïque. Avec les bénéfices, Chris Blackwell ouvrit une boutique dans un petit bureau de South Odeon Avenue, au cœur du faubourg commerçant et animé de Half Way Tree.

En 1961, les extérieurs du premier James Bond, *Dr No*, furent filmés en Jamaïque. S'appuyant sur sa grande connaissance du pays, le producteur Harry Saltzman fit de Blackwell son assistant de production. Quand le film, qui allait devenir un succès colossal, fut terminé, Saltzman offrit à Blackwell un poste permanent. Partagé entre les deux options divergentes qui s'offraient à lui, Chris Blackwell alla demander conseil à une voyante locale, une Libanaise. Pour elle, l'avenir du jeune homme était clair : il devait persévérer dans le monde de la musique. L'année suivante, Blackwell transférait sa société à Londres.

En chemin, il fit étape à New York où il déjeuna avec Ahmet Ertegun, le propriétaire d'Atlantic Records, car la façon dont Atlantic faisait éclore les talents noirs avait influencé sa propre approche de l'industrie du disque. « Je pense que Chris est peut-être un peu plus aventureux que moi, un peu plus avant-garde », fut la conclusion à laquelle devait arriver Ertegun.

Ayant signé des licences avec les principaux producteurs jamaïquains afin de distribuer leurs produits en Grande-Bretagne, Chris Blackwell rechercha la clientèle de la communauté d'immigrants des Antilles occidentales installée en Grande-Bretagne ; l'un des premiers disques qu'il sortit fut un morceau de chez Leslie Kong, « Judge Not » de Robert Marley – le nom de famille était orthographié « Morley » sur le disque britannique.

Deux ans plus tard, Millie Small, une chanteuse jamaïquaine dont il s'occupait, obtint un énorme succès mondial avec « My Boy Lollipop ». Après cela, Chris Blackwell s'immergea dans le monde de la pop et du rock, manageant le Spencer Davis Group, dont le chanteur était Steve Winwood, et lançant Island comme un label de rock en s'appuyant sur le Traffic du même Winwood. À la fin des années soixante, Island était devenu le label le plus recherché par les groupes de rock underground.

Chris Blackwell était bien plus en phase avec l'esprit et les idéaux de Rastafari que l'immense majorité des Jamaïquains blancs. Page ci-contre, en bas à gauche : avec Jacob Miller et Inner Circle.

Après avoir accepté de manager le chanteur jamaïquain à succès Jimmy Cliff, Blackwell prit note avec plaisir des opportunités de marketing qu'offrait son image de rebelle sexy dans le film *The Harder They Come*. Mais c'est le moment que choisit Jimmy Cliff pour quitter Island, précisément parce qu'il trouvait que le label s'orientait trop vers le rock. Et c'est également à ce moment-là que Bob Marley entra pour la seconde fois dans la vie de Blackwell.

Bien qu'ayant publié le premier simple de Marley, Blackwell n'avait pas suivi de près la carrière du chanteur. Tout ce qu'il savait, c'est qu'on l'avait averti que les Wailers, c'était des « ennuis ». « Mais, d'après mon expérience, quand des gens sont dépeints de cette manière, cela veut généralement dire qu'ils savent ce qu'ils veulent. »

Le patron d'Island signa un accord avec Bob Marley et le groupe. Il leur allouerait 4 000 livres pour qu'ils retournent en Jamaïque et enregistrent un album. Il accepta aussi de céder à Tuff Gong les droits des œuvres des Wailers dans les Caraïbes, ce qui allait assurer à ces derniers de fort utiles rentrées d'argent frais au cours des années suivantes. (Il fallut également trouver un arrangement avec Danny Sims et, pour 4 000 livres de plus, Blackwell racheta le contrat de Bob avec CBS.) « Tout le monde m'a dit que j'étais fou, que je ne reverrais jamais l'argent. » Blackwell ignora ces défaitistes. Et il donna son avis sur la façon dont, estimait-il, la carrière des trois chanteurs devait se poursuivre. Le concept du trio vocal avec groupe d'accompagnateurs était démodé, leur dit-il. Ils feraient mieux d'engager leurs musiciens préférés et de se fondre en un groupe de scène compact, capable de tourner et d'offrir plusieurs niveaux d'identité en plus de celui entourant Bob Marley.

De retour en Jamaïque, le groupe se rendit aussitôt au studio de Harry J à Kingston. À la fin de l'année, après quelques séances supplémentaires chez Dynamic et Randy's, l'album qui allait s'intituler *Catch A Fire* était terminé. Chris Blackwell s'attela au marketing du disque.

Il fut décidé que *Catch A Fire* serait le premier album de reggae à être commercialisé comme celui d'un groupe de rock. Suivant l'idée de Blackwell, des guitares rock et des claviers furent ajoutés au disque dans le studio Island de Basing Street, à Notting Hill, Londres. On travailla ensuite sur la pochette, une réplique en carton surdimensionnée d'un briquet Zippo. Elle s'ouvrait et on sortait le disque par le haut – en réalité, les disques restaient souvent coincés dans la pochette, mais on obtenait quand même l'effet recherché.

« Ce en quoi croyait Bob Marley ainsi que son mode de vie avaient un extraordinaire attrait pour la presse, dit Chris Blackwell. La presse avait couvert la fabuleuse époque de l'émergence du rock'n'roll, et les choses commençaient à se calmer. »

« Et voilà qu'arrivait cette superstar du tiers-monde, un individu au look saisissant dressé contre le système. C'était la première fois qu'on voyait quelqu'un avec cette allure-là, Jimi Hendrix mis à part. Et puis Bob avait ce pouvoir en lui, et des paroles incroyables. »

CHRIS BLACKWELL

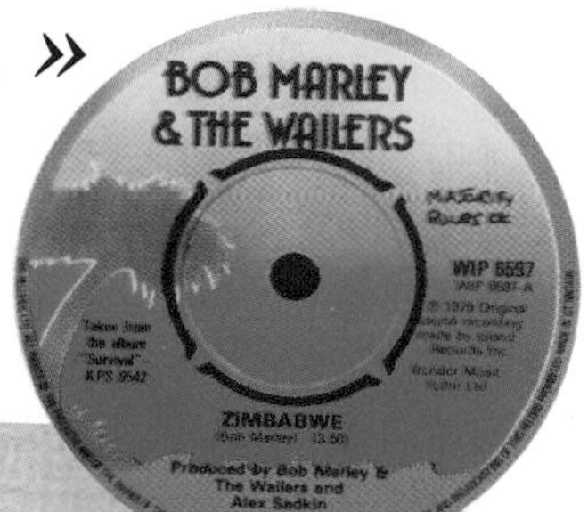

Quand *Catch A Fire* sortit en Grande-Bretagne, on en parla dans les médias les plus branchés. Au printemps suivant, les Wailers furent programmés au Speakeasy, club depuis longtemps à la mode et quelque peu élitiste majoritairement fréquenté par les musiciens et les gens de l'industrie musicale. *Catch A Fire* avait eu un tel retentissement que cette série de concerts londoniens se donna à guichets fermés.

Le groupe obtint un succès critique immédiat, même si le succès commercial, lui, était encore loin. De retour à la Jamaïque, les Wailers enregistrèrent rapidement *Burnin'*, leur deuxième album pour Island. Pour *Catch A Fire*, Bob s'était rendu à Londres pour superviser les ajouts de certaines parties de guitare qui donnaient à l'album une touche plus « rock ». Cette fois, tous les Wailers se rendirent au studio Island de Basing Street, à Notting Hill. Quand Chris Blackwell leur montra les deux studios, ils choisirent le plus petit, dans la cave du bâtiment, parce qu'il rappelait à Family Man Barrett le studio Treasure Isle de Kingston.

« On a dit : " C'est celui-là : il pulse. " On pouvait vraiment sentir qu'on était au fond. » À la mi-novembre, les Wailers retournèrent en Angleterre pour leur seconde tournée de l'année. Il faisait terriblement froid et les premiers concerts du groupe devaient être une série d'apparitions dans des universités au cœur des cités industrielles les plus sinistres du nord de l'Angleterre. Mais les Wailers ne devaient honorer que quatre des vingt-six engagements qu'ils avaient signés.

Après une performance quasi lugubre au Leeds Polytechnic, le groupe reprit la route pour Londres, à plus de trois cents kilomètres de là. Le spectacle suivant devait avoir lieu à Northampton, le 30 novembre. Lorsque les Wailers arrivèrent devant la salle, une neige épaisse tombait. Bunny et Peter, qui se disputèrent violemment avec Bob, interprétèrent cela comme un signe indéniable que la tournée était maudite, opinion que Bunny exprima dans cet anglais façon BBC exagérément précis qu'il utilisait seulement dans les situations très importantes. En abandonnant la tournée et en embarquant dans le premier avion pour la Jamaïque, ils transformèrent leur impression en prophétie autoréalisée. Et, bientôt, deux des membres fondateurs eurent officiellement quitté le groupe. Désormais, c'était vraiment Bob Marley and the Wailers.

À la fin de 1974, Bob séjourna quelque temps dans la maison de Lee Perry à Cardiff Crescent, dans le quartier de Kingston nommé Washington Gardens. « On parlait et on parlait, et Bob a dit : " Mec, je sais pas quoi faire ", raconte Pauline, la femme de Perry, qui, enfant, voyait Bob chanter sous un arbre de Trench Town quand elle partait pour l'école. Je lui ai dit qu'en Amérique les artistes travaillaient tous avec un groupe de gens très identifiables. Et que s'il avait trois filles avec lui, il serait représentatif de la façon dont les gens se produisent sur scène à l'étranger. Bob a ri et demandé : " Quelles trois filles ? " J'ai répondu : " Il y a Marcia Griffiths, il y a Judy Mowatt et il y a Rita, ta femme. " Il a dit : " Ces filles-là, hein ? " Et moi : " Bien sûr, parce que ce sont les trois filles qui à mon avis pourraient accompagner quelqu'un comme toi. " Il a dit : " OK, je vais voir si ça marche. " »

L'album suivant, *Natty Dread* (à l'origine *Knotty Dread*), obtint un grand succès critique. Publié pour la première fois sous le nom de Bob Marley and the Wailers, le disque se vendit infiniment mieux que les deux albums précédents des Wailers pour Island. Pour parachever sa promotion, une tournée américaine fut organisée, suivie par une brève incursion sur le marché britannique (deux concerts à Londres, un à Birmingham et un à Manchester) ainsi que – pour la première fois – quelques apparitions sur le continent.

« L'abum *Natty Dread*, déclara Bob, est un pas de plus en avant pour le reggae. Meilleure musique, meilleures paroles, j'ai un meilleur feeling. *Catch A Fire* et *Burnin'* avaient un bon feeling, mais *Natty Dread* leur est supérieur. »

Les deux shows au Lyceum de Londres furent enregistrés en vue d'un album live. Une version à donner la chair de poule du morceau « No Woman No Cry », qui figurait sur *Natty Dread*, fut publiée sous forme de simple. Elle entra dans le Top Ten, premier simple de Bob Marley à « faire » les charts. L'album live fut également classé.

En mai de l'année suivante, ces premiers signes de succès furent suivis par un nouvel album, *Rastaman Vibration*, une œuvre éminemment satisfaisante qui se concluait par « War », dont les paroles étaient extraites d'un discours qu'avait prononcé Hailé Sélassié aux Nations unies. Ce disque fut le premier album de Bob Marley à remporter un succès international et, surtout, se classa dans le Top Ten américain. Sa sortie fut accompagnée par une tournée européenne et américaine qui ne fit que consolider le statut du chanteur.

Mais les Jamaïquains ne sont pas gens à se prosterner devant les statuts, ainsi qu'on put le constater à la fin de l'année quand Bob accepta de se produire au concert « Smile Jamaica », programmé le 5 décembre 1976 au National Heroes Park de Kingston.

Au départ, Chris Blackwell avait été contre ce concert initialement prévu sur le terrain de Jamaica House : ce que Bob lui avait rapporté laissait supposer que l'événement allait être présenté comme une manifestation du PNP.

Bob Marley retourna voir Michael Manley et on l'assura que c'était là la dernière chose que désirait le Premier ministre : Bob était invité par le gouvernement jamaïquain et se produirait donc pour la nation tout entière. L'affiche de « Smile Jamaica » devait d'ailleurs porter la mention « Concert présenté par Bob Marley en association avec le ministère de la Culture du gouvernement de la Jamaïque ».

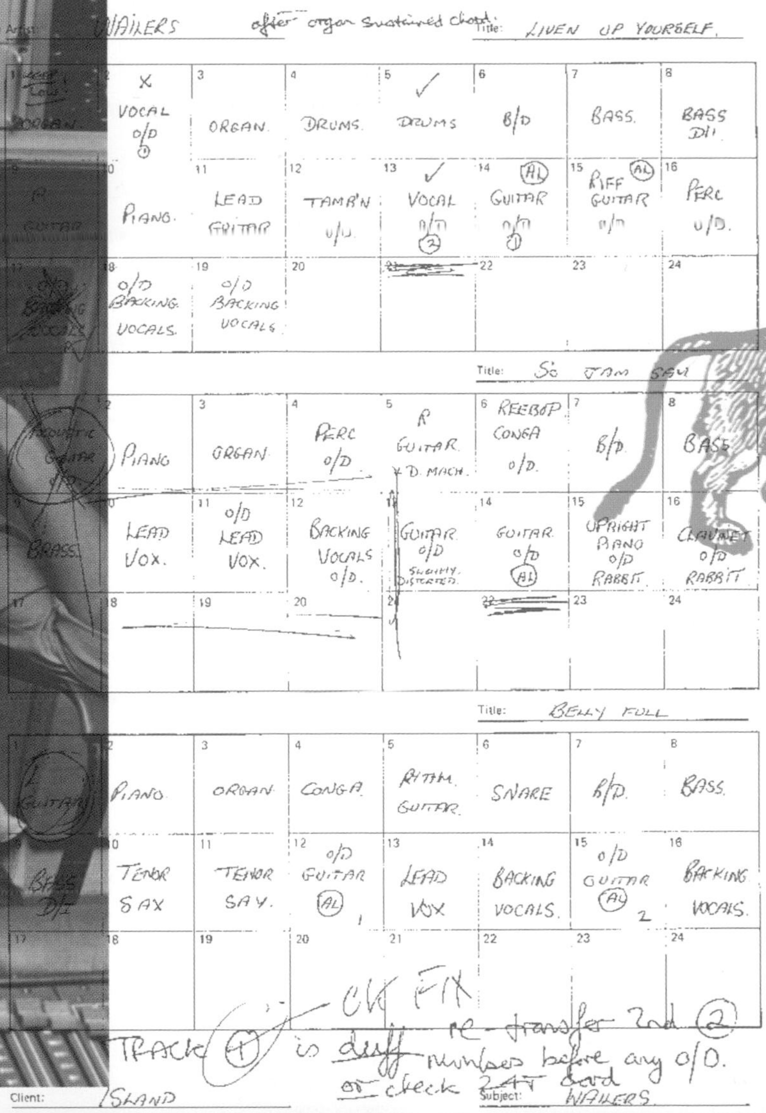

Bob était toujours parfaitement à l'aise dans un studio d'enregistrement. Ci-dessous: les Wailers dans le studio de répétition d'Island en 1973, alors qu'ils se préparent à passer dans l'émission *The Old Grey Whistle Test* de la BBC2.

Alvarita Anderson connut Bob Marley, Peter Tosh et Bunny Livingston à l'époque où ceux-ci passaient devant la maison de sa tante Viola lors de leur migration quotidienne vers le Studio One. Rita avait déjà son propre groupe musical, les Soulettes, qu'elle avait formé avec son amie Marlene « Precious » Gifford et sa cousine Constantine « Dream » Walker. À la suite d'une audition au Studio One, les Soulettes furent confiées à Bob Marley afin qu'il les manage et leur trouve des chansons. Rita épousa Bob en 1968 et participa avec lui à la création de son label Wail'N'Soul'M. En 1974, elle commença à travailler avec son mari de façon bien plus publique en tant que membre des I-Threes, le trio vocal féminin qui remplaça Peter Tosh et Bunny Livingston. Avec Judy Mowatt et Marcia Griffiths, Rita Marley contribua à façonner la couleur sonore universelle de la musique de Bob. Depuis la mort de ce dernier en 1981, Rita continue à faire de la musique et a obtenu un succès avec « One Draw », un hymne à l'herbe. Mais son rôle principal est celui de gardienne de la foi, non seulement en la légende de son mari, mais en Rastafari.

Vous avez grandi à Trench Town, entendiez-vous beaucoup parler de Rastafari ?

Non. Je voyais des aînés du rastafarisme et on m'apprenait à avoir peur d'eux : ces gens étaient censés être dangereux. Ils portaient toujours un sac, et on nous disait qu'ils allaient nous tuer et nous mettre dedans. Mais j'avais aussi de la sympathie pour eux : « Oh, les pauvres, je ne crois pas qu'ils sont aussi méchants qu'on le dit. » Quand on les rencontrait, ils nous disaient « One love » et on se demandait comment les gens pouvaient prétendre qu'ils étaient porteurs de haine.

Rita avec Cedella, son premier enfant de Bob.

Pourquoi avaient-ils cette réputation ?

La société ne comprenait pas leur philosophie. Il y avait un nom pour eux – « Blackheart Man ». On disait qu'ils étaient dangereux et qu'ils vivaient tous dans le ruisseau. Qu'ils étaient devenus fous à force de fumer de la ganja, que ça rend fou. Bien qu'étant de Trench Town, j'étais allée à l'école secondaire. J'ai été un peu plus loin que la plupart des gens. J'ai été exposée à certaines choses, et j'ai vu que ces gens étaient innocents. À cause de leur innocence. Mais on me disait tout de même d'avoir peur des Rastafari – jusqu'à ce que je rencontre Bob.

Bob était complètement dans le rastafarisme, à l'époque ?

Pas vraiment. Pas à cent pour cent. Un certain éveil de la conscience en termes de pouvoir noir qui avait toujours été là. Mais il ne connaissait pas à fond la philosophie du rastafarisme.

Je m'y suis intéressée après notre mariage, parce qu'à l'époque j'étais plus proche du christianisme. J'étais plus intéressée par le côté spirituel des choses que par leur côté matériel. Et j'ai réalisé qu'en essence le rastafarisme ressemble au christianisme, mais avec un peu plus de liberté peut-être. C'est plus comme il est dit dans la Bible : « À chaque homme son ordre propre. »

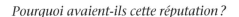

Ziggy : en tant que fils aîné, il allait devoir assumer seul le poids de l'héritage de son père.

Vous voyiez Bob et les autres Wailers quand ils passaient devant chez vous à Trench Town. C'était un groupe dont on parlait, à l'époque ?

Ils étaient très populaires. C'était un sacré boulot de rester dans la musique et d'avoir régulièrement des succès, et eux avaient eu « Simmer Down », « Put It On », « Rude Boy » – un hit après l'autre, mais ils ne gagnaient pas un sou.

Quelle était, d'après vous, la force de Bob en tant qu'auteur de textes ?

Il avait des choses à dire par écrit sur ce qui se passait, sur la vie des gens, en se prenant lui-même pour exemple et en étant capable de s'identifier aux gens de la rue, au peuple.

J'ai entendu dire que vous aviez un peu le trac quand vous l'avez rencontré pour la première fois...

Son attitude, sa discipline étaient... Il fallait se préparer à le rencontrer et, quand on le rencontrait, c'était... Mais derrière tout ça, c'était la plus délicieuse des personnes, comme un ange.

Il était très concentré...

Et très ferme quant à ce pourquoi nous étions là : si on entre en studio, on ne rigole pas, on ne s'amuse pas. Tant que Bob a été là, la discipline a régné.

En 1966, Bob et vous vous êtes installés à Nine Miles, là où il est né. Comment était la vie là-bas ?

Je n'étais jamais allée à la campagne. J'avais toujours vécu à Kingston. C'était différent : je devais porter de l'eau, ramasser du bois pour le feu et dormir sur un tout petit lit posé à même la terre. Mais c'était par amour.

Bob ayant déjà connu ce genre de vie, c'était excitant pour lui de me voir le vivre à mon tour. C'est quelque chose qu'il avait décidé de faire plus tard – être fermier et vivre à la campagne. Mais il est tombé malade et a dit qu'il allait laisser tomber la musique un moment et construire une maison à St Ann's pour les enfants.

Avez-vous écrit des chansons avec lui, là-bas ?

On a beaucoup écrit, on a beaucoup chanté là-bas, on a partagé des tas de moments très particuliers quand j'ai appris à connaître l'autre aspect de sa personnalité bien mieux que dans un studio. On a fait un tas de chansons ensemble. Il essayait ses chansons sur moi. « Écoute celle-ci, écoute celle-là. » Il regardait le ciel et l'air, et l'inspiration venait.

Ce fut le début du label Wail'N'Soul'M. Comment a-t-il vécu cette expérience ?

Pour lui, c'était l'indépendance. Il était libéré de Coxsone et des autres maisons de disques. On est retournés à Trench Town et on a ouvert un petit magasin de disques : le jour c'était une boutique et la nuit c'était une chambre à coucher – c'est là qu'on vivait.

Cedella était déjà née et peu après vous avez eu Ziggy, ou David de son nom de baptême. Pourquoi l'a-t-on appelé Ziggy ?

Je voulais qu'il s'appelle David parce qu'il était né chez nous, à Trench Town. Il est né à la maison et comme j'étais plus plongée dans la spiritualité que dans le réel, j'ai dit : « Ce petit garçon doit être David. » Je ne pensais même pas que Bob deviendrait aussi célèbre qu'il l'est aujourd'hui. Mais je voyais en Bob un grand parolier et je l'appelais parfois le roi David. Il avait un air très majestueux quand on le regardait bien, et c'était avant la gloire, le succès et l'argent. Bob a dit : « Bon, ça, c'est Ziggy, Ziggy. » Et j'ai demandé : « Qu'est-ce que c'est ça, Ziggy ? » Il m'a répondu : « C'est du football », un nom pour – comment appellent-ils ça ? – le dribble. Ils criaient tous à Bob : « Ziggy, Bob, ziggy ! » Il faisait ça très bien, prendre le ballon et le faire aller de haut en bas. C'est comme ça que Ziggy a eu son nom.

Bob parlait-il de son père absent ?

Il n'y avait pas grand-chose à dire, en fait. Comment peut-on parler de quelqu'un qu'on n'a jamais connu ? Une fois, on a essayé d'entrer en contact avec ses frères ; on a même pris la peine d'aller jusqu'à leur bureau pour leur dire que Bob voulait emprunter un tracteur pour labourer à St Ann's. Mais ils lui ont dit : « Pourquoi viens-tu nous trouver ? Norval était peut-être ton père, mais il n'a rien laissé ici pour toi. » On est partis, très déçus, très amers.

Parlez-moi de l'importance de Scratch. Quelle était l'alchimie entre lui et Bob ?

On aurait dit que Bob voulait toujours être avec des gens qui avaient des idées, des gens qui pensaient à des choses nouvelles, des gens qui vous inspiraient chaque fois que vous les voyiez. Et pour Bob, Scratch était ce genre de personne. Il savait que Bob avait en lui quelque chose de différent de Bunny et Peter – il le disait toujours.

Il y a une grande vitalité dans les chansons qu'ils ont faites ensemble.

C'est ce qui arrive quand on travaille avec des gens avec qui on peut communiquer de la manière qu'on veut. Et c'est une chose qui a manqué chez les Wailers, à une époque. Avec Bunny et Peter... au bout d'un moment l'alchimie a commencé à s'affaiblir, et Bob trouvait qu'il manquait quelque chose : il le savait, il n'arrivait plus à être aussi créatif qu'au début. C'est là que Perry est arrivé comme un soulagement. Parce que si ça ne marchait pas avec ces deux frères-là, il existait quelqu'un d'autre avec qui il pourrait s'exprimer.

La relation avec Scratch a duré longtemps.

Oui. Mais Peter et Bunny ont décidé que Scratch était fou. Il y avait un problème, là. C'est pour cette raison que Bob et Scratch sont devenus plus complices que les deux autres.

Scratch n'a-t-il pas travaillé avec Bob sur de nombreuses chansons pour Island ?

Si. Et quand ils étaient en Angleterre, je crois qu'ils ont fait des choses ensemble.

J'ai toujours entendu dire que Scratch avait travaillé sur Rastaman Vibration *?*

Pas à ma connaissance. À l'époque de *Rastaman Vibration*, Bob était vraiment son propre maître. C'était Bob et Fams et Tyrone. Ça bouillonnait vraiment.

Quand Burnin' *est sorti, Bob a-t-il été découragé par les problèmes avec Bunny et Peter qui refusaient de partir en tournée ?*

Je ne crois pas qu'il aurait laissé qui que ce soit contrarier ses ambitions. Comme il l'a dit dans une de ses interviews, il était incapable de rester à la maison à ne rien faire ; quand Ziggy et ses enfants, devenus grands, lui auraient demandé pourquoi il n'allait pas travailler pour leur permettre d'aller à l'école, que leur aurait-il répondu ? Il était motivé parce qu'il se sentait plus responsable que les deux autres types. Et quand on en est arrivés au stade où il a fallu se battre pour le succès, Peter et Bunny ont décidé qu'ils ne feraient pas la même chose.

Et Bob a pris la décision de travailler avec vous. Vous rappelez-vous quand vous avez parlé pour la première fois des I-Threes ?

Ils étaient en studio. Il avait des difficultés à obtenir de Peter qu'il soit à l'heure au studio. De petites différences se faisaient jour. Il a dit : « Je ne peux pas travailler comme ça. Il faut que je livre l'album à Island et on doit partir en tournée. Peut-être que Rita, Marcia et Judy pourraient faire quelque chose. » Nous faisions déjà des choses par nous-mêmes. On a décidé de mettre les trois voix derrière Bob. À l'époque, je vivais à Bull Bay. Bob m'a envoyé chercher et m'a demandé si je pouvais trouver Marcia et Judy pour une chanson. Et ça a fonctionné, et puis voilà : on a fait tout l'album au lieu de faire une seule chanson. Et on est partis en tournée pour promouvoir le disque.

Qu'avez-vous pensé après l'incident de la fusillade ?

De la fusillade ? Que le mal existe. Quand c'est arrivé, en 1976, ça m'a confirmé que le mal existe. Ce complot n'avait aucune raison d'être. Qui l'a fait, je n'en sais rien. Mais j'ai encore le sentiment que c'était pour des raisons politiques. C'était trop énorme pour être le fait de simples gangsters.

Ci-dessus : les I-Threes – Rita Marley, Marcia Griffiths et Judy Mowatt – photographiées sur un rocher devant « Goldeneye », la maison où Ian Fleming écrivit les aventures de James Bond.

« J'ai appris la guitare tout seul. J'aime des guitaristes comme Ernest Ranglin. » BOB MARLEY

Si le concert « Smile Jamaica » de 1976 avait pour but de rassembler la nation, il semble que personne n'en ait fait part aux porte-flingues du JLP qui, la nuit précédant l'événement, firent irruption dans la salle de répétition du 56 Hope Road, le domicile de Bob Marley. Bob était là, en train de peler une orange ; Don Taylor, son manager, venait d'entrer dans la pièce quand les coups de feu éclatèrent, et il reçut quatre balles dans la région de l'abdomen. Une balle perdue ricocha, érafla la poitrine de Bob et alla se loger dans son bras. Quant à Rita, elle était en train de faire démarrer sa Coccinelle dans le parking extérieur quand on lui tira dessus par la fenêtre de derrière, un des projectiles lui effleurant le côté de la tête.

Bob et Rita furent évacués en urgence, Bob à Strawberry Hill, une splendide retraite dans la montagne appartenant à Chris Blackwell, et Rita à l'hôpital. Des gardes armés furent postés devant leur porte.

Le lendemain soir, le « Smile Jamaica » se déroula comme prévu. Et Bob monta sur scène avec un bras en écharpe, Rita en chemise de nuit de l'hôpital tenant sa place parmi les choristes.

Tout de suite après le concert, Bob quitta l'île dans un Lear jet privé spécialement affrété pour l'occasion. Il devait s'écouler quinze mois avant qu'il revienne en Jamaïque.

Bob Marley et les Wailers atterrirent à Londres durant la première semaine de 1977 et s'installèrent dans une maison de Chelsea. La présence du Tuff Gong ne fit qu'ajouter à l'énergie collective d'une ville dont le mode de pensée artistique subissait de profonds changements sous l'influence de la catalyse punk. Au début, pourtant, Bob fut profondément contre ce qu'il ne considérait que comme une autre manifestation de Babylone. Ce n'est que plus tard cette année-là, après que Lee « Scratch » Perry lui eut montré les aspects positifs de cette révolution sociale, qu'il commença à appréhender les changements en cours et enregistra la chanson « Punky Reggae Party ».

Entre-temps, Bob avait travaillé dans le studio-cave d'Island. Comme si la fusillade n'avait fait que renforcer sa détermination, il voguait sur des sommets de créativité, travaillant en étroite relation avec son clavier Tyrone Downie qui, en tant qu'arrangeur du groupe, était en train de supplanter Family Man Barrett. Beaucoup de chansons virent le jour lors de ces séances, nombre d'entre elles étant inspirées par les événements environnants et par la fusillade. Le nouvel album s'intitulerait *Exodus*, décréta Bob, même si cette chanson restait encore à écrire.

Fin mars, toutes les chansons d'*Exodus* paraissaient être en boîte, mais le groupe continua de travailler dans le studio, finalisant un total de vingt-quatre morceaux. Ceux-ci furent rapidement évalués : la couleur de dix d'entre eux convenait parfaitement à *Exodus*, dont la première face était consacrée à la fusillade. Le reste, plus léger et d'une veine plus mystique, fut mis de côté pour l'album suivant, *Kaya*, qui fut mixé au studio Criteria de Miami, dans un effort délibéré et couronné de succès de donner au disque une ambiance et un son différents.

Un mois après la sortie du mémorable *Exodus*, Bob et les Wailers débutèrent une tournée européenne à Paris. Au cours d'un match de football entre les Wailers et une équipe de journalistes français, Bob fut sévèrement taclé ; son pied droit fut sérieusement touché et l'ongle de son gros orteil arraché. Lequel orteil était déjà fragilisé depuis qu'en 1975 un autre joueur l'avait déchiré avec les pointes rouillées d'une de ses chaussures lors d'un match sur le terrain de Boy's Town, à Trench Town. Même si, à l'époque, Bob avait nettoyé la blessure avec du coton et de l'antiseptique, on ne lui fit pas de piqûre antitétanique. La blessure ne devait jamais vraiment guérir : sa fille Cedella devait la panser chaque soir. Le médecin que Bob vit à Paris lui dit qu'il ne devait pas utiliser ce pied-là, mais il ignora le conseil, et accepta seulement de porter des sandales qui ne cachaient rien de son gros bandage. Le Tuff Gong donna donc quelques concerts avec les sandales et le bandage. Et même dans cet état, il joua au football tous les jours, grimaçant quand le ballon heurtait son pied.

Bob était déterminé à aller au bout de cette tournée. Parfois, à la fin d'un spectacle, comme après un des concerts au Rainbow de Londres, il découvrait que sa chaussure était remplie de sang. Les gens de son entourage remarquèrent qu'il devait sans cesse changer son bandage ; de toute évidence, la blessure ne guérissait pas.

À Londres, Bob alla consulter un spécialiste de Harley Street en compagnie de Junior Marvin. Le médecin lui dit qu'il fallait amputer l'orteil, car celui-ci était contaminé et l'infection risquait de se répandre dans son système sanguin. Il le mit également en garde contre un risque de cancer. Tout le monde autour de Bob donna son opinion : on lui dit que le fait de se faire couper l'orteil pourrait ruiner sa carrière et on lui suggéra d'aller voir un autre spécialiste. C'est ainsi qu'un médecin de Miami affirma à Bob qu'une greffe de peau réglerait le problème, solution qu'il accepta.

À mesure que grandissait son statut musical, Bob confiait de plus en plus souvent à ses amis qu'il aurait peut-être dû devenir footballeur. Dans son équipe, pour un match disputé à Battersea Park, à Londres, figurent Neville Garrick, Gillie the juice-man, le compère de Bob, Trevor Bow, et Derek, des Sons Of Jah.

Le 26 février 1978, Bob Marley se posa à l'aéroport Norman Manley de Kingston. En faisant étape dans son pays natal, il savait que son retour n'aurait de valeur et de signification que s'il s'accompagnait d'un effort direct pour éradiquer la violence et la haine grandissantes qui déchiraient la Jamaïque et terrorisaient sa population.

À l'encontre de la plupart des prédictions, le concert du 22 avril fut un succès retentissant sur lequel se focalisèrent les médias du monde occidental. Seize des artistes les plus représentatifs du reggae y participèrent, parmi lesquels Jacob Miller et Inner Circle, les Mighty Diamonds, Trinity, Dennis Brown, Culture, Dillinger, Big Youth, Peter Tosh et Ras Michael and The Sons Of Negus. Un nouvel album de Bob Marley and the Wailers fut publié pour coïncider avec

« Dieu n'a jamais fait de différence entre le noir, le blanc, le bleu, le rose ou le vert. Les gens sont les gens, voyez. »

BOB MARLEY

l'événement : *Kaya* était un recueil de chansons d'amour et, bien entendu, d'hommage au pouvoir de la ganja. L'album devait également fournir deux simples qui entrèrent dans les charts, « Satisfy My Soul » et le superbe « Is This Love ».

Durant le show, Peter Tosh apostropha Michael Manley et Edward Seaga, les accusant de persécuter les miséreux du ghetto à cause de leur goût pour l'herbe, puis il alluma un spliff sur scène. Bob, lui, paraissait être dans un état de béatitude transcendantale. Au lieu d'agresser le Premier ministre et le leader de l'opposition, il essaya de les réunir. Sur le morceau « Jamming », sa façon de danser et ses improvisations sur les paroles étaient celles de quelqu'un habité par l'esprit : « Pour que la vérité soit en chacun de nous, nous devons nous unir, yeah, yeah. Et que l'esprit du plus haut, Sa Majesté impériale Hailé Sélassié Ier, l'éclair qui règne, amène le peuple des esclaves à se prendre par la main... Je ne suis pas un grand orateur, mais j'espère que vous comprenez ce que j'essaie de dire. J'essaie de dire, serait-il possible, serait-il possible que nous ayons sur scène la présence de Mr Michael Manley et de Mr Edward Seaga ? Je veux seulement qu'on se serre la main et qu'on montre aux gens qu'on peut s'unir... qu'on peut s'unir... qu'on doit s'unir... » Et il joignit les mains des deux opposants politiques. Le Peace Concert donna le coup d'envoi de la première tournée mondiale : Tuff Gong devenait supranational...

Pendant son séjour en Jamaïque, Bob passa beaucoup de temps avec son vieux complice Scratch Perry. En une journée, il enregistra quatre titres à Black Ark, dont « Black Man Redemption » et « Rastaman Live Up », qui sortirent en simples sur Tuff Gong et marquèrent une rupture avec les thèmes plus sereins de *Kaya*.

Kaya avait été un album délibérément commercial, une tentative pour conquérir une fois pour toutes le marché américain, notamment le public noir américain. Faire passer le message aux États-Unis continuait à être un dur combat. C'est pourquoi la promotion de l'album *Survival* incluait une tournée de quarante-sept concerts à travers tout le pays et débutant au légendaire Apollo Theater de Harlem. Là, dans la salle où Marcus Garvey avait prêché, Bob et le groupe se produisirent sept fois en quatre jours. Le rigoureux plan promotionnel que suivait Bob camouflait le fait qu'il travaillait la plupart du temps dans un état d'épuisement total. À la fin de la tournée américaine, beaucoup de ses compagnons de voyage étaient extrêmement inquiets pour sa santé.

En avril 1980, Bob Marley prit part à un événement tout aussi historique que le Peace Concert et le « Smile Jamaica », mais cette fois en Afrique, sa patrie spirituelle. Le 18 avril, la Rhodésie proclama son indépendance face aux parvenus blancs qui avaient dirigé le pays durant le mandat du Premier ministre Ian Smith. Le pays prit le nom de Zimbabwe. Bob, dont la chanson « Zimbabwe » avait été une inspiration pour l'Armée de libération nationale, fut invité à se produire lors des fêtes de l'indépendance. Il joua dans les ruines du Great Zimbabwe, une gigantesque pyramide construite par Salomon et Saba. Bien que gâché par des problèmes d'organisation, le concert fut un colossal succès.

Ci-dessus : lors du tournage du clip de « Is This Love » en 1978 au Keskidee Centre, au nord de Londres. L'une des figurantes de la fête enfantine organisée pour l'occasion était la jeune Naomi Campbell.

Le Tuff Gong Uprising Tour débuta à Zurich en mai 1980 et se poursuivit à un rythme infernal. Lorsque le car avait quitté le 56 Hope Road pour l'aéroport, Mortimer Planner s'était posté à la grille pour dire au revoir et souhaiter bonne chance à ses frères. Quand le véhicule passa devant lui, il rencontra fugitivement le regard de Bob. Surgie de nulle part, une pensée traversa l'esprit du vieux dread: «Je ne te reverrai plus jamais.»

La partie américaine de la tournée commença à Boston le dimanche 14 septembre. Toute la troupe prit ensuite la route du Sud vers New York où les Wailers devaient donner le week-end suivant deux shows au Madison Square Garden; ils partageaient l'affiche avec les Commodores, dans une nouvelle tentative pour élargir l'audience américaine de Bob.

À l'Essex House de Central Park South, on faisait monter du bon vin et du champagne dans les chambres. Pascaline, l'une des filles du président du Gabon qui était la dernière petite amie en date de Bob, restait cloîtrée avec celui-ci dans sa suite. Partout où il allait, des limousines suivaient l'autocar de la tournée, comme un anti-Exode. Des Jamaïquains de New York défilaient dans les diverses suites où la cocaïne circulait

librement tandis que des filles à louer se vautraient sur les lits. On aurait dit que tout se désintégrait, que tout tombait en morceaux. Bob s'enfermait dans sa chambre à coucher, souvent atterré par le chaos extérieur. Ainsi qu'il aurait lui-même décrit la scène, il y avait «trop de mélange, mélange».

Les concerts au Madison Square Garden furent malgré tout des triomphes: les prestations scéniques furent exceptionnelles, tout comme l'accueil du public. «On était prêts pour cette tournée, dit Family Man. On allait tourner aux États-Unis avec Stevie Wonder. On allait faire exploser le reggae aux États-Unis comme on l'avait fait en Europe. Et puis, tout d'un coup, il s'est passé quelque chose.»

Le samedi soir, après le premier des deux spectacles, Bob se sentit anormalement fatigué. Pour se reposer avant le second show, il quitta très tôt le night-club Negril et rentra à l'hôtel.

Le lendemain matin, Bob se sentit nauséeux et eut besoin d'un peu d'air frais. Pour essayer de retrouver un peu de force vitale, il alla courir avec Alan Cole et quelques amis dans Central Park, en face de l'hôtel. Mais ils n'eurent pas le temps d'aller bien loin, Bob commença à s'évanouir et appela Cole qui l'empêcha de s'effondrer. Le corps de Bob était rigide et glacé, et il ne pouvait pas bouger la tête. Il souffrait terriblement et il avait peur. On le ramena à l'hôtel et, quelques heures plus tard, il dit se sentir mieux. Mais l'incident l'avait profondément secoué, et il ressentait toujours une douleur aiguë dans la région du cou.

Chris Blackwell louait de longue date un appartement au dernier étage de l'Essex House. Le lundi en fin de matinée, on sonna à sa porte. C'était Bob, et même l'impression de sereine tristesse et de douleur physique qui émanait de lui ne parvenait pas à altérer sa nature royale tandis qu'il mettait Blackwell au courant: il souffrait de ce qui était apparemment une incurable tumeur au cerveau et n'avait plus que trois semaines environ à vivre.

Cette horrible nouvelle choqua Blackwell qui se sentit envahi par un violent remords et un fort sentiment de culpabilité. Il se rappela qu'en 1977 les médecins avaient dit à Bob de faire un check-up tous les trois mois. «Tout le monde avait oublié. Mais quand il se produit une chose comme celle-là, ça vous revient d'un seul coup. Je me suis dit que j'aurais dû le lui rappeler. J'aurais dû insister pour qu'il fasse ces check-up. S'il les avait faits, on aurait décelé la chose bien plus tôt. Et s'il s'était fait amputer de cet orteil, cela lui aurait probablement sauvé la vie.»

Le lendemain après-midi, au Stanley Theater de Pittsburgh, le soundcheck ne se déroula pas comme d'habitude. Au lieu des quatre chansons qui servaient habituellement de tests, Bob, assis la plupart du temps sur l'estrade de la batterie à côté de Carly, n'interpréta qu'une longue version d'un ancien morceau des Wailers, «Keep On Moving». Bien qu'il n'y ait eu

Page de gauche : Bob Marley réunit le Premier ministre Michael Manley et Edward Seaga, le leader de l'opposition, lors du Peace Concert de 1978. Ci-dessus : la maison de Hope Road où des tueurs agressèrent Bob, Rita et le manager Don Taylor. À droite : Bob à New York, en septembre 1980. C'est au cours de ce séjour qu'il s'évanouit alors qu'il courait dans Central Park (à sa gauche).

qu'une chanson, ce fut, de mémoire de Wailers, le plus long de tous leurs soundchecks. Ils se sentaient très malheureux.

Le show du soir fut extraordinaire : Bob entra en scène sans se faire annoncer et le groupe offrit une version de son concert qui dura quatre-vingt-dix minutes, explosant en un bouquet de rappels : « Redemption Song », « Coming In From The Cold », « Could You Be Loved », « Is This Love » et « Work ». Et c'était littéralement ce qu'il faisait. « Work » [Travail] fut la dernière chanson que Bob Marley devait interpréter sur une scène, et il donna tout ce qu'il avait de meilleur en lui. « Il fallait que ce show soit grand, dit Junior Marvin. Tout le monde savait que Bob n'allait pas bien et que ça pourrait bien être le dernier concert. On ne pouvait qu'espérer le contraire. » Plus tard cette nuit-là, un communiqué de presse fut publié à l'instigation de Rita. La tournée mondiale Tuff Gong de Bob Marley and the Wailers était annulée. La raison ? Bob Marley souffrait d'« épuisement ». Le groupe rentra à Miami et se dispersa...

À l'évidence, l'héritage de Bob Marley n'a pas seulement survécu, il a largement prospéré. L'album posthume *Legend*, une compilation de ses succès, s'est vendu à plus de quinze millions d'exemplaires, ce qui en fait un des albums les plus vendus de tous les temps ; *Songs Of Freedom*, le coffret Bob Marley publié en 1992, a écoulé en quelques semaines son tirage limité d'un million d'exemplaires ; un concert hommage qui eut lieu fin 1999 à Oracabessa, en Jamaïque, attira la crème des artistes noirs actuels – ainsi que beaucoup de Blancs.

Mais, au-delà des chiffres de vente, le temps a accordé à Bob Marley une stature plus grande encore. Il est aujourd'hui considéré comme un héros, au pur sens mythologique du terme. Pour les Occidentaux, ses apocalyptiques vérités sont à la fois une source d'inspiration et une incitation à changer de vie ; dans le tiers-monde son impact est similaire, mais va plus loin. En Jamaïque, mais aussi chez les Indiens Hopis du Nouveau-Mexique et les Maoris de Nouvelle-Zélande, en Indonésie, en Inde et même – particulièrement – dans ces régions d'Afrique occidentale d'où les esclaves furent arrachés pour être emmenés vers le Nouveau Monde, Bob Marley est considéré comme le Rédempteur revenu pour sortir la planète de la confusion. Certains le diront même clairement : Bob Marley est la réincarnation de Jésus-Christ que le monde a longtemps attendue. Selon cette interprétation de sa vie, le cancer qui tua Bob Marley est inévitablement décrit comme une version moderne de la crucifixion.

Même confronté à un avenir aussi sombre, Bob réussit à ne jamais perdre sa vision narquoise de l'existence. Deux semaines après son évanouissement, quand sa mort fut annoncée par les médias américains, il fit publier un communiqué dans lequel on retrouvait intact son humour pince-sans-rire : « On dit que c'est l'enfer de vivre à Manhattan, mais... »

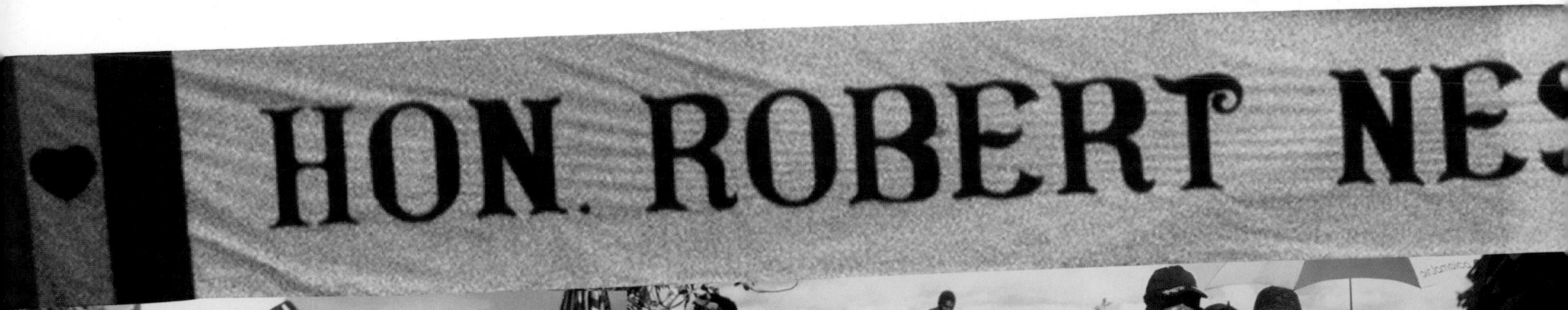

Le service funèbre de Bob Marley eut lieu à la National Heroes Arena de Kingston. Pour lutter contre la propagation du cancer dans son organisme, le chanteur avait été soumis à une radiothérapie qui avait fait tomber ses dreadlocks. Rita, sa femme, avait conservé ses cheveux, avec lesquels on confectionna une perruque qui fut placée sur sa tête. Dans le cercueil, son vieil exemplaire usé de la Bible et sa guitare lui tenaient compagnie.

Après différentes tentatives pour le soigner – par le biais à la fois de la médecine conventionnelle et de la médecine alternative, aux États-Unis et en Allemagne –, il devint évident pour le Tuff Gong que le temps était venu de rentrer en Jamaïque.

Mais il n'alla pas plus loin que Miami, où il arriva dans les premières heures du 10 mai 1981. Son état fut jugé suffisamment sérieux pour qu'il soit immédiatement admis à l'hôpital local Cedars of Lebanon.

Cet après-midi-là, ses enfants Cedella et Ziggy lui rendirent visite dans sa chambre particulière. Ils y trouvèrent leur père entouré d'un groupe d'évangélistes venus par avion de Jamaïque pour l'assister. Sûrs que leur père était en de bonnes mains, les enfants quittèrent l'hôpital et rentrèrent chez leur grand-mère, Mrs Cedella Booker, la mère de Bob.

« Si Dieu ne m'avait pas donné la moindre chanson à chanter, je n'aurais pas la moindre chanson à chanter. Les chansons sont venues de Dieu, tout le temps. » BOB MARLEY

Peu après onze heures trente, le matin suivant, Cedella entendit sonner le téléphone. Décrochant en même temps que son oncle Gibson, elle entendit la voix de Diane Jobson, une amie proche de la famille, annoncer à son oncle que Bob Marley était passé dans une autre vie.

Alors qu'elle tenait le récepteur contre son oreille, son attention fut attirée par un mouvement dans la pièce : sur le manteau de la cheminée, une photographie de son père avait imperceptiblement bougé. Quand Cedella la regarda, les yeux de Bob plongèrent dans les siens.

STONE
STONE
LOVE

Dancehall, le mariage des beats numériques et du laisser-aller : l'avènement d'une musique et de textes parlant de flingues, de seins, de sexe et de prouesses sexuelles masculines. Le tout symbolisé par « Wicked In Bed » [Abject au pieu], le hit mondial de Shabba Rank. Ce style de reggae de rue très cru et direct, qui donna naissance, littéralement, au dancehall,

DANCE

remonte à la fin des années soixante-dix, époque où Henry « Junjo » Lawes inonda le marché d'un torrent de productions. Quand la technologie numérique s'imposa, vers le milieu des années quatre-vingt, le dance-hall s'adapta tout naturellement et donna naissance au ragga – abréviation de l'explicite « raggamuffin » [va-nu-pieds].

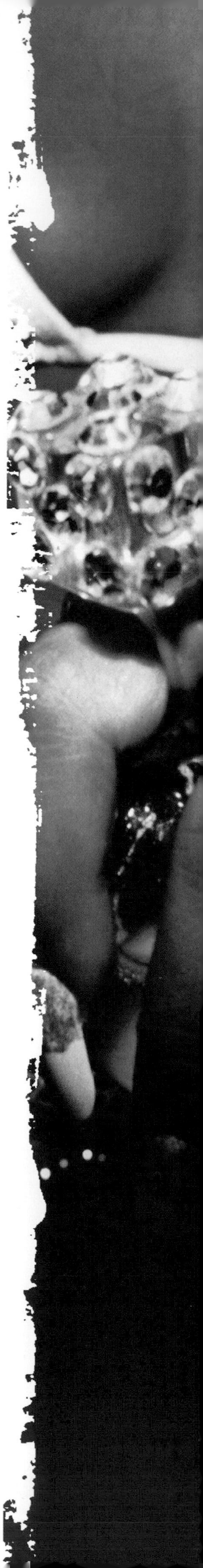

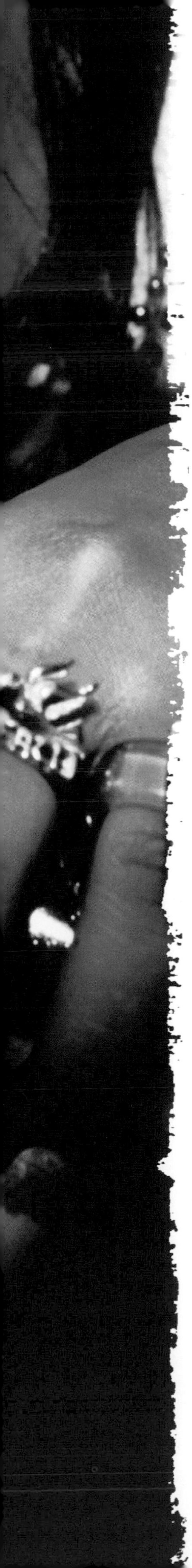

Vers 1993, un léger vent de spiritualité souffla sur le ragga, qui atteignit son apogée en 1995 avec l'homérique album de Buju Banton intitulé *Til Shiloh*. Dans les années quatre-vingt-dix, des rythmiques africaines furent numériquement reproduites. Mais cette musique peut-elle être tout simplement divisée en deux

HALL

styles, le « conscious » face au laisser-aller ? Non, ce sera toujours plus complexe que cela. La musique jamaïquaine a de tout temps incorporé le licencieux et le spirituel, car les deux dorment au cœur de la musique africaine. Un personnage comme Lady Saw incarne bien cette dualité : vilipendée pour son jeu de scène et ses textes, elle possède également une dimension roots'n'culture. Sa critique essentielle est que les gens devraient être plus choqués par le laxisme de notre société.

Au début des années quatre-vingt, la Jamaïque et d'autres îles des Caraïbes devinrent un lieu de transit pour le commerce de la cocaïne. La nouvelle opportunité d'édifier d'immenses fortunes avait pour revers la possibilité – et parfois la probabilité – d'une mort violente. Après que le Jamaica Labour Party d'Edward Seaga eut remporté haut la main les élections de 1980 pour la droite, les porte-flingues des politiciens se mirent à opérer en indépendants et beaucoup émigrèrent aux États-Unis où les gangs jamaïquains contrôlaient la distribution dans la rue et la commercialisation de la nouvelle superdrogue de la décennie, le crack.

Sur l'île elle-même, de vicieuses guerres territoriales éclatèrent tandis que les caïds se battaient pour le contrôle des réseaux de vente d'une drogue qui, en Jamaïque, était financièrement accessible aux plus pauvres. Et plus d'un jeune du ghetto perdit la vie sous les grêles de balles ou dans les bagarres au couteau qui semblaient aller de pair avec la drogue.

À la fin des années quatre-vingt-dix, le crépuscule de superstars aussi essentielles que Dennis Brown et I-Roy fut hâté par leur goût pour le crack. Et on a souvent dit que la mort par balles de Henry « Junjo » Lawes, survenue à Londres en 1999, était liée à ses accointances avec les gangs de la drogue.

Des années durant, Junjo Lawes avait été le personnage le plus influent et le plus important pour l'essor du dancehall. Au début des années quatre-vingt, il était le producteur de reggae le plus en vue, l'initiateur de ce style « dancehall » qui dominait la musique jamaïquaine depuis la mort de Bob Marley en 1981.

Ci-dessus : photographié ici avec quelques frères préparant les élections de 1980, Henry « Junjo » Lawes devint un des producteurs les plus importants de l'histoire de l'île en marquant de son sceau la montée du dancehall.

Des noms tels que Yellowman, Eek-A-Mouse, Barrington Levy ou Josey Wales devaient leur carrière à Lawes. Des artistes plus établis comme John Holt, les Wailing Souls, Alton Ellis ou Ken Boothe retrouvèrent, eux, un second souffle après avoir enregistré sur les bases rythmiques que produisait Lawes pour son label Volcano, distribué en Grande-Bretagne par Greensleeves Records. Le premier album à sortir en Grande-Bretagne fut *Englishman* de Barrington Levy, suivi de pas moins de quarante-deux autres.

Parmi ceux-ci, l'on comptait notamment *Wa-Do-Dem* de Eek-A-Mouse, *Mr Yellowman* de Yellowman et *Zungguzungguguzungguzeng*, la série de disques bien connue de Scientist Dub, et le superbe *Firehouse Rock* des Wailing Souls, ainsi que des albums d'artistes aussi divers que Hugh Mundell, John Holt, General Echo, Michigan and Smiley, Don Carlos et Josey Wales. Rares ont été les artistes en activité durant l'époque dancehall à ne pas avoir enregistré pour Junjo ; celui-ci entra même dans les charts britanniques en associant les deejays Clint Eastwood et General Saint.

L'assassinat de Lawes, abattu depuis une voiture à Harlesden, au nord-ouest de Londres, reflétait la relation délicate entre la musique, le crime et la politique qui avait longtemps caractérisé le « reggae business ». On aurait dit une métaphore du dancehall, ce brutal reggae de rue incroyablement accrocheur.

En matière de ghetto, le CV de Lawes était impeccable : né en 1960 à Olympic Way, dans les bidonvilles de West Kingston, il passa une grande partie de son enfance à McKoy Lane, dans le quartier voisin de Whitfield Town – « territoire des mauvais garçons », comme une personne qui l'a connu le décrit – où, adolescent, il assista à la meurtrière bien que non déclarée guerre civile des années soixante-dix. Le quartier était le fief de Jack Massop, le père de Claudie Massop, porte-flingue de haut rang pour le People's National Party (PNP) du Premier ministre Michael Manley et connaissance de Bob Marley. Mais bien qu'il ait fréquenté les mauvais garçons du PNP, Lawes ne fut jamais un porte-flingue lui-même.

Grâce aux efforts du légendaire producteur Bunny « Stricker » Lee, toujours prêt à dissuader la jeunesse locale de se lancer dans une existence aussi dangereuse, Lawes refusa d'embrasser ce genre de carrière et, en 1978, commença à chanter avec le trio Grooving Locks. Cette même année, à l'âge précoce de dix-huit ans, il commença à produire des disques et travailla dans un premier temps avec Linval Thompson. Au cours des douze mois qui suivirent, Lawes loua régulièrement le studio Channel One où il employait les Roots Radics comme groupe d'accompagnement. Ces séances devaient modifier le cours de la musique jamaïquaine. La façon de jouer des Radics, qui utilisaient fréquemment de vieilles bases rythmiques de Studio One, était plus lente et plus pénétrante que le style « rockers » des Revolutionaries, l'autre grand groupe de studio de Kingston. Grâce à ses contacts dans la rue, Lawes pouvait signer et façonner à jet continu les talents les plus nouveaux, faisant appel pour les séances à la dextérité de mixeur de Hopeton Brown, un

SLACKEST LP
JAMAICA'S
NO.1
STOUT
DRAGON
STOUT

For Adults Only
SPOT
OON
ELCOME
TO
SON'S JOINT
I.T.S. Co-OP
STRONG TO FIGHT ANY MAN THAT IS WELL FED & FIT IN THE BLUE ROOM
RANKING SLACKNESS

jeune ingénieur du son qui allait devenir célèbre sous le nom de « Scientist » (et qui, toujours pour Lawes, publiera ultérieurement, sous ce même nom, des disques comme *Heavyweight Dub Champion*). Issu de ces séances, l'album *Bounty Hunter* de Barrington Levy est considéré comme un classique.

Le succès vint vite, et Lawes produisit bientôt des hits archétypaux tels que « Diseases » de Michigan and Smiley, « Pass The Tushenpeng » de Frankie Paul ou « Police In Helicopter » de John Holt. L'étonnamment prolifique Yellowman, qui sortit seize albums entre 1982 et 1983, enregistra plusieurs de ces derniers pour Lawes.

Pour compenser l'indifférence des programmateurs de radio jamaïquains, Lawes lança en 1983 son sound system Volcano. Utilisant son propre et illimité stock de dubs, Volcano devint le premier sound system du pays et se produisait pratiquement chaque nuit dans l'île.

Pendant les deux ou trois années qui suivirent la mort de Bob Marley, Lawes élabora les meilleurs rythmes émergeant de Jamaïque, une musique de rue à base de dancehall qui était bien plus crue et brute que le reggae dont le Tuff Gong avait véhiculé l'image.

Jouant le rôle de despote bienveillant qui est la norme pour chaque jeune du ghetto s'efforçant d'atteindre ce qu'en Jamaïque on appelle le « donship » [le statut de don, de parrain, au sens mafieux du terme, NdT], Lawes était réputé pour le rare respect avec lequel il traitait ses artistes d'un point de vue financier. « Je ne vérifie pas l'argent, disait-il. Chacun recevra une part égale, artiste, producteur, musicien, tout le monde. Il n'y a que moi qui fasse ça. »

« J'ai toujours trouvé que c'était quelqu'un de très droit en affaires, dit Chris Sedgwick, de Greensleeves Records. Dès le début il a pris des dispositions pour que nous versions directement leurs royalties à de nombreux artistes. Nous étions tous frappés par son équité. »

Participant à l'exode jamaïquain vers les États-Unis au milieu des années quatre-vingt, Lawes essaya d'implanter Volcano là-bas. Mais il avait des amis qui évoluaient à la frange des gangs de la drogue et fut condamné à une peine de prison avant d'être expulsé vers la Jamaïque en 1991.

À son retour, il travailla avec différents artistes parmi lesquels Cocoa Tea, Ninjaman et de nouveau John Holt. Mais renouer avec le succès de la décennie précédente se révéla difficile.

Quand il fut abattu, le 14 juin 1999, Junjo Lawes se trouvait à Londres depuis le Noël précédent et devait retourner en Jamaïque la semaine suivante. « C'est un pur produit de la Jamaïque – le mauvais garçon jamaïquain –, un producteur pour qui tout est allé de travers, dit Steve Barrow. Junjo était un homme autour de qui il se passait des choses, une version ghetto de Duke Reid. »

Même la fin de Lawes est une histoire typique du dancehall. Pourtant, il ne fut pas la seule figure dominante de cette musique. Bien qu'il eût organisé les débuts du genre, il avait déjà quitté la Jamaïque quand celui-ci fit le grand saut pour se transformer en ce qui devint connu sous le nom de « ragga » : une musique presque entièrement jouée sur des machines numériques. En vérité, le style même des Roots Radics avait poussé la musique dans cette direction, tout comme le son explicitement qualifié de « robotique » de Sly et Robbie sur des morceaux comme le « Rub A Dub Sound » de Sugar Minott – un hommage à la force montante du syndrum, un son auquel fut particulièrement associé le batteur Sly Dunbar. Mais, en 1983 et 1984, le Blood Fire Posse, mené par Paul Blake, avait également enregistré deux morceaux dont le son semi-informatisé était révolutionnaire pour l'époque : « Rub A Dub Soldier » (sur lequel, tout en employant la ligne de basse du hit de Slim Smith pour Studio One « Never Let Go », Blake proclamait qu'il se battait pour maintenir les rockers en vie) et « Every Posse Get Flat ». Le premier disque en particulier parut emmener la musique jamaïquaine tout entière dans une direction nouvelle.

Mais le roi du dancehall numérique fut un homme qui s'était attribué un titre régalien, comme s'il voulait qu'il n'y ait pas le moindre doute quant à son rang : Lloyd « King Jammy » James, autopromu roi après avoir été prince Jammy. Jammy débuta comme fabriquant de matériel pour sound systems dans son quartier de Kingston appelé Waterhouse, puis prit du galon et travailla comme ingénieur du son pour King Tubby durant la fin des années soixante-dix. Fonctionnant au même niveau que Junjo Lawes, celui de la rue, il croisa le chemin de

Page ci-contre, en haut à gauche : Barrington Levy avait quinze ans quand ses premiers disques sortirent, résultat parmi d'autres des innombrables séances initiales de Junjo Lawes à Channel One. Page ci-contre,en bas : après leur succès « Rub A Dub Style », Papa Michigan et General Smiley donnèrent le ton de la nouvelle musique naissante, le dancehall, avec leur hit de 1979 « Nice Up The Dance », l'un des nombreux disques à utiliser le « Real Rock » des Soul Vendors comme base rythmique. Avec Junjo Lawes, le duo de deejays obtint un autre énorme succès grâce à « Diseases », une mise en garde contre les conséquences de la débauche sexuelle appuyée sur la rythmique du « Mad Man » d'Alton Ellis. À droite : son style de « singjay » plaça Eek-A-Mouse largement en tête du peloton ; son magistral « Wa-Do-Dem » démontra en effet qu'il existait un nouveau chanteur qui avait su écouter les deejays des sound systems de son époque. Né Ripton Hilton, patronyme sous lequel il enregistra à ses débuts, son nom de scène lui venait d'un cheval de course sur lequel il avait inconsidérément parié.

nombreux artistes en devenir comme Junior Reid, Echo Minott ou Half Pint et enregistra le premier album de Black Uhuru, originaire de son quartier. Son sound system Super Power lança nombre de deejays parmi lesquels Admiral Bailey, Chaka Demus, Major Worries et Lieutenant Stitchie.

Parmi les chanteurs de Jammy, on peut citer Nitty Gritty, King Kong et Tenor Saw. Que Nitty Gritty et Tenor Saw aient tous les deux été tués par balles, et tous deux aux États-Unis, en dit long sur la culture du dancehall. Nitty Gritty, c'était à New York en 1991, et Tenor Saw au bord d'une route texane en 1988. Les deux meurtres étaient liés au « drogs bisness ».

« Yeah, woah, ring the alarm/Another sound is dying » [Sonnez l'alarme/Un autre sound se meurt], c'est ainsi qu'il décrit la fin d'un sound system.

À l'époque où Tenor Saw disparut, King Jammy était sans conteste devenu le premier personnage du dancehall numérique. Comme la plupart des innovations culturelles, celle-là fut largement le fruit du hasard. En 1985, Jammy enregistra Wayne Smith sur un morceau intitulé « Under Me Sleng Teng », et le disque fit sensation. Smith et Noel Bailey, un autre jeune chanteur, affirment qu'ils ont découvert l'un des rythmes rock du morceau –

L'œuvre de Tenor Saw est particulièrement exceptionnelle, notamment son morceau « Lots Of Sign » sur Youth Promotion, le label de Sugar Minott, et il fut le premier artiste à être enregistré sur un dub-plate (pour le sound system Youth Promotion de Minott, par le « selecter » Jah Stitch). Mais ce fut son « Ring The Alarm » de 1985, un morceau magnifique, qui fit de lui une légende.

Sa base rythmique était un overdub de « Stalag 17 », l'instrumental à l'orgue enregistré par Ansel Collins en 1973, mais les paroles et la performance de Tenor Saw le transcendèrent :

rappelant « Something Else » d'Eddie Cochran – sur un Casio Music Box. En le ralentissant, ils en auraient fait le rythme de reggae qu'on entend derrière la chanson ; une autre version, plus prosaïque, veut que Smith l'ait tout bonnement découvert sur son clavier informatisé.

Tel un équivalent du punk rock anglais, le morceau ouvrit la voie à une nuée de jeunes artistes et producteurs indépendants, et, depuis, le reggae n'est plus jamais revenu en arrière : surgis tout droit de la rue, des chanteurs commencèrent à enregistrer directement, sans musiciens de studio.

Au bout du compte, il exista plus de quatre cents versions disponibles du rythme de « Sleng Teng ». La musique jamaïquaine s'étant de tout temps cannibalisée elle-même afin d'aller de l'avant, le reggae devint au milieu des années quatre-vingt « ragga », abréviation de raggamuffin.

King Jammy était à la pointe extrême de cette évolution, à la fois avec ses productions sur son label Jammys (orthographié, de façon assez appropriée, Jammy$) et avec son sound system.

La redoutable équipe de jeunes Turcs, Steely and Clevie, formée par le bassiste Wycliffe « Steely » Johnson et le batteur Cleveland « Clevie » Brown, assurait la rythmique telle une version junior de Sly et Robbie tandis que le jeu splendide du saxophoniste Dean Fraser – un des rares musiciens de studio à avoir survécu à ce changement technologique – était brodé sur des pistes créées par des ordinateurs. Sanchez et Thriller U, deux des chanteurs les plus populaires du monde digital, enregistrèrent exclusivement pour King Jammy.

Ci-dessus : le mémorable « Ring The Alarm » de Tenor Saw reste, aujourd'hui encore, un article de première nécessité du dancehall. Tenor Saw avait appris les ficelles du métier avec le très influent sound system Youth Promotion de Sugar Minott basé à Kingston et dont le « selecter » était l'excellent deejay Jah Stitch. Barry Brown, Junior Reid, Trevor Hartley, Ranking Joe et Ranking Dread furent eux-mêmes, plus tard, des diplômés du programme de formation pour jeunes de Minott.

Page suivante : en 1980, Johnny Osbourne sortit chez Studio One son album *Truths And Rights*. Ce classique est une œuvre magistrale et trop sous-estimée. Osbourne, qui fut à l'époque un des chanteurs les plus populaires de Jamaïque, obtint en 1983 un énorme succès avec « Water Pumping » et aligna les hits tout au long de la décennie.

D'après la *Virgin Encyclopedia Of Reggae* : « Il est impossible de surestimer sa contribution [de King Jammy] à la musique jamaïquaine car, en tant que premier producteur de l'ère numérique, il a transformé la couleur sonore du reggae sans jamais perdre le contact avec son fondement – le sound system. »

Jammy, qui faisait fréquemment appel au talent d'auteur-compositeur de Mickey Bennett, possédait à la fin des années quatre-vingt un catalogue de plus de cent cinquante albums. Puis Robert « Bobby Digital » Dixon, qui avait rejoint Jammy en tant que second, s'installa à son compte et devint un rival.

Bobby Digital arriva chez Jammy en 1985, à une époque où les pistes rythmiques informatisées de Steely and Clevie commençaient à faire parler d'elles. En tant que second de Jammy, Digital contribua à l'éclosion d'artistes tels que Cocoa Tea (considéré par certains comme « le Bob Marley des années quatre-vingt »), Chaka Demus, Sanchez, Admiral Bailey, Shabba Ranks et Pinchers. Mais, en 1988, Digital quitta Jammy pour monter son propre studio et son label Digital B, ainsi que le sound system Heatwave. Parmi ses hits pour Shabba, citons les classiques « Wicked Inna Bed » et « Gal Yuh Good ». Il travailla également avec Ninjaman et découvrit de nouveaux talents comme Cobra et Tony Rebel.

Au début des années quatre-vingt-dix, Digital joua un rôle important en lançant des artistes venus du ghetto comme Terror Fabulous, Jigsy King ou Roundhead – en 1992 il enregistra le premier album de Garnett Silk, ce qui permit à ce dernier de signer un contrat aux États-Unis avec Atlantic Records.

Mais le premier à défier Jammy avait été Hugh « Redman » James. Autre ancien « soundman », James fut, à partir de 1987 et pour quelques années, un producteur prolifique qui obtint une série de succès, en particulier avec le « Dangerous » de Conroy Smith. Employant Steely and Clevie aux étonnants dons d'ubiquité, Redman travailla également avec Carl Meeks, Courtney Melody, Thriller U et Clement Irie, le toujours vert John Holt et cet omniprésent talent qu'est Frankie Paul.

Autre prétendant à la couronne de Jammy, l'ancien membre des Techniques Winston Riley, qui travailla avec Super Cat, Red Dragon, Flourgon et Admiral Tibet parmi d'autres. King Tubby se posa également en rival quand il lança ses labels Firehouse, Waterhouse et Taurus et ouvrit son nouveau studio en 1985.

À gauche : chanteur à la voix suave associé à la première vague de disques crus du dancehall au début des années quatre-vingt, Calvin « Cocoa Tea » Scott sortait du même circuit de sound systems que la nouvelle race des deejays. Ce pieux rasta à dreadlocks travailla notamment avec Jammy, Gussie Clarke et Junjo Lawes. Ci-dessus : Dean Fraser, le plus grand saxophoniste de Jamaïque, est un familier des disques les plus « classes » enregistrés sur l'île. En tant que membre du groupe We The People durant les années soixante-dix, il accompagna Dennis Brown et apparut sur un nombre incalculable de disques de Joe Gibbs, pour qui il enregistra son premier album, *Black Horn Man*. Mais son étoile brilla bien plus fort encore après son extraordinairement émouvante interprétation du « Redemption Song » de Bob Marley au Sunsplash de 1981, l'année de la mort de Bob. Fraser travaille régulièrement avec des producteurs comme Carlton Hines et Phillip « Fatis » Burrell. Page de droite : Accompagné par Sly et Robbie, Ini Kamoze entra pour la première fois dans les charts avec « Trouble You A Trouble Me ». Fin 1994, il se retrouva au sommet des classements américains avec son excellent « Hot Stepper » ; l'album *Lyrical Gangster* qui suivit était largement destiné au public hip-hop américain qui avait acheté le simple.

NINJAMAN
ANTHONY B
JUNIOR REID
JUNIOR DELGADO
PATRA
MR VEGAS
LONE RANGER

« Aujourd'hui, beaucoup de gens parlent du dancehall. Mais le dancehall date d'avant ma naissance. »

DENNIS ALCAPONE

La force du dancehall, c'est sa diversité : depuis les patriarches comme Sugar Minott jusqu'aux stars mondiales grand public comme Shaggy en passant par des deejays comme Mr Vegas, elle couvre un large éventail de la musique actuelle, tous genres confondus. Dans le même temps, des chanteurs rastafari comme Freddie McGregor (ci-dessous, en costume « traditionnel ») continuent d'attirer les foules, jeunes et moins jeunes. McGregor est aujourd'hui l'un des porte-parole aînés du reggae.

Quand Tubby prit du recul en matière de production, Noel « Phantom » Gray devint son premier ingénieur du son après le départ de son prédécesseur, le Professor. Le « Hard Time Rock » de Sugar Minott fut son premier hit, mais c'est Anthony Red Rose qui lui offrit un énorme succès et un hymne dancehall avec « Tempo » (en fait « Temper » mal orthographié), titre qui fut numéro un. Tubby, l'un des grands innovateurs musicaux du XXᵉ siècle, fut assassiné le 6 février 1989.

Donovan Germain, qui avait commencé à produire des disques à New York dans les années soixante-dix, monta Penthouse à Kingston en 1987, au 56 Slipe Road, non loin du studio Music Works d'Augustus « Gussie » Clarke. Durant les années quatre-vingt-dix, Germain devait amener au premier plan de nouveaux artistes aussi doués que Buju Banton, General Degree, Cobra, Tony Rebel et Cutty Ranks, un sérieux rival pour Shabba Ranks.

En dépit de la réputation de « débauché » de Shabba (né Rexton Gordon en 1965 à St Ann's), nombre de ses morceaux – « Hard And Stiff », « Love Punaany Bad » et « Ca'an Drum », par exemple – étaient en fait des chansons « reality » bourrées d'ironie. Malheureusement, Shabba se flingua lui-même métaphoriquement quand, invité à l'émission de télévision britannique *The Word*, il tenta de défendre la chanson homophobe de Buju Banton « Boom Bye Bye », publiée en 1992. Ses commentaires furent repris par les médias du monde entier, et, à partir de là, sa carrière ne fit que décliner. Remarquable showman, Shabba Ranks demeure un grand artiste. (De toute manière, au diable la controverse : dans le monde du dancehall des années quatre-vingt-dix, le statut et le prestige étaient tout et Shabba possédait une Mercedes équipée de pare-chocs plaqués or, le rêve absolu de la plupart des deejays.)

Au milieu des années quatre-vingt-dix, plusieurs autres artistes étaient parvenus à ce niveau céleste. Parmi ceux-ci, Rodney « Bounty Killer » Pryce était le plus fort et le plus militant.

Principalement influencé par Brigadier Jerry et Ranking Joe, Bounty Killer (ou Bounti Killa, car en Jamaïque l'orthographe est fluctuante) fut encouragé par son cousin, le deejay John Wayne, à poser sa voix sur son premier morceau, « Gun Must Done », publié sous le nom de Bounty Hunter. Enregistrant sous les auspices de King Jammy et de sa famille, Bounty obtint de nombreux succès. En 1995, il quitta l'écurie de Jammy pour fonder son propre label Pryceless Records, enregistrant immédiatement un double album intitulé *My Experience* qui se vendit très bien même hors de Jamaïque, où il fit un carton auprès de nombreux fans de hip-hop.

Beenie Man, son plus sérieux rival pour le titre de plus grand deejay de l'île, arborait fièrement les couleurs rasta ; à côté de superbes hommages à la vie urbaine tels que l'épique « Slam », des titres comme sa très forte chanson « reality » de 1995 « Freedom And Blessed » (« *Yuh los'/Yuh better walk on the right path* » [Tu es perdu/Tu ferais mieux de prendre le droit chemin]), chanson-titre de son tonique album-hommage à Hailé Sélassié, étaient dédiés au Créateur. C'était également le cas de nombre de chansons de l'album *Blessed.*

À gauche : Seigneur, aie pitié... Plus qu'aucun autre deejay, c'est Rodney « Bounty Killer » Pryce qui parle au nom de la jeunesse du ghetto jamaïquain. Élevé à Trench Town, Seaview Gardens et Riverton City, il entama sa carrière de deejay à l'âge de douze ans, perfectionnant les divers styles vocaux et maniérismes qui sont devenus la marque du plus artiste des deejays de ragga.
Ci-dessus : Capleton, guttural DJ de dancehall à dreadlocks dont les premiers titres de 1990 et 1991 tels que « Bumbo Red » et « Rough Rider » révélaient une vision des femmes aussi archaïque que celle qu'avait Buju Banton des gays, vécut une conversion spirituelle presque aussi biblique que celle expérimentée ultérieurement par Buju. Il annonça qu'il se convertissait au rastafarisme et travailla avec le sound system African Star spécialisé dans les rythmes contemporains de dancehall soutenant des paroles « conscious ». Capleton devint plus tard un membre de l'Xterminator de Phillip « Fatis » Burrell, et il semble qu'il ait trouvé en Sizzla une âme sœur artistique.

NIKE

Shabba Ranks fut le premier artiste de dancehall à être adopté par le grand public à travers le monde. Bien qu'il ait enregistré « Heat Under Sufferer's Feet » dès 1985, il n'obtint son premier succès qu'en 1988, avec « Needle Eye Punany » [Un con grand comme un chas d'aiguille] – ce qui lui assura une compréhensible réputation de dépravé –, enregistré à New York pour Wittys. L'année suivante, l'énorme succès « Wicked Inna Bed » fit de Shabba une star universelle, le plus célèbre raggamuffin du monde.

Née en 1969 à Galina, St Mary, Marion « Lady Saw » Hall emprunta son nom de scène à son idole Tenor Saw. Après avoir travaillé avec des sound systems locaux, elle se fit rapidement une réputation de deejay classée X. Son premier hit fut le délicatement titré « Stab Up The Meat » [Poignarde la viande], qui fut suivi par « Peanut Punch Mek Man Shit Up Gal Bed » [L'homme qui boit du punch d'arachide dégueulasse le lit de la fille]. Mais Saw peut aussi interpréter des morceaux « conscious » comme « Glory Be To God » ou « Ask God For A Miracle », ou bien des chansons country plus paisibles comme « Give Me A Reason ». Femme de scène fantastiquement amusante, Lady Saw mérite d'être reconnue dans le monde entier.

Quand avez-vous commencé comme deejay ?

J'ai commencé en 1990. J'ai commencé dans le dancehall quand j'avais quinze ans. Mais c'est en 1990 que j'ai laissé tomber et que je suis devenue célèbre. Que j'ai laissé tomber le dancehall. Et depuis, ça a été tout bon.

Pourquoi à ce moment-là ?

J'ai d'abord travaillé avec Free Zone. Mais le boulot ne me convenait pas, alors je suis partie. J'ai dit aux filles que je voulais entrer en studio. Et j'y suis entrée en 91. À l'époque, il n'y avait pas de studio d'enregistrement à Galina, alors j'ai dû venir à Kingston. Ça a donc pris un moment.

Pour une femme arrivant de la campagne sans jamais avoir fait de disque, ça a été difficile ?

Ça n'a pas été difficile. Pas une seconde. Au cours de ma carrière, on m'a beaucoup critiquée. Les gens qui me critiquent disent : « Elle est tellement obscène, tellement crue. » Mais j'ai plein de fans qui me soutiennent et disent : « Lady Saw est la meilleure, on l'aime de toute façon. » Les premiers disques que j'ai faits étaient bons, mais personne ne les a remarqués. J'ai vu que des types faisaient des trucs X et s'en tiraient, alors je me suis dit que j'allais le faire aussi. Et ça a marché. Je ne regrette rien. Ma première chanson X a été « If The Man Lef ». Ça a marché – c'est grâce à elle que j'en suis là aujourd'hui. Et puis « Stab Up The Meat ». Les paroles sont très hard, très crues, très porno.

Ça vous fait quoi d'écrire des paroles porno ?

Parfois, après les avoir écrites, je me dis : « Oh, mon Dieu, cette nuit j'ai été horrible. » Mais ça fait partie de mon boulot : si je monte sur scène et que personne ne réagit, ça me procure des mauvaises vibrations.

Sur scène, vous devenez une personne différente ?

Oui. Je deviens différente parce que, quand l'heure est venue de travailler... Je suis timide, assise là en face de vous... Parfois les gens voient ça en moi, mais quand je monte sur scène ils me demandent toujours si je tourne un bouton ou quoi, parce que je me lâche : je dis n'importe quoi. Je fais ce que j'ai envie de faire. Mais hors scène je suis Marion, pas Lady Saw : calme et terre-à-terre.

Quand je monte sur scène, je sais que je dois mettre le feu à la salle. Alors j'y vais et fais tout ce qu'il y a à faire. Ce n'est pas programmé, je monte sur scène et tout ce qui me passe par la tête, je le fais. Parfois j'amène la foule à se joindre à moi et je me moque un peu d'elle. C'est très créatif, je me sens bien.

Une des caractéristiques de vos spectacles, c'est qu'ils sont très drôles...

Mes spectacles sont très drôles. Les gens disent que Lady Saw n'est pas seulement une amuseuse ou une chanteuse, que c'est une actrice – je peux faire rire les gens et faire qu'ils se sentent bien en rentrant chez eux. Et j'en retire beaucoup de fierté.

Les médias jamaïquains vous critiquent ?

J'ai été pas mal critiquée au fil des années. Mais ça se calme. Je crois que je suis trop forte pour eux, alors ils n'ont qu'à m'aimer et me laisser faire. Je suis trop forte.

Et votre style, Lady Saw ? Quels deejays aimez-vous ?

J'écoutais Tenor Saw – c'est à lui que j'ai emprunté mon nom. Toutes les filles – beaucoup. Mais depuis que je suis connue, je n'arrête pas d'écouter Buju Banton, Luciano, Beenie Man, Bounty Killer. Je pense que ce sont quatre artistes très forts.

Luciano fait partie du nouveau mouvement « conscious ». Et vous ?

En fait, ce que je fais, c'est du « reality ». Le sexe est une réalité, parce que nous avons tous un sexe. Mais Luciano est quelqu'un de différent. Peu importe à quel point Lady Saw peut être crue, il met ça de côté quand on parle ensemble : il me parle en tant que Marion. Il se fiche de ce que je fais sur scène, c'est la personne qui est au plus profond de vous qui l'intéresse. Je l'admire beaucoup.

Et que pensez-vous du mouvement « conscious »?

C'est bien. Ils retournent aux racines. Je le fais parfois. Retour à Bob Marley, à Jimmy Cliff et à tous les hommes « conscients ». Retour au roots reggae. On ne peut pas prendre un seul chemin. Parfois je retourne à ça, et je fais « Oh Lord, Please Work A Miracle ».

Que pensez-vous de Bob Marley?

Il est génial. Brillant. Le meilleur, en fait. Parce qu'au jour d'aujourd'hui, les gens parlent encore de Bob Marley comme s'il était encore vivant. Ses chansons continuent de vivre et de procurer des émotions profondes.

Croyez-vous que la situation des femmes jamaïquaines ait changé ces dernières années?

Il y a eu un tas de filles, mais parfois les producteurs disent : « Les filles ne vendent pas. » Lady Saw vend, Tanya Stevens marche bien, mais ils n'enregistrent pas beaucoup de femmes. Rita Marley, Judy Mowatt et Marcia Griffiths – elles ont donné le ton pendant longtemps, depuis que je suis petite. Mais nous avons besoin de plus de femmes. Quand je suis sur scène, je repère les femmes. Je les fais monter pour qu'elles fassent leur numéro et pour qu'un producteur les remarque. On y travaille.

Que pensez-vous de femmes comme Nanny, la grande leader maroon?

Nanny était une femme très forte. J'ai lu des choses sur elle quand j'étais à l'école primaire, combien elle était forte dans la lutte pour son peuple. Je crois qu'on a besoin de plus de fortes femmes comme elle, les choses iraient mieux. Parce que nous sommes parfois trop timides et timorées pour dire ce que nous voulons et pour nous battre pour ce en quoi nous croyons. Je crois que nous devrions plus le faire. Et elle vit encore.

Quels sont vos artistes jamaïquains préférés aujourd'hui? Et comment les jugez-vous?

Comme je l'ai dit, mes artistes préférés sont Beenie Man, Bounty Killer, Buju Banton et Luciano. Luciano est un deejay empreint de spiritualité, très « conscious », et un grand homme de scène. Il peut rester des heures sur scène sans être fatigué. Beenie Man est un autre grand showman – il peut jouer deux heures et faire encore bouger son public. Bounty Killer est très fort comme auteur de chansons. Bounty Killer peut prendre une vieille chanson et en faire une nouvelle qui sera un hit. Il est très fort pour les paroles.

Buju Banton se bat toujours pour ce en quoi il croit – j'ai lu une interview de lui récemment... il dit toujours ce qu'il pense et ne laisse personne passer dans son dos.

Pourquoi vous managez-vous vous-même?

Je me manage moi-même parce que je peux me faire confiance, parce que je crois en moi. Si je touche 8 000 dollars pour un spectacle et que quelqu'un l'a organisé pour moi, je finirai avec 6 000 dollars ou moins. Je peux y aller moi-même et parler en mon nom.

Vous n'avez pas d'enfants, chose inhabituelle en Jamaïque pour une femme de votre âge.

Peut-être que Dieu me protège, ou que je me protège moi-même. Je crois que si la plupart des Jamaïquaines ont des enfants si tôt, c'est parce que les temps sont durs et qu'elles dépendent d'un homme qui leur donnera de l'argent le vendredi pour qu'elles soient jolies et puissent aller au bal. Elles ne se protègent pas sexuellement et se font avoir. Des gosses qui ont des gosses.

À l'instar de Bounty élevé dans le ghetto, Beenie était un professionnel accompli. Il était âgé de vingt et un ans seulement quand sortit *Blessed*, mais se produisait déjà depuis quinze années : à l'âge de six ans, sous le nom de Boy Wonder, il apparaissait en tant qu'invité sur plusieurs disques. Adolescent, on pouvait le voir fréquenter des sound systems comme le fameux House of Leo, dansant en solitaire tel une bande à lui tout seul – bien qu'à ce moment-là Beenie fût moins connu qu'il ne l'avait été une décennie ou presque auparavant. La musique contagieuse de Beenie Man a toujours été au bord de s'imposer aux États-Unis. Lors de la Gavin Black Music Convention de 1996, à Atlanta, il fut convié sur scène par les Fugees afin d'ajouter sa virtuosité de deejay à leur mix. La foule devint hystérique.

« Certains jeunes ne comprennent pas vraiment le concept de rasta, dit Beenie Man. Ils se contentent de vendre rasta, de se laisser pousser des locks et de sauter dans tous les coins en disant " Sélassié Ier ". Ce n'est pas mon truc, ça n'a pas

« Je ne prends aucun train en marche, insiste Beenie Man. Il faut s'arranger de la vie comme on est censé le faire, voyez ? »

réellement de sens. Il faut être créatif, aimer en permanence les choses originales. » Avec le producteur Patrick Roberts, Beenie Man s'employa à imposer le label Shocking Vibes sur lequel on trouvait, parmi d'autres, ses amis deejays Snagga Puss, Silver Cat (avec qui Beenie chanta en duo l'énorme hit « Chronic ») et le très respecté Frisco Kid.

Même si en d'autres temps le reggae avait pu être considéré par les non-Caribéens comme un genre de musique anecdotique, il devint au début des années quatre-vingt-dix une force globale spécifique. Alors que les riffs et les emprunts au reggae étaient omniprésents dans le rock, et plus particulièrement dans une dance music telle que la jungle, la musique jamaïquaine effectua un grand nombre de percées sur le marché mondial. 1995 vit ainsi le colossal succès de Diana King, dont la chanson « Shy Guy », mélange de R'n'B et de reggae, largement entendue dans le film à succès *Bad Boys*, se révéla être le plus parfait disque pop de l'année. Shaggy, Inner Circle et surtout Chaka Demus and Pliers vendirent beaucoup de leurs disques à l'étranger, mettant fin au silence à l'échelle internationale de cette musique durant les années quatre-vingt – réaction abasourdie, on l'a toujours soupçonné, à la mort de Bob Marley en mai 1981.

La chose ne faisait plus aucun doute : la juvénile dancehall music avait d'immenses potentialités commerciales. Sony essaya bien de lancer la lascive Patra, mais les grandes maisons de disques passèrent à côté de la femme qui aurait pu s'octroyer une part du marché de Madonna si on l'avait promue de façon adéquate : Lady Saw. Sur le plan international, le plus extraordinaire revirement fut le fait de Buju Banton, dont la transformation de deejay de dancehall en artiste « conscious » réfléchi fut une conversion de proportions, c'est le cas de le dire, bibliques.

Suivant les traces de son oncle, ancien batteur de Jimmy Cliff, la superstar du dancehall Beenie Man débuta comme deejay à l'âge de cinq ans. En travaillant pour King Jammy, Volcano et d'autres sound systems, Beenie Man acquit une popularité considérable dont Bunny Lee sut tirer profit en produisant son album *The Ten Year Old DJ Wonder*. Beenie disparut de la scène musicale durant son adolescence, mais fit son retour dans les années quatre-vingt-dix avec « Wicked Man », le premier d'une série apparemment illimitée d'énormes succès. Sa liaison avec Carlene, la Dancehall Queen, ne fit qu'accroître le potentiel de séduction de cette aguichante star. Lorsqu'il intégra l'équipe de Shocking Vibes, sa position s'en trouva encore renforcée et il fut une des vedettes du film *Dancehall Queen*. Son album *Blessed* comprenait « Slam », le morceau de dancehall de 1995, mais *Maestro* et *Many Moods Of Moses* étaient tout aussi excellents. En 1998, Beenie Man entra dans le Top Ten britannique avec « Who Am I ».

Apparu en 1991 tel un iconoclaste punk du dancehall, Buju Banton cartonna avec une succession de chansons controversées – « Love Mi Browning » (un témoignage de sa prédilection pour les filles à peau claire), « Batty Rider », « Bogle Dance » et « Big It Up ». Mais, après la sortie controversée du très violemment homophobe « Boom Bye Bye », il apparut que Buju – né Mark Myrie à Kingston en 1973 – était allé trop loin. Pourtant, il fit plus que se racheter en 1995 avec son album *Til Shiloh*, œuvre d'une très grande maturité.

Quand vous avez sorti Til Shiloh, *beaucoup de gens ont été surpris de voir que vous étiez devenu « conscious ».*

Je et Je faisons de la musique en fonction de ce que je ressens. La musique que je publie est celle qui sort de mon cœur. Quand les masses entendent cette musique, je ne sais pas ce qui leur vient à l'esprit. Mais ce que je veux qu'elles comprennent, c'est la plénitude de ce dont parle cette musique-là. Ça ne parle pas du navire, mais de ce qui est dedans.

D'où tirez-vous votre inspiration ?

L'inspiration de mes chansons, ce sont les choses qui se passent chaque jour autour de moi. Des choses qu'on voit dans la société, des choses qui arrivent dans le monde – des choses qu'on voit et que personne d'autre n'a l'air de voir. Ce sont des inspirations assez fortes pour faire voir un aveugle et parler un muet.

Qu'est-ce qui vous a amené à utiliser les tambours nyabinghi ?

La façon de jouer des tambours nyabinghi existe depuis la création. Ça a été créé en Ouganda, en Afrique de l'Est, par la reine et sa cour et son équipage. Et puis ça a été importé en Jamaïque et le rastaman l'a adopté. Il y a un ordre établi et le début de bien des choses dans le tambour, le tambour est le tout premier instrument de la création. Tous les musiciens doivent donc apprendre le tambour et succomber au tambour quand le tambour croise leur chemin. On le ressent...

Bien que de nombreux rythmes de dancehall soient numériques, la source de ces rythmes vient tout droit de l'origine des temps.

Même si les pistes rythmiques sonnent un petit peu moderne, il existe une source et un puits auxquels ils retournent tous et qui est la fontaine de la musique, la racine de la musique – qui en est la seule goutte. Et il faut le ressentir dans cette seule goutte. Car il y a 360 degrés dans un cercle.

Quand vous parlez de la « seule goutte », je pense tout de suite au « One Drop » de Bob Marley. Que pensez-vous de lui ?

Bob Marley est une légende, vous savez. Et les légendes parlent pour elles-mêmes à travers la musique.

C'était comment, de grandir à Denham Town ?

Quand j'étais écolier, j'allais à Denham Town ou à Barbican. Je suis allé à l'école secondaire de Denham Town. C'était au centre-ville, et le centre-ville était bien plus agréable qu'aujourd'hui – plus cool et plus calme. Même si la même absurdité politique existait. J'ai déjà vu tout ça – le calme avant la tempête, et après la tempête. Jah vit.

Quelles sont vos origines ?

Je viens d'une des maisons les plus pauvres. Mon père était ouvrier, il fabriquait des tuiles dans une usine nommée Moore Brothers. Et ma mère était une sacrée battante, farouchement indépendante, une débrouillarde – elle vendait des produits de la terre, des chose comme ça, une fermière qui labourait le sol pour qu'on ne meure pas de faim. Alors, grâce à cette solide éducation et à ces solides mentors et au rôle qu'ont joué notre père et notre mère, nous avons appris à être forts dans nos têtes et à comprendre le prix à payer pour survivre dans le monde sans pitié dans lequel nous vivons.

Avoir eu une mère débrouillarde a dû être utile pour affronter le monde de la musique...

L'homme apprend la route de la survie à travers ces moyens et ces canaux.

Comment en êtes-vous venu à faire « The Ruler » pour Robert French en 1986 ?

Il pleuvait ce jour-là, et un producteur du nom de Robert French travaillait dans les studios Penthouse. Je suis sorti de chez moi sans un sou en poche et je suis allé au studio Blue Mountain, au 2B Grove Road. J'ai rencontré un homme qui m'avait toujours donné certaines indications concernant la musique et la façon dont fonctionnent les choses, car il existe des hommes destinés à ce travail. Alors que la pluie tombait, un artiste du nom de Clement Irie est arrivé au studio. Il allait à Penthouse enregistrer pour Mr Robert French.

La pluie continuait de tomber, mais j'ai dit « Jah bénisse » et je suis parti avec lui. Et Mr French m'a donné ce morceau et je l'ai écouté une fois, une seule fois, et lumière rouge. Et, oui, man, j'ai passé l'épreuve.

Où avez-vous perfectionné votre voix gutturale ?

À mesure que le temps passe la voix se bonifie car c'est notre métier et notre art, et si on ne maîtrise pas son art on disparaît.

Les gens vous ont comparé à Shabba ?

Pas de comparaisons. Les gens comparent à Shabba, à celui-ci, à celui-là, mais au bout du compte on est toujours soi-même – tout ce qu'on possède vient de ce qu'on doit faire. Le plus important.

Parlez-moi de chansons comme « Tribal War » et « Murderer » – des chansons très fortes.

Une chanson comme « Tribal War » vient d'une époque difficile, du genre Jamdown [nom donné à la période de quasi-guerre civile en Jamaïque, NdT]. Les élections approchent et nous savons qu'on nous traite comme des pions. Et « Murderer » parle de la guerre absurde que nous menons contre nous-mêmes. « Murderer » parle de la mort de mon ami – et de ton ami, de son ami, de l'ami d'un autre. Meurtrisme.

Vous avez enregistré un certain nombre de chansons qui symbolisent presque le dancehall. Ça vous fait quoi ?

Ce n'est rien d'autre que la grandeur à l'intérieur de la musique. Je et Je avons été choisis par le tout-puissant qui est venu et a disposé ces sonorités à cette époque donnée. Les sonorités de notre temps ont besoin de plus de positif afin qu'aucun homme ne considère cela comme une partie de plaisir et que cela ne détourne pas toute une génération et toute une nation du droit chemin. Alors il nous faut retourner aux racines, à cette époque lointaine. Parce que la musique en est arrivée à un point où elle doit dire quelque chose à un certain niveau.

Les gens veulent du positif plus que tout. Les gens sont affamés du positif qui leur fera oublier le stress et les aidera à entrer en contact avec eux-mêmes – avec leur moi intérieur et avec la réalité. Tous les gens aiment la vérité et la justice, même quand ils en font un combat. Seuls les plus forts des plus forts survivront – seuls ceux qui savent en cet âge de l'information.

Presque subrepticement, le reggae s'est répandu à travers le monde jusqu'à faire partie intégrante du tissu même de la culture universelle. Perçue avec une condescendance raciste par tous ou presque à la fin des années soixante, la musique jamaïquaine était, une décennie plus tard, indissociablement liée à l'image d'un Bob Marley brandissant haut la bannière rouge, or et vert

REGGAE

de Rastafari. Le succès de Marley incita ses fans à se lancer dans une chasse aux trésors d'une des musiques les plus sincères et les plus émouvantes du siècle passé. Pour ceux qui étaient déjà en phase avec la culture jamaïquaine, ce ne fut nullement une surprise de constater que les deejays des sound systems et les magiciens du dub avaient conçu le prototype du rap.

Il a été de bon ton dans certains cercles de laisser entendre que l'énorme popularité de Marley démontre qu'il n'a jamais été représentatif du reggae, et donc pas sincèrement cool. Il suffit de se promener dans des contrées reculées d'Afrique ou d'Asie et de soudain se trouver nez à nez avec d'immenses murs peints représentant le Tuff Gong

DU MONDE

pour faire litière d'un argument aussi spécieux. Comme il ne le savait que trop, ce fut le rôle de Bob d'ouvrir les oreilles du monde à cette musique de vérité et de justice (et d'amour et de cœurs brisés) appelée reggae. S'il n'avait pas aussi admirablement accompli sa tâche, vous ne seriez même pas en train de regarder ce livre.

« Si j'ai passé des disques de reggae au Roxy, c'est uniquement parce qu'il n'y avait pas assez de disques punk », a affirmé Don Letts, dont on dit que le travail de DJ au Roxy fut à l'origine de la fusion du punk et du reggae célébrée en 1977 par le « Punky Reggae Party » de Bob Marley.

Au Roxy comme dans d'autres clubs et spectacles punk, on trouvait un public blanc mûr pour le reggae. Au cours de cette époque de vide musical que représentaient les années soixante-dix d'avant le punk, le reggae fut l'une des seules formes musicales à rester constamment créatives et stimulantes. Quand Chris Blackwell avait signé Bob Marley, il avait conscience qu'après une période de forte innovation la rock music perdait de son élan. Les premiers disques des Wailers aidèrent à combler ce vide ; sur la bande sonore du film *The Harder They Come* figurait déjà l'abécédaire quintessentiel du reggae ; et, comme pour *Catch A Fire* et *Burnin'*, c'est grâce à la gauche branchée, qui avait adopté ce disque, que les albums *Funky Kingston* de Toots and the Maytals et *Marcus Garvey* de Burning Spear virent le jour ; quelques âmes courageuses allèrent même jusqu'à s'aventurer à l'intérieur du magasin de disques Daddy Kool, dans le West End de Londres, pour y acheter les derniers *pre's* – raccourci quelque peu ironique pour pre-release [pré-publication] – ainsi qu'on appelait les disques de reggae importés.

Des deux côtés de l'Atlantique, l'étrange poésie de Rastafari séduisit les punks : à New York, la poétesse Patti Smith adopta la musique de Tapper Zukie, les faisant monter, lui et Don Letts, sur scène quand elle se produisit à l'Hammersmith Odeon de Londres en 1977.

Et quand John « Johnny Rotten » Lydon sortit d'un long silence au cours d'une émission de Capital Radio, il programma plusieurs splendides disques de reggae : « King Tubby Meets Rockers Uptown » d'Augustus Pablo, « I'm Not Ashamed » de Culture, « Jah Wonderful » d'Aswad et des chansons de Ken Boothe, des Gladiators et de Fred Locks, ainsi que le stimulant « Born For A Purpose » de Dr Alimantado – rien que des gagnants.

Le mouvement 2-Tone de la fin des années soixante-dix fut le prolongement naturel de la fusion punk-reggae. Grâce à Jerry Dammers, le leader des Specials (page de droite : photographié au cours d'un de ses shows toujours très pondérés), et de 2-Tone, le beat galopant du ska envahit les charts anglaises en 1979 et 1980. Entre-temps, les Clash (ci-dessus) avaient intégré le reggae à leur spectacle depuis qu'ils avaient enregistré leur propre version du « Police And Thieves » de Junior Murvin. Ils devaient récidiver plus tard avec « Armagideon Time » de Willie Williams.

C'est sur le rythme du reggae que battait le cœur des Clash. Le reggae était sans aucun doute la musique la plus cool sur laquelle se brancher en 1975 et 1976 – en grande partie parce que c'était apparemment le seul genre à progresser – et pour les Clash, ce fut un bon choix parmi beaucoup d'autres.

Les Clash furent le premier groupe de rock à intégrer pleinement les sonorités jamaïquaines dans sa musique. Et, sur disque, les rythmes reggae furent pour la première fois enregistrés par ces mêmes Clash qui sur leur premier album interprétèrent « Police And Thieves » de Junior Murvin, un classique du reggae datant de 1976. Plus tard, le groupe devait remodeler « Pressure Drop » de Toots Hibbert et le magistral « Armagideon Time » de Willie Williams ; lors d'une répétition pour *London Calling*, Joe Strummer joua le hit de John Holt « OK Fred », dont on peut entendre des fragments sur l'album live.

Joe Strummer, le chanteur des Clash, appréciait le reggae depuis longtemps déjà, depuis que Mole, des 101'ers – groupe de pub-rock dont Strummer avait fait partie avant les Clash – l'avait initié à cette musique en passant en boucle l'album *Screaming Target* de Big Youth. Quand les Clash enregistrèrent « Police And Thieves » en 1977, il fut d'abord inquiet à l'idée de paraître « naff », équivalent de l'époque du Blanc-qui-joue-le-blues. Comment, se demandait-il, pourrait-il rivaliser avec la voix soyeuse de Junior Murvin ?

Et pourtant, « Police And Thieves » devint l'emblème du croisement reggae-punk chroniqué dans le « Punky Reggae Party » de Bob Marley. Ce dernier disque était produit par Lee « Scratch » Perry, qui avait joué le même rôle sur le disque de Junior Murvin et sur le simple « Complete Control » des Clash. « On cherchait une production reggae, mais lui voulait apprendre comment produire du punk », disait Joe.

À l'époque où il passa au Bond's de Manhattan, en 1981, pour des concerts qui devaient valoir au groupe un statut quasi légendaire aux États-Unis, le spectacle des Clash était en majeure partie composé de dub languide qui donnait l'impression d'écouter un sound system dans un débit de boissons clandestin du Londres jamaïquain.

À la mi-78, alors qu'il participait à la tournée *On Parole*, Joe Strummer admit avoir remonté le cours de cette musique jamaïquaine jusqu'au ska, cette musique largement instrumentale qui avait grosso modo coïncidé avec l'indépendance de l'île. Ce n'était peut-être pas tellement surprenant : en ouverture du spectacle se produisait un groupe de Coventry nommé les Special Aka (qui allaient rapidement devenir, plus simplement, les Specials), autres protégés du manager de Clash Bernie Rhodes. Et la spécialité musicale des Specials était le ska.

Tout comme les Rolling Stones avaient adopté et récrit le rhythm'n'blues noir américain, 2-Tone donna une interprétation universitaire d'un autre genre de musique. Jerry Dammers, un fils de vicaire dont 2-Tone était le grand projet, était issu du même circuit d'écoles d'art qui avait inspiré John Lennon, Ray Davies, Keith Richards et les Clash. Mais même si cela expliquait que son groupe, les Specials, joue aux gangsters à la sauce beaux-arts (ironiquement, « Gangsters » fut le titre du premier simple des Specials), le mouvement prenait malgré tout racine dans l'expérience vécue par Jerry Dammers dans la cité multiraciale de Coventry, dans les Midlands.

À la fin des années soixante-dix, la Grande-Bretagne était déchirée par des conflits raciaux larvés. À leur manière quelque peu vertueuse, Rock Against Racism et l'Anti-Nazi League, nés en même temps que le punk, se mobilisèrent pour combattre

Linton Kwesi Johnson (à gauche et en haut à droite sur la page ci-contre dans le bureau de Brixton de l'organisation Race Today, en compagnie de son compère militant Darcus Howe) fut le pionnier de ce style qu'on allait appeler dub poetry.
En Jamaïque, des artistes tels qu'Oku Onuora et le regretté Michael Smith ont, comme lui, pris le micro pour la cause du pouvoir des mots.
Entre-temps, Benjamin Zephaniah (centre gauche) a propagé le dub poetry en Grande-Bretagne.
Centre droite : Sting et Stewart Copeland, de Police, avec Steel Pulse.

ce fléau. Mais les spectacles des groupes multiraciaux de 2-Tone – et particulièrement ceux des Specials – atteignirent un niveau de paradoxe dont Samuel Beckett aurait été fier : pour des raisons difficiles à démêler, les racistes skinheads anglais avaient décidé que le groupe leur appartenait.

Telles des sections d'assaut SS, des hordes de skins envahissaient la scène partout où passait le groupe, restant épaule contre épaule aux côtés des musiciens durant tout le spectacle et causant à Dammers et à son équipe quelques sérieux problèmes psychologiques. On a dit plus tard que ce fut là le principal motif de la séparation du groupe après deux albums seulement.

Alors que Coventry avait fourni les Specials et Selecter, Birmingham enfanta The Beat et Dexys Midnight Runners.

Cette même ville donna également naissance à UB40, dont le son de base était le reggae et le rocksteady plutôt que le ska – indépendants motivés dans le plus pur style punk, ils allaient progressivement grandir jusqu'à devenir l'un des groupes britanniques les plus vendus à l'étranger.

Alors que les fans anglais, puristes blancs du reggae, avaient choisi de les tourner en dérision, les gens de Jamaïque les admirent dans leur cœur collectif et, au fil des années, IRIE-FM, la station de reggae jamaïquaine, allait diffuser les albums de UB40 dans leur intégralité.

Plus encore que les Clash, la formation qui intégra avec le plus de succès le rythme du reggae fut Police. Au début des années quatre-vingt, c'était devenu le plus grand groupe du

monde. Comment cela était-il arrivé ? « On était dans une situation bizarre, explique Sting, le chanteur du groupe. En raison de notre âge et de notre expérience, on pouvait être relativement objectifs vis-à-vis du mouvement et je voyais bien que le punk allait évoluer d'une manière ou d'une autre. Il était évident que si on pouvait marier cette énergie et cette pulsion à un genre plus musical, ce serait de la dynamite. Et ce que je voulais faire, c'était marier l'énergie de ce rock'n'roll à une musique harmonique, mélodique. Si on écoute mes différentes chansons, on peut constater que ma façon de faire devient progressivement plus fluide. Il y a un élément reggae dans " Don't Stand So Close To Me ", mais on le perçoit à peine. La musique coule plus, désormais – il n'y a presque plus de ruptures. »

« Ce que j'ai commencé à faire, c'est élaborer des chansons comportant un segment de huit mesures de rock'n'roll couplé avec, disons, seize mesures de reggae. C'est ce qu'on peut entendre dans " Roxanne ". » STING

Même Island Records trouvait ses origines dans la musique jamaïquaine, et son catalogue faisait partie intégrante du mouvement musical anglais. En 1975, on eut la confirmation de la direction dans laquelle soufflait le vent quand Virgin Records créa son propre label de reggae, Front Line, et sortit deux solides disques inauguraux des Mighty Diamonds et de U-Roy. Début 1978, Richard Branson, le propriétaire de Virgin, se rendit à Kingston chéquier en main pour signer Culture, I-Roy et bien d'autres artistes.

Peu à peu, il devint clair que ces artistes étaient destinés à d'autres marchés que celui de Grande-Bretagne. Il semblait y avoir une grosse demande de musique jamaïquaine en Afrique de l'Ouest. C'est, découvrit-on, la raison pour laquelle l'équipe de Virgin se démenait pour signer tout artiste de reggae sur lequel elle pouvait mettre la main. Le Nigeria, le plus vaste des États ouest-africains, possédait déjà sa propre star du reggae en la personne de Sonny Okusuns, qui mêlait reggae, highlife et juju.

Mais l'enthousiasme pour le reggae ne se limitait pas au tiers-monde. Jimmy Cliff était l'une des plus grandes stars jamaïquaines en Afrique. Et au Brésil, où il vivait une grande partie du temps, c'était une vedette encore plus grande.

Dans le même temps, alors que des variantes du reggae apparaissaient dans ces pays en voie de développement, la nation la plus avancée et la plus prospère du monde donnait naissance à une nouvelle musique dont les racines plongeaient dans une tradition jamaïquaine. On admet aujourd'hui que le hip-hop est un descendant en ligne directe de l'art du

Dans la seconde moitié des années soixante-dix, Aswad (à gauche) réussit l'exploit d'être en même temps la manifestation la plus musicale et la plus intransigeante du reggae anglais. Il est dommage que, durant la décennie suivante, le groupe ait dû se modérer dans le but d'obtenir une succession apparemment infinie de hits. Dans le même temps, Steel Pulse (ci-dessous), lui, n'a jamais mis la pédale douce. Sous la conduite d'un David Hinds aux locks élaborées, ses albums *Handsworth Revolution* et *Tribute To The Martyrs* furent des œuvres magistrales ; quand le marché britannique se tarit, ils allèrent travailler dans d'autres contrées, notamment aux États-Unis, où ils remportèrent un succès considérable... mais moins toutefois que UB40 (à droite), également de Birmingham et qui, grâce à sa tranquille persévérance, devint un des groupes les plus vendeurs au monde.

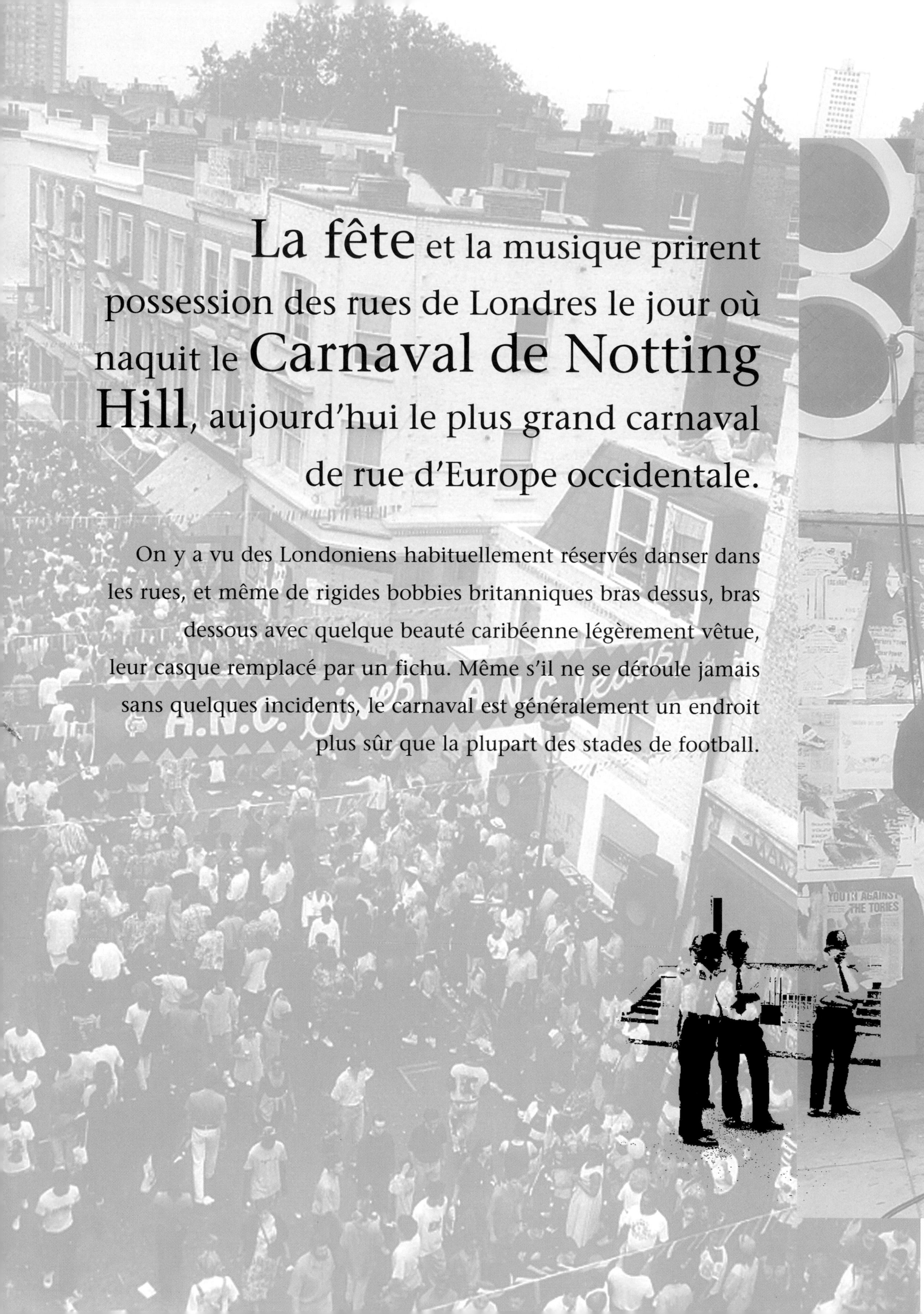

La fête et la musique prirent possession des rues de Londres le jour où naquit le Carnaval de Notting Hill, aujourd'hui le plus grand carnaval de rue d'Europe occidentale.

On y a vu des Londoniens habituellement réservés danser dans les rues, et même de rigides bobbies britanniques bras dessus, bras dessous avec quelque beauté caribéenne légèrement vêtue, leur casque remplacé par un fichu. Même s'il ne se déroule jamais sans quelques incidents, le carnaval est généralement un endroit plus sûr que la plupart des stades de football.

NOTTING HILL GATE

deejaying jamaïquain – même si une bonne part du genre lui-même vient tout droit des extravagants verbiages auxquels se livraient les DJs des radios américaines entre deux disques, ainsi que d'iconoclastes tels que les Last Poets. MC Kool Herc, un deejay jamaïquain qui monta un sound system dans le Bronx au milieu des années soixante-dix, est considéré comme un précurseur du rap. Et les origines jamaïquaines d'artistes tels que Biggie Small et KRS-1 contribuèrent à façonner leur style ; des artistes basés à New York comme Shinhead ou Shaggy adhèraient, eux, de plus près aux formes musicales jamaïquaines.

Nombre de musiciens jamaïquains sont encore en activité et participent à de lucratives tournées « revival » au Japon, pays où le ska est particulièrement populaire et possède même ses propres groupes locaux. Dans des endroits comme Bali, en Indonésie, la musique jamaïquaine est vénérée, peut-être parce qu'il y a sur l'île trois usines qui fabriquent des vêtements « reggae » rouge, or et vert. En Australie, le groupe de reggae aborigène No Fixed Address fut longtemps très populaire. Dans le sud-ouest des États-Unis, la tribu indienne des Hopis a de grandes affinités avec la culture reggae en général et l'œuvre de Bob Marley en particulier. Le reggae semble également avoir quelque chose à dire aux spoliés de l'ex-Union soviétique et de son ex-empire : la Pologne, par exemple, semble avoir un faible pour les rythmes de l'île aux Sources. Et, dans les années quatre-vingt-dix, les mouvements drum & bass et jungle ont clairement démontré que la musique jamaïquaine a eu en Grande-Bretagne une influence majeure sur la culture des clubs.

Vers la fin des années soixante-dix, le charisme et l'énergie de Bob Marley commencèrent à infiltrer l'Afrique. À la fin du XXe siècle, les images du chanteur étaient omniprésentes dans tout le continent, de Dakar à Lagos, du Cap au Caire : Africa Unite, en vérité ! En Côte-d'Ivoire, Alpha Blondy a vendu d'énormes quantités de cassettes – en dépit du fait que, lorsqu'il revint de New York pour informer ses parents de sa conversion à Rastafari, ils le firent placer sous surveillance psychiatrique. En 1986, Blondy enregistra en Jamaïque, accompagné par les Wailers. Le Malien Askia Mobido, quant à lui, fut touché par les influences de Blondy, avec qui il a travaillé quand il vivait en Côte-d'Ivoire.

Également originaire de Côte-d'Ivoire, Tangara Speed Ghoda métisse le reggae avec les musiques locales. En Afrique du Sud, alors sous le joug de l'apartheid, Lucky Dube adopta de façon similaire le tempo du reggae et les influences rasta. Sans surprise, *Rasta Never Die*, son premier album, fut censuré par les autorités de l'apartheid en 1985. Senzo Mthetwa, lui, combine le reggae avec la tradition *mbaganga* locale et le gospel. Ailleurs, le Zimbabwéen Thomas Mapfumo, les Ghanéens d'African Brothers et les Nigerians Mandators ont injecté des sonorités jamaïquaines dans leurs musiques originelles.

Ce qui n'est guère surprenant : c'est en Afrique, après tout, que tout a commencé.

Le débit torrentiel de la star américaine de rap Busta Rhymes est-il un rappel génétique de ses origines jamaïquaines ? Quoi qu'il en soit, un nombre considérable de rappers américains – y compris le regretté Biggie « Notorious B.I.G. » Smalls – pourraient sans problème faire remonter leur origine jusqu'à l'île aux Sources. MC Kool Herc avait-il la moindre idée de ce qu'il initiait ?

Ci-dessus : Baaba Maal, la superstar d'Afrique de l'Ouest, au Sénégal avec Luciano, le roi du « conscious ».

Luciano (à droite) portant les fers qui emprisonnèrent les pieds des millions d'esclaves qui transitèrent par le centre d'acheminement de l'île de Gorée au large de Dakar, la capitale du Sénégal.

Quand Jimmy Cliff se rendit au Sénégal, il y entendit une musique qui lui confirma que le reggae avait sans aucun doute possible émergé du cœur de l'Afrique. La merveilleuse musique du grand artiste sénégalais Baaba Maal embrasse une myriade de styles africains. Et ce fut un grand moment pour Luciano quand, avec Sizzla (en rouge), il rencontra Maal au Sénégal en 1998.

The Upset
LIBRA
R. Dean
Taylor

JAH LOVE
Unforgettables

ReggaeXplosion: L'EXPOSITION

Ce livre a été élaboré en collaboration avec ReggaeXplosion, exposition itinérante qui a fourni les archives visuelles parmi lesquelles les photographies ont été choisies. Sélectionnée et visuellement conçue par Adrian Boot et Shelley Warren, avec des textes de Chris Salewicz ainsi qu'avec l'assistance des fans et des professionnels du reggae à travers le monde, l'exposition a regroupé un étonnant assortiment d'images, d'artefacts divers, de matériel sonore et audiovisuel retraçant cinquante années de musique jamaïquaine. Le but de l'exposition était et est encore d'offrir une vue de l'intérieur graphiquement attrayante et informative de ce genre musical si important. Produite et convoyée par Exhibitz, l'exposition a fait étape à la Roundhouse de Londres en octobre 2000 après avoir visité Birmingham, Liverpool, Sheffield et Leeds. Grâce à l'aide de la Millennium Commission, une série d'ateliers et un CDRom ont été mis au point pour chaque lieu d'exposition.

ReggaeXplosion se produira à travers le monde dans un futur proche. Pour plus d'information sur l'exposition ou la vente d'épreuves, veuillez contacter Shelley Warren à exhibitz@netcomuk.co.uk ou bien visitez www.reggaexplosion.co.uk

CRÉDITS PHOTOGRAPHIQUES

Tim Barrow : p58D ; p97 ; p136 ; p137D ; p186 HG,HC,BG ; p187 HD,C,BC,BG,MG ; p188 ; p191 ; p192-197 Avec l'autorisation de Camera Press : p16 ; p17 ; p18 ; p110 HD,BG,CG • Avec l'autorisation de Black Echoes : p27 ; p55 • Sleeve Artwork, avec l'autorisation de Blood & Fire : p80-81 ; p97 • Avec l'autorisation de Neville Garrick : p140 ; p144 • Rob Hann : p212 Dave Hendley : p80 ; p82 ; p83 ; p94 ; p96 ; p99 ; p119H ; p120B ; p178B • Avec l'autorisation de Perry Henzell : p73 • Beth Lesser : p79 ; p92G ; p128C ; p174 ; p179 ; p182 ; p184G • Peter Murphy : p11 ; p58G ; p59D Ebet Roberts/Redferns : p78 • David Rodigan : p26 • Jean-Bernard Sohiez : p34 ; p60 ; p61 G&C ; p69 ; p91H ; p98 ; p121 ; p128G ; p186HD,BD,BC ; p220B • Avec l'autorisation d'Eddie Thornton pp24/25 • Wayne Tippetts : p2 ; p9, p171 ; p172 ; p175 ; p176 ; p180 ; p190 • Adrian Boot/© 56 Hope Road Music Ltd : p6 ; p9 ; p138 ; p143 ; p145 ; p146 ; p147 p153 ; p155 - p157 ; p160 - p169 ; pp220/221H p224 • © Hope Road Music Ltd : p53 ; p142 ; p145 • Les autres photographies dans cet ouvrage sont de Adrian Boot et/ou Copyright Control.

Tous les efforts ayant été faits pour retrouver les détenteurs de droits des photos et illustrations de ce livre, nous nous excusons pour toute omission ou erreur involontaire. Nous serons heureux d'insérer les crédits ou amendements appropriés dans toutes les éditions ultérieures de cet ouvrage.

PHOTOGRAPHES

TIM BARROW

Tim Barrow a étudié pendant quatre années au Plymouth College of Art and Design où il s'est spécialisé dans la photo sous-marine, passion qui lui vint d'une active carrière de surfer. Bien qu'il ait surfé pour la Grande-Bretagne, son intérêt pour la photographie l'amena à Londres, où il travailla à partir de 1978 pour Black Echoes et, en tant que freelance, pour d'autres clients et publications. Jamais très éloigné de la mer, Tim vit à Barnstaple et continue à surfer et à réfléchir.

ADRIAN BOOT

Adrian Boot fit ses études à la Surrey University avant d'émigrer en Jamaïque au début des années soixante-dix pour y enseigner la physique. De retour en Grande-Bretagne, il fut photographe freelance pour le *NME*, *Melody Maker*, *The Times* et *The Guardian*, puis devint photographe salarié du *Melody Maker*. Par la suite, il a été chef photographe pour Live Aid ; pour Nelson Mandela : Freedom at 70 ; pour The Wall de Roger Water à Berlin ; pour Greenpeace dans l'ex-URSS. Il a également travaillé en Afrique avec l'hôpital volant ORBIS ; le British Council en Irak et en Jordanie ; pour le Grateful Dead en Egypte et pour Island Records en Jamaïque, en Colombie et dans de nombreuses parties du monde. Parmi ses livres, citons *Jah Revenge* et *Babylon On a Thin Wire* (tous deux avec Michael Thomas), ainsi que *Bob Marley, Légende Rasta*, avec Chris Salewicz, et *International Reggae* (avec Peter Simon). Depuis qu'il a conçu son propre ordinateur en 1976, Boot s'investit de plus en plus dans la photographie informatiques, le DVD et internet.

ROB HANN

Autodidacte, Rob Hann commença à travailler comme photographe à l'âge de trente-huit ans. Spécialiste du portrait, il a collaboré au *NME*, au *Times*, à l'*Independent On Sunday Review*, à *Scotland On Sunday Magazine*, à *Straight No Chaser*, à *Time Out* et à *The Big Issue* parmi beaucoup d'autres. La photo de Busta Rhymes fut réalisée pour le *NME* en coulisse à Cleveland, Ohio, en novembre 1999. « On m'a dit que j'avais une minute pour la séance. »

DAVE HENDLEY

« Je suis allé pour la première fois à Kingston au printemps 1977. En tant que fanatique de reggae, ma mission première était de combler les vides de ma collection de disques et de visiter le berceau de la musique que j'aimais. À cette époque, je rédigeais aussi la rubrique reggae de *Blues & Soul* et avais la tâche subsidiaire de faire autant d'interviews que possible. Les chanteurs, musiciens et producteurs que j'ai rencontrés au cours de ce voyage ont été extrêmement accueillants et généreux de leur temps, en particulier King Tubby, Prince Jammy, Dr Alimantado, Jojo Hookim, Errol Thompson, Lee Perry, Tapper Zukie, Earl Zero, Yabby You et Coxsone Dodd. La photographie n'étant pas vraiment ma priorité, je me rappelle m'être dit qu'il ne fallait pas que la chasse aux images gâche mon séjour. […] L'idée ne m'a pas effleuré que ces images pourraient avoir un intérêt quelconque près d'un quart de siècle plus tard – et je regrette aujourd'hui de ne pas en avoir pris quelques-unes en plus. »

PHOTOGRAPHES

BETH LESSER
La majorité du travail photographique de Beth Lesser a trait à la scène dancehall de Kingston dans les années quatre-vingt, particulièrement les chanteurs, les deejays, les selecters et les opérateurs de sound systems. Quand elle était en Jamaïque, on rencontrait souvent Beth au studio Jammy's, à Channel One, à Youth Promotion et à Black Scorpio – « Quelques-unes de mes photos préférées sont des clichés de glandeurs locaux qui se montraient dans les endroits où on faisait de la musique dans l'espoir d'obtenir leur chance. » Beth, qui vit désormais à Toronto, continue la photo et produit également *Reggae Quarterly*, qui est distribué dans le monde entier.

PETER MURPHY
La carrière photographique de Peter Murphy avec Claire Hershman débuta parce que lui connaissait la musique et qu'elle avait le matériel. Ils vendirent leur première série de photos pour un album de reggae live sorti sur un label mineur. Les années soixante-dix furent consacrées à leurs passions jumelles, la musique et le voyage. La musique leur offrit une route directe vers le cœur de sociétés aussi lointaines que la Jamaïque et le Nigeria. Murphy fut chef-opérateur pour les films primés *Passing Glory* et *Before I Die Forever* ainsi que pour le générique du premier *Batman*.

JEAN-BERNARD SOHIEZ
« C'était le milieu des années soixante-dix et je cherchais quelque chose de nouveau... quelque chose qui satisfasse mon âme... et c'est alors que j'ai découvert Natty Dread. Bob Marley a transformé ma vie », dit en riant Jean-Bernard Sohiez. Il emballa son Leica, quitta Paris et s'installa à Londres pour couvrir la scène reggae. Il avait déjà collaboré au principal magazine musical français, *Rock & Folk*, et, une fois à Londres et grâce au rédacteur en chef du *NME* Neil Spencer, il commença à obtenir des commandes régulières. Jean-Bernard fit équipe avec le journaliste freelance Paul Bradshaw et récolta le surnom de « Frenchie » dans les milieux du reggae. Il assistait régulièrement aux soirées des sound systems Coxsone Outernational, Jah Shaka, Fatman Hi-Fi et autres, et quiconque passait en ville tombait sous l'œil de son appareil. Il se rendit pour la première fois en Jamaïque en 1980 et, plus récemment, en 1999. Bien que surtout connu pour ses portraits reggae, il a été applaudi en France pour ses portraits d'une nouvelle génération de peintres – « la nouvelle expression libre » – tels que Jean-Charles Blais et François Boisrond. En 2001, Jean-Bernard réside à Paris et collabore à *Straight No Chaser*.

WAYNE TIPPETTS
Né en Angleterre en 1959, Wayne Tippetts étudia la photographie documentaire à la North East Polytechnic de Londres. Diplômé en 1986, il partit visiter la Jamaïque, prenant des photos dont les sujets allaient de la religion aux champs de courses et à la culture des bals. Une sélection de ses photos en noir et blanc fut exposée à la Grosvenor Gallery de Kingston en 1994. En 1993, Wayne décida de s'installer en Jamaïque, où il enseigna la photographie à l'Edna Manley School for Visual Arts de Kingston. Ses photos de dancehall ont été publiées sur des pochettes de disques et dans des magazines.

REMERCIEMENTS

En plus des photographes et des auteurs qui ont directement contribué à ce livre, nombreux sont ceux qui ont apporté leur soutien, leur sympathie, leur dur labeur et leurs idées au cours de l'élaboration de l'exposition ReggaeXplosion. Merci à : Simon Buckland, Giles Moberly, Neville Garrick, David Rodigan, Hulton Getty, Retna, Redferns, Camera Press, Black Echoes et 56 Hope Road Music Ltd pour leurs images ; Gaylene Martin et Gaz Mayall pour avoir ouvert leur impressionnante collection de disques et pour leurs avis d'experts. À Vicky Fox, superbe retoucheuse, assistante de production et grande prêtresse punk, un grand merci pour son aide et son rire durant les quelques années écoulées ; Jeremy Collingwood s'est révélé bien plus qu'un grand fan de reggae et nous lui serons toujours reconnaissants pour ses inestimables contacts, ses conseils permanents et sa réserve d'artefacts les plus rares. Chapeau bas à Val Wilson, de Camden Mix, sans le dur travail et l'aide de qui rien de ceci ne serait arrivé ; à ceux de l'industrie musicale, merci à Ian Snodgrass chez Universal Island, Mark Marot, Mark Le Goy et Laura Gladman, Pete Holdsworth chez Pressure Sounds, Adrian Sherwood chez On-U Sounds, Bob Harding chez Blood & Fire, Chris Cracknell, Peade & Tony McDermott chez Greensleeves, Chris Lane chez Fashion, Lol, Noel et John chez Dub Vendor et Simon Dornan, de Virgin Megastores. Merci à l'équipe de la Roundhouse dirigée par Kevin Luton et au personnel de la Roundhouse, particulièrement Phoenix et Amanda pour leur enthousiasme quotidien, Geoff et Judy chez Jamaica Blue, Leeds Photovisual, Microvideo, Marie chez VSC Camden, la Jamaican High Commission, Intro, Stylorouge, Zak, Eira et Rob Warren et Helmut Teichert-Kuhr. Hommage à Paul Clarke et Peter Harvey, de la London School of Printing, et à leurs prodiges Sonia, Matt, Dan et Phil, pour leurs films et leur enthousiasme. À Jo Bloom, Miss P, Nicky Ezer, Time Out et London Live pour avoir fait passer le mot ; à Mykaell Riley, Paul Bradshaw, Don Letts, Steve Barrow, Linton Kwesi Johnson, Andrew Neale et Penny Reel. Au Roundhouse Trust, à Rachael Mulhearn, du Liverpool Maritime Museum, à Steve Byfield, des Leeds Leisure Services, à tous chez Birmingham Drum, à Sam Irani chez NPCM et à Fiona Drury chez Write Angle, pour avoir coordonné la tournée en Australie et en Asie.

Pour leur aide inestimable à la fois en ce qui concerne l'exposition et le livre, merci à Ann Hodges, Roger Brown, Justine Henzell, Island Communications, Rita Marley, Julian Alexander, Steve Barrow et l'équipe de Rougher Than Rough – Humphrey Pryce, Suzette Newman, Mark Painter, et Verrah Senton et Trevor Wyatt.

Toute tentative pour citer l'ensemble de ceux qui ont contribué à ce projet au cours des années ne pourrait s'effectuer sans de graves erreurs. Les éditeurs de ce livre et Exhibitz présentent leurs excuses pour toute omission. Aucune personne ne vaut moins qu'une autre.

INDEX

Index des personnes et des artistes cités dans le texte de *Reggae Explosion*

101'ers 204

Aces 60, 71
Adams, Glen 61, 89
Adams, Aubrey and the Dew Droppers 38
Admiral Bailey 22, 180, 184
Admiral Tibet 184
African Brothers 212
Aitken, Laurel 35, 61, 152
Alcapone, Dennis 80, 82, 83, 90, 93, 97, 102, 187
Alexander, Reuben 25
Alphonso, Roland 35, 39, 42
Althea and Donna 120, 128
Anderson, Alvarita voir Rita Marley
Anderson, Gladstone 60
Anderson, Lynford 61
Andy, Bob 71
Armstrong, Louis 50
Aswad 121, 204, 209
Austin, Peter 53

B, Anthony 186
Babcock, Charlie 60, 65
Bailey, Noel 180
Banton, Buju (Mark Myrie) 103, 137, 173, 189, 193, 194, 197, 198-199
Barrett, Aston « Family Man » 83, 85, 154, 158, 162, 166
Barrett, Carly 167
Barrow, Steve 22, 24, 130, 179
Basie, Count 22, 24
Beat 42, 206
Beatles 98
Beckett, Samuel 206
Beckford, Ewart voir U-Roy
Beckford, Theophilius 35, 39
Beenie Man 103, 189, 193, 194, 196
Beltones 60
Bennett, Headley 60
Bennett, Mikey 181
Bennett, Val 24, 38, 68, 71
Big Youth 83, 97, 98, 100-101, 102, 111, 126, 131, 163, 204
Biggie « Notorious B.I.G. » Smalls 212, 213
Black Uhuru 10, 126, 180
Blackwell, Chris 10-11, 27, 35, 57, 61, 71, 72, 116, 149, 151, 152-153, 154, 162, 166, 204
Blake, Paul 179
Blake, Winston « Merritone » 23, 28-29, 60, 67, 98
Blender, Everton 187
Blondy, Alpha 212
Blood Fire Posse 179
Boney M 72
Booker, Cedella, 140-141, 168
Boot, Adrian 94
Boothe, Ken 39, 121, 204
Bounty Killer (ou Bounti Killa) 103, 189, 193, 194, 196
Bow, Trevor 163
Bradshaw, Sonny Group 83
Braithwaite, Junior 142
Branson, Richard 208
Bremmer, Wade voir Trinity
Brevette, Lloyd 42
Brigadier Jerry 189
Brown, Barry 181
Brown, Castro 133
Brown, Dennis 39, 100, 102, 126, 128, 129, 130, 163, 174, 184
Brown, Glen 83, 90
Brown, Hopeton « Scientist » 174, 176
Brown, Hux 60
Brown, Jack 24
Browne, Cleveland « Clevie » 181
Buccaneer 187
Bucknor, Sid 90
Buckrum, Count 30
Bulgrin, Lascelles « Wiss » 120
Bullocks, Lester voir Dillinger
Burke, Solomon 39
Burnett, Watty 116
Burning Spear 10, 92, 93, 107, 108, 111, 115, 116, 117, 122-125
Burrell, Phillip « Fatis » 133, 184, 189
Busta Rhymes 213
Bustamante, Alexander 16, 37
Buster, Prince 10, 26, 27, 29, 30-33, 35, 42, 54, 55, 62, 66, 92, 93, 102, 111, 115
Byles, Junior 72, 93, 111

Campbell, Naomi 164
Capleton 103, 137, 189
Carlene, the Dancehall Queen 197
Carlos, Don 174
Carlton and his Shoes 90, 116
Cassidy, Frederick G. 21
Chambers, James voir Jimmy Cliff
Charmers, Lloyd 58, 98
Chinn, Clive 93, 126
Christian, Charlie 38
Clarendonians 53
Clarke, Brent 151
Clarke, Gussie 98, 100, 102, 137, 184, 189
Clarke, Johnny 72, 83
Clash 94, 204, 206, 207
Cliff, Jimmy 16, 48, 54, 60, 71, 72, 142, 152, 194, 197, 208, 217
Cliffie 29
Cobra 184, 189
Cochran, Eddie 180
Cocoa Tea 137, 178, 184
Cole, Alan « Skill » 151, 166
Cole, Stranger 61
Collins, Ansell 69, 180
Collins, Bernard 116
Collins, Dave 69
Coltrane, John 98
Columbus, Christopher 20
Comic, Sir Lord 78
Congos 116-117
Cool Sticky 78
Copeland, Stewart 206
Count Machuki 15, 16, 26, 29, 30, 76-77, 78
Count Nick 30
Count Ossie 8, 10, 62, 115
Count Owen 23
Count Smith - The Blues Blaster 27
Count Stitt 29
Coward, Noel 50
Coxsonairs 38
Coxsone, Lloyd 35
Craig, Albert « Apple » 120
Culture 116, 117, 120, 121, 126, 163, 204, 208
Cuttins 29
Cutty Ranks 189

Dammers, Jerry 42, 43, 204, 206
Davies, Ray 206
Dean, Eric 24, 25, 38
Dekker, Desmond 52, 57, 60, 71, 72
Delgado, Junior 129, 186
Demus Chaka 180, 184
Demus, Chaka and Pliers 102, 197
Dexys Midnight Runners 42, 206
Dickie, Doctor 78
Digital, Bobby 136, 181, 184
Dillinger 92, 94, 97, 120, 163
Dillon, Phyllis 59
Dixon, Robert voir Bobby Digital
Dobson, Dobby 59
Dodd, Coxsone 27, 29, 30, 32, 33, 35, 38, 41, 42, 52, 53, 58, 59, 60, 61, 62, 65, 68, 71, 78, 83, 85, 90, 92, 97, 116, 120, 122, 128, 142, 144, 147, 158
Doggett, Bill 41
Downie, Tyrone 158, 162
Dr Alimantado 94, 121, 204
Dragonaires 46, 128
Dread, Mikey 94
Drifters 145
Drummond, Don 24, 25, 42, 115, 147
Duddah 32, 35
Dunbar, Sly 117, 119, 179

Eastwood, Clint (acteur) 102
Eastwood, Clint (musicien) 98, 102, 174
Ebony Sisters 97
Eccles, Clancy 46, 61, 78, 92
Edwards, Jackie 55, 57, 71
Eek-A-Mouse 174, 179
Elizabeth II 37, 137
Ellington, Duke 22
Ellis, Alton 35, 38, 39, 51, 53, 54, 58, 59, 90, 97, 102, 174, 179
Ellis, Hortense 55, 147
Ertegun, Ahmet 152
Ethiopians 22, 60

Faith, George 111
Falcon Band 128
Fame, Georgie 69
Fearon, Clinton 121
Ferguson, Lloyd « Judge » 120
Flea, Lord 23
Fleming, Ian 159
Flourgon 184
Fly, Lord 23
Folkes Brothers 10, 32, 115
Foot, Sir Hugh 50
Foster, Winston voir Yellowman
Fraser, Dean 181, 184
Frater, Rick « Rickenbacka » 38
French, Robert 198
Frisco Kid 197
Fugees 196

Gardiner, Boris and the Pioneers 72
Garrick, Neville 92, 163
Garvey, Marcus 108, 111, 164
Gaye, Barbie 57
Gaylads, 60
General Degree 187, 189
General Echo 102, 174
General Saint 98, 174
Gentleman, Sir Horace 43
Germain, Donovan 189
Ghoda, Tangara Speed 212
Gibbs, Joe 68, 83, 90, 92, 93, 100, 117, 119, 120, 128, 129, 184
Gifford, Marlene « Precious » 156
Gladiators 22, 120, 121, 204
Golding, Lynval 43
Goldman, Vivien 129
Goodall, Graeme 61
Goodies 27
Gordon, Rexton voir Shabba Ranks
Gordon, Roscoe 35, 152
Gordon, Henry « Raleigh » 62, 64
Gordy, Berry 38
Graham, Kenny and the Afro-Cubists 61
Gray, Noel « Phantom » 189
Gray, Owen 55
Green, Peter 129
Griffiths, Albert 121
Griffiths, Marcia 39, 71, 154, 156, 159, 194
Grooving Locks 174

Hailé Selassié Ier 16, 51, 69, 106, 198, 110, 111, 133, 135, 147, 154, 164, 189, 196
Half Pint 179
Hall, Marion voir Lady Saw
Harriott, Derrick 60
Harry J Allstars 69
Hartley, Trevor 181
Hawkins, Erskine 24, 39
Hendrix, Jimi 153
Henzell, Perry 16, 48, 72
Heptones 10, 52, 60, 90, 97
Hersan and the City Slickers 38
Hibbert, Toots 10, 47, 50, 61, 62-65, 204
Hickey Man 29
Higgs, Joe 51, 142
Hill, Joseph 38, 116, 117, 126
Hilton, Ripton voir Eek-A-Mouse
Hinds, David 209
Hines, Carlton 184
Hines, Delroy 122
Hitchcock, Alfred 98
Holness, Winston « Niney » 129
Holt, John 26, 39, 69, 81, 102, 174, 178, 184, 204
Hookim, Ernest 119
Hookim, Jojo 94, 98, 119
Hookim, Kenneth 119
Hookim, Paulie 119
Howe, Darcus 206
Howell, Leonard 16
Hudson, Keith 98, 100, 102

I-Roy 92, 97, 98, 100, 102, 108, 111, 119, 174, 208
Impressions 59, 144
Inner Circle 108, 117, 152, 163, 197
Irie, Clement 184
Isaacs, Gregory 100, 102, 130-131, 137
Isaacs, David 71
Israel Vibration 120, 121

Jackson, Michael 128
Jah Jerry 32
Jah Lion 116
Jah Privy 38
Jah Stitch 98, 180, 181
James, Hugh « Redman » 184
James, Lloyd voir King Jammy
Jigsy King 184
Jobson, Diane 169
Joe, Count 27
Johnson, Cluett « Clue-J » 35, 38, 39, 41
Johnson, Harry « J » 60, 61, 71, 153
Johnson, Linton Kwesi 126, 129, 206
Johnson, Roy 116, 117
Johnson, Wycliffe « Steely » 181
Jones, Puma 126
Jordan, Louis 39, 41

Kamoze, Ini 184
Katz, David 68, 90
Kelso, Beverly 142, 145
Kenton, Stan 24
King Edwards 27, 29, 62
King Jammy 22, 137, 179, 180, 181, 184, 189, 197
King Kong 180
King Stitt 78
King Tubby 60, 78, 80-81, 83, 90, 97, 98, 179, 184, 189
King, B.B. 35
King, Diana 197
Knibbs, Lloyd 42
Kong, Leslie 39, 46, 52, 54, 55, 57, 71, 72, 142, 152
Koos, Lord 29
KRS-1 212

Lady Saw 134, 173, 192-195, 197
Landis, Joya 71
Lashar 23
Last Poets 212
Lawes, Junjo 98, 102, 103, 137, 172, 174, 178-179, 184
Lawrence, Larry 94
Lee, Bunny «Striker» 60, 61, 71, 83, 90, 92, 93, 98, 174, 197
Lee, Byron 46, 54, 62, 128
Lennon, John 206
Leone, Sergio 78
Letts, Don 129, 204
Levy, Barrington 174, 178, 179
Lewis, Alva 60
Lewis, Hopeton 60
Lieutenant Stitchie 22, 180
Lindo, Lawrence voir Jack Ruby
Little Richard 55, 66
Livingston, Bunny 10, 53, 142, 144, 145, 147, 148, 149, 151, 154, 156, 158, 159
Llewellyn, Barry 52
Locks, Fred 204
Lone Ranger 186
Long, Edward 20, 21
Lord Power39
Lord Tippertone 100
Luciano 132-135, 137, 193, 194, 214, 217
Lucky Dube 212
Lydon, John «Rotten» 121, 126, 204
Lynford, Donald 116

Maal, Baaba 60, 215, 214, 217
Macintosh, Peter voir Peter Tosh
Madness 42
Major Worries 180
Mandators 212
Manley, Michael 108, 116, 120, 154, 164, 167, 174
Manley, Norman 16, 18, 52
Manning, Lynford 116
Mapfumo, Thomas 122, 212
Marley, Bob 10, 30, 39, 42, 46, 51, 53, 54, 55, 57, 69, 71, 72, 85, 89, 92, 98, 100, 102, 103, 106, 108, 111, 116, 117, 120, 122, 126, 129, 130, 134, 137, 138, 169, 174, 178, 184, 194, 197, 198, 202-203, 204, 212
Marley, Cedella 142, 156, 158, 163, 168, 169
Marley, Norval 140, 158
Marley, Rita 69, 71, 85, 142, 147, 151, 154, 156-159, 162, 167, 168, 194
Marley, Sharon 142
Marley, Ziggy 142, 156, 158, 159, 168
Marshall, Larry 60
Martin, Ivan «Rhygin» 16, 48, 72
Marvin, Junior 163, 167
Massop, Claudie 174
Massop, Jack 174
Matthias, Nathaniel «Jerry» 62, 64
Maytals 10, 22, 46, 47, 57, 60, 61, 62-65, 72, 204
Maytones 22
MC Kool Herc 212, 213
McClymont, Jepther voir Luciano
McCook, Tommy 42, 59, 60
McGregor, Freddie 53, 133, 187
McKay, Freddy 38
Meditations 22
Meeks, Carl 184
Melodians 60, 72
Melody, Courtney 184
Michigan and Smiley 174, 178, 179
Mighty Diamonds 117, 119, 120, 163, 208
Miller, Glenn 22
Miller, Jacob 108, 117, 152, 163
Minott, Echo 179
Minott, Sugar 179, 180, 181, 187, 189
Mittoo, Jackie 42, 60, 61
Mobido, Askia 212
Moore, Johnny «Dizzy» 42
Morgan, Derrick 53, 54-55, 57, 142
Morgan, Earl 52
Morris, Eric «Monty» 32, 54, 55
Morris, Naggo 52
Morris, Sylvan 90
Motta, Stanley 23
Mowatt, Judy 154, 156, 159, 194
Mr Vegas 103, 186, 187
Mthetwa, Senzo 212
Mudie, Harry 97
Mundell, Hugh 174
Murvin, Junior 116, 117, 204
Mystic Revelation of Rastafari 115
Myton, Cedric 116, 117

Nanny 194
Nash, Johnny 60, 147, 151
Niney 92, 126
Ninjaman 178, 184, 186
Nitty Gritty 180
No Fixed Address 212

Okusuns, Sonny 208
Onuora, Oku 206
Opel, Jackie 41
Osbourne, Johnny 137, 181

Pablo, Augustus 90, 93, 121, 126, 204
Paley, Kenneth 117
Palmer, Robert 111
Panton, Roy 57
Paragons 9, 69, 81
Parks, Lloyd 102
Patra 186, 197
Patsy 55
Patterson, Alvin «Franseeco» 142
Paul, Frankie 178, 184
Pearson, Ian 39
Perkins, Eddy 58
Perry, Lee «Scratch» 10, 22, 52, 60, 61, 68, 69, 71, 80, 83, 84-89, 90, 92, 93, 97, 98, 106, 108, 111, 116, 117, 121, 148, 151, 154, 158, 162, 164, 204
Perry, Pauline 154
Pinchers 184
Planner, Mortimer 51, 69, 147, 166
Police 206, 207
Pottinger, Mrs Sonia 60, 65, 117
Prince Far-I 94, 121
Prince Jazzbo 83, 92, 94, 98
Princess Margaret 37
Professor 189
Pryce, Rodney voir Bounty Killer

Ranglin, Ernest 24, 25, 27, 35, 39, 40-41, 42, 53, 57, 61, 144, 147, 160
Ranking Dread 181
Ranking Joe 94, 181, 18
Ras Michael and the Sons of Negus 115, 163-164
Rebel, Tony 184, 189
Red Dragon 184
Red Rat 187
Redwood, «Ruddy» 59
Reggay Boys 46
Reid, Duke 26, 27, 29, 30, 32, 33, 35, 38, 39, 42, 52, 53, 54, 55, 58, 59, 60, 65, 71, 78, 80, 81, 93, 97, 115, 117, 179
Reid, Junior 179, 181, 186
Reid, Roy see I-Roy
Reinhardt, Django 38
Revolutionaries 119, 130, 174
Rhodes, Bernie 206
Richards, Keith 206
Richards, Ken 38, 39
Riley, Winston 102, 184
Robbins, Marty 90
Roberts, Patrick 197
Rodigan, David 30
Rodney, Winston voir Burning Spear
Rodriguez, Rico 32, 35, 39
Rolling Stones 206
Romeo, Max 71, 116, 117
Roots Radics 174, 179
Rose, Anthony «Red» 189
Rose, Michael 126, 127
Roundhead 184
Ruby, Jack 92, 93, 111, 122
Ruddock, Osbourne voir King Tubby

Saltzman, Harry 152
Sanchez 181, 184
Scott, Calvin voir Cocoa Tea
Scotty 72
Seaga, Edward 35, 48, 52, 164, 167, 174
Sedgwick, Chris 178
Selecter 42, 206
Shabba Ranks 103, 172, 184, 189, 191, 199
Shaggy 32, 187, 197, 212
Shakespeare, Robbie 117, 119
Shalett, Emile 54, 61
Shaw, Donald «Tabby» 120
Shinehead 2012
Shirland, Roy 25
Shirley, Roy 53
Sibbles, Leroy 52
Silk, Garnett 136, 137, 184
Silver Cat 197
Simone, Nina 71
Simpson, Ducky 126
Simpson, Fitzroy «Bunny» 120
Sims, Danny 147, 151, 152
Sir George The Atomic 78
Sir Nick The Champ 16, 27
Sizzla 137, 189, 217
Ska Flames 42
Skatalites 29, 41, 42, 57, 60, 62
Slickers 72
Sloane, Sir Hans 20
Sly and Robbie 102, 126, 179, 181, 184
Small, Millie 57, 152
Smart, Leroy 102
Smith, Cherry 142
Smith, Conroy 184
Smith, Ian 194
Smith, Michael 206
Smith, Patti 94, 204
Smith, Slim 179
Smith, Wayne 180
Snagga Puss 197
Soul Defenders 38
Soul Vendors 38, 179
Soulettes 147, 156
Specials (Special Aka) 42, 43, 204, 206
Spence, Cecil «Skeleton» 120
Spencer Davis Group 71, 152
Spillane, Mickey 98
Stanley and the Turbines 22
Starlights 22
Steel Pulse 206 209
Steely and Clevie 181, 184
Sterling, Lester 32, 61
Stevens, Cat 72
Stevens, Tanya 194
Stewart, Pat 54
Sting 206, 207
Strummer, Joe 204, 206
Studio One Band 38
Super Cat 184
Sutherland, Dallimore 121

Taitt, Lynn 54, 59, 60, 68
Taylor, Don 162
Techniques (The) 59, 60, 184
Teenagers 142
Tenor Saw 180, 181, 193
Terror Fabulous 184
Third World 10, 108, 128
Thomas, Linton 25
Thomas, Nicky 72
Thompson, Errol «T» 83, 90, 93, 117, 120
Thompson, Linval 174
Thompson, Winston voir Dr Alimantado
Thornton, Eddie «Tan Tan» 25
Thriller U 181, 184
Tom The Great Sebastian 14, 15, 23, 26, 27, 30, 32, 35
Tosh, Peter 22, 42, 142, 144, 145, 147, 148-149, 154, 156, 158, 159, 163
Toussaint, Allen 120
Traffic 152
Trinity 94, 98, 102, 120, 163

U-Roy 59, 77, 78, 80, 81, 82, 83, 89, 90, 92, 93, 97, 100, 102, 111, 126, 208
UB40 207, 209
Untouchables 71
Upsetters 68, 85, 89, 116, 151

Van Renen, Jumbo 98
Vin, Duke 26, 30

Wailer, Bunny voir Bunny Livingston
Wailers 22, 39, 42, 51, 52, 53, 58, 59, 93, 117, 147, 148, 151, 152, 154, 155, 156, 162, 163, 166, 167, 204, 212
Wailing Rudeboys 142
Wailing Souls 174
Wailing Wailers 142, 147
Waldron, Anthony voir Lone Ranger
Wales, Josey 174
Walker, Albert «Ralph» 117
Walker, Bagga 38
Walker, Constantine «Dream» 156
Walker, T-Bone 35
Walks, Dennis 97
Wallace, Leroy «Horsemouth» 38
Watson, Sam 25
Wayne, John 189
We The People Band 184
Wellington, Rupert 122
White, K.C. 102
Williams, Lester 25
Williams, Willi 204
Wilmott, Father Bobby 51
Wilson, Delroy 85, 90, 97, 147
Wilson, Fitzroy «Ernest» 53
Winwood, Steve 152
Wonder, Lickle 54
Wonder, Stevie 166
Wright, Winston 60, 61

Yellowman 102, 103, 174, 178

Zephaniah, Benjamin 206
Zukie, Tapper 78, 94, 204

mobile Record SHACK
FOR TAPES
WELCOME TO
LLISON'S JOINT
STRONG TO FIGHT ANY MAN THAT IS WELL FED & FIT
ONE LOV
BLACK
STATION